DIALOGUES

DIALOGUES

SOURCES CHRÉTIENNES

Fondateurs : H. de Lubac, s. j., et † J. Daniélou, s. j.
Directeur : C. Mondésert, s. j.

N° 251

GRÉGOIRE LE GRAND

DIALOGUES

TOME I

INTRODUCTION, BIBLIOGRAPHIE ET CARTES

PAR

Adalbert de VOGÜÉ
MOINE DE LA PIERRE-QUI-VIRE

Cet ouvrage est publié avec le concours
du Centre National des Lettres

LES ÉDITIONS DU CERF, 29, BD DE LATOUR-MAUBOURG, PARIS

1978

*La publication de cet ouvrage a été préparée
avec le concours de l'Institut des Sources Chrétiennes
(E. R. A. 645 du Centre National de la Recherche Scientifique)*

ANGELO PANTONI ET PAVLO CAROSI
BEATI BENEDICTI DISCIPVLIS
CASSINENSIVM RERVM SVBLACENSIVMQVE
PERITISSIMIS

AVANT-PROPOS

Nul ne sera surpris de voir un commentateur de la Règle bénédictine éditer les Dialogues de Grégoire le Grand. L'intérêt que nous portions à l'œuvre de Benoît nous avait depuis longtemps conduit à étudier non seulement sa Vie, mais encore l'ouvrage entier dont celle-ci n'est qu'un fragment. Nous ne songions pas toutefois à en entreprendre l'édition et le commentaire dans un avenir prochain. Si ce nouveau travail a succédé immédiatement au commentaire de la Règle, c'est que, de son côté, dom Paul Antin avait fait une traduction du texte qu'il offrait à « Sources chrétiennes ». Cette circonstance nous a engagé à ne pas différer une entreprise que nous préparions de longue date, mais sans nous être proposé de terme défini.

Ainsi, par une rencontre heureuse, la publication de cette nouvelle édition des Dialogues va sans doute précéder de peu la célébration — à une date arbitraire, mais suffisamment approchée — du quinzième centenaire de la naissance de Benoît (480 ?). L'un des résultats de nos recherches sur les Dialogues est justement de mettre en évidence la place à tous égards centrale qu'occupe Benoît dans cette œuvre de Grégoire. C'est donc répondre au dessein même de celui-ci que d'associer la présente édition à l'hommage rendu au saint abbé. La dédicace de l'ouvrage à deux fils de saint Benoît, l'un moine de Subiaco, l'autre du Mont-Cassin, marque à la fois notre attachement à l'auteur de la Règle et notre reconnaissance envers ceux qui nous ont mainte fois reçu et guidé, pendant une dizaine d'années, dans les lieux incomparables où il a vécu.

***

La collaboration qui s'est établie entre le Père Antin et nous est allée fort au-delà de ce que laisse supposer la déli-

mitation officielle des responsabilités. D'une part, en effet,
nous avons revu sa traduction à plusieurs reprises, notamment en vue de la faire correspondre aux options du texte
édité. D'autre part, le Père Antin a travaillé aux Index.
C'est à lui qu'est dû un premier état de l'*Index nominum*
et de l'*Index uerborum*, que nous n'avons fait que compléter.

D'autres encore ont droit à notre reconnaissance pour
l'aide qu'ils nous ont apportée. Avant tout, nous voudrions
nommer le Père Patrick Catry, moine de Wisques. En mettant à notre disposition un relevé des passages de l'œuvre
grégorienne où reparaissent les citations scripturaires des
Dialogues, il nous a fourni un instrument de travail
inestimable, dont notre annotation a beaucoup profité. A
l'obligeance du Père de Gaiffier nous devons plusieurs
renseignements qui ont également pris place dans nos notes.
Celles-ci ont aussi bénéficié de la lecture d'un travail alors
inédit, auquel nous ne pouvons que souhaiter la publication
qu'il mérite : le commentaire joint par le Père A. J. Festugière à sa nouvelle traduction des Dialogues ; nous en avons
recueilli certaines suggestions dans nos Notes Complémentaires, soit pour les faire nôtres, soit pour les discuter [1]. De
plus, nous sommes reconnaissant au Père P. A. Cusack de
nous avoir communiqué certains de ses articles avant qu'ils
soient publiés, ainsi qu'à Miss J. M. Petersen de nous avoir
rendu le même service et fourni en outre de nombreuses
références utiles.

En ce qui concerne la tradition manuscrite, il nous faut
remercier d'abord le Père Jean Mallet pour les conseils de
méthode qu'il nous a donnés, puis tous ceux qui ont bien
voulu, en réponse à nos demandes, combler les lacunes de
notre documentation : Mgr J. M. Sauget, les Pères Alban
Toucas, Faustino Avagliano, Petrus Becker, MM. les Biblio-
thécaires de Saint-Gall et d'Autun, ainsi que MM. François
Masai, Léon Gilissen, David Yerkes. Enfin nous n'oublions

1. Notes complémentaires sur I, *Prol.* 2. — II, 25, 2. — III, 4,
2 ; 7, 2 ; 37, 2 et 19 ; 38, 5. — IV, 12, 2 ; 27, 9 ; 42, 2. Outre le
R. P. Festugière, nous tenons à remercier dom L. Regnault, Prieur
de Solesmes, de nous avoir mis en rapport avec celui-ci, en vue d'un
projet de collaboration qui n'a pu se réaliser.

pas ce que nous devons au Frère Noël Denay pour les cartes qu'il a dessinées, et à Sœur Jean-Baptiste Juglar pour ses travaux de dactylographie.

Quelques pages de notre Introduction sont tirées d'un article écrit à l'occasion du cinquantenaire de la grande édition moderne des Dialogues qui a précédé la nôtre : celle d'Umberto Moricca [2]. Selon le titre de la collection où elle a pris place, cette édition envisageait surtout l'œuvre de Grégoire comme une « source pour l'histoire d'Italie ». En passant dans une autre collection, les Dialogues n'auront rien perdu, nous l'espérons, de cet éclairage historique. Au contraire, leur commentaire peut être amélioré à présent, ne serait-ce qu'en tenant compte des importantes découvertes archéologiques faites après la guerre à Subiaco et au Mont-Cassin, et en substituant les résultats d'un Lanzoni aux données peu sûres d'Ughelli, Gams et Cappelletti.

Mais l'apport principal de la présente édition consiste moins dans ces précisions « historiques », au sens étroit où l'entendait Moricca, que dans l'exploration d'un domaine qui avait complètement échappé à l'éditeur italien : l'arrière-plan littéraire de l'œuvre. Les Dialogues sont en effet un spécimen relativement tardif de la grande production hagiographique inaugurée par les plus anciennes Passions des martyrs, les Vies d'Antoine et de Martin, l'Histoire des moines en Égypte et les Apophtegmes. Reconnaître cet arrière-plan des Dialogues, repérer les modèles que Grégoire a délibérément choisis ou suivis de façon plus ou moins consciente dans leurs diverses parties et jusque dans le détail de leurs narrations, tel a été notre souci majeur au long de la préparation du présent ouvrage.

2. *Gregorii Magni Dialogi*, éd. U. MORICCA, Rome 1924 (*Fonti per la storia d'Italia* 57). Voir notre article « Un cinquantenaire : l'édition des Dialogues de saint Grégoire par Umberto Moricca », à paraître dans *BISI* (1977), et repris ici dans l'Introduction, chapitre IV, § II, n. 76-104 ; chapitre V, n. 60-70 et 73-80.

En outre, notre attention s'est portée sur deux objets également négligés par Moricca : la structure littéraire des Dialogues et leurs rapports avec les autres œuvres de Grégoire. Le premier est étudié dans plusieurs chapitres de l'Introduction [3], tandis que le second apparaît dans les notes au bas du texte, où nous avons multiplié les références aux Morales et aux Homélies, à l'*In I Regum* et aux Lettres.

Malgré cet effort, nous sentons combien le présent commentaire est loin d'illustrer les Dialogues à la mesure de leur richesse et de leur complexité. Les connaisseurs de Grégoire et d'Augustin, comme ceux des Vies de saints et des Passions de martyrs, y trouveront sans doute ample matière à de nouveaux rapprochements. Néanmoins nous espérons que notre travail contribuera à faire comprendre et apprécier cette œuvre aussi attachante qu'amusante. Conteur plein de talent, Grégoire est avant tout un saint et un maître de sainteté. Pour notre part, au-delà de l'intérêt qu'a présenté notre tâche, nous regardons comme un bienfait de Dieu qu'elle nous ait tenu pendant plusieurs années dans la lumière qui rayonne de cette grande âme.

---

3. Voir surtout chapitre II, §§ II-V. Cf. chapitre III, §§ I et III ; chapitre IV, § I.

NOTE PRÉLIMINAIRE

Dans la répartition en trois tomes de cette édition des *Dialogues,* on a cherché avant tout la commodité du lecteur.

Le premier tome contient l'Introduction, qui traite des divers aspects de l'ouvrage tout entier et une Bibliographie sélective. On y a joint aussi les Cartes qui sont nécessaires pour suivre les événements : il semble qu'il sera ainsi plus facile de les consulter et d'avoir sous les yeux l'une ou l'autre en même temps qu'on lira le texte de Grégoire.

Le tome second sera suffisamment rempli par les livres I, II et III, qui sont solidaires et constituent comme un triptyque.

Dans le tome III, on trouvera le quatrième et dernier livre des *Dialogues* : son thème particulier — l'eschatologie — et sa fonction de conclusion autonome le désignent pour cette situation à part. Suivront naturellement les divers *Indices* et Tables indispensables pour exploiter les richesses de cet ouvrage.

Sauf imprévu, la publication des tomes II et III suivra immédiatement celle du tome I.

ABRÉVIATIONS

I. ŒUVRES DE GRÉGOIRE

Ep.   *Epistolae, PL* 77, 441-1352.

Hom. Eu.   *Homiliae in Euangelia, PL* 76, 1075-1312.

Hom. Ez.   *Homiliae in Ezechielem prophetam, CC* 142.

In Cant.   *Expositio in Canticum Canticorum, CC* 144, p. 3-46.

In I Reg.   *In Librum Primum Regum Expositionum Libri VI, CC* 144, p. 49-614.

Mor.   *Moralia in Job, PL* 75, 509-1162 et 76, 9-782. Livres I-II : éd. R. GILLET - A. DE GAUDEMARIS, Paris 1975², *SC* 32 bis. Livres XI-XVI : éd. A. BOCOGNANO, Paris 1974-1975, *SC* 212 et 221.

MORICCA   *Gregorii Magni Dialogi Libri IV,* éd. U. MORICCA, Rome 1924 *(Fonti per la storia d'Italia* 57).

Past.   *Regulae Pastoralis Liber, PL* 77, 13-128.

Reg.   *Registrum Epistularum,* éd. P. EWALD - L. HARTMANN, t. I-II, Berlin 1891-1899 *(MGH, Epist.* 1-2).

II. DIVERS

AB   *Analecta Bollandiana,* Bruxelles.

ALMA   *Archivum Latinitatis Medii Aevi (Bulletin Du Cange),* Bruxelles.

AS   *Acta Sanctorum,* Bruxelles.

ASOSB   *Acta Sanctorum Ordinis S. Benedicti,* éd. L. D'ACHERY - J. MABILLON, 9 vol., Paris 1668-1701 ; 2ᵉ éd., Venise 1733-1740.

BAC   *Biblioteca de Autores Cristianos,* Madrid.

BHL   *Bibliotheca Hagiographica Latina,* Bruxelles.

BISI	*Bullettino dell'Istituto Storico Italiano per il Medioevo*, Rome.
BKV	*Bibliothek der Kirchenväter*, Kempten-Munich.
CC	*Corpus Christianorum*, Steenbrugge.
CCM	*Corpus Consuetudinum Monasticarum*, Rome-Siegburg.
CIL	*Corpus Inscriptionum Latinarum*, Berlin.
COC	*Collectanea Ordinis Cisterciensium Reformatorum*, Westmalle (voir aussi *Col. Cis.*).
Col. Cis.	*Collectanea Cisterciensia*, Scourmont (voir aussi *COC*).
DACL	*Dictionnaire d'Archéologie chrétienne et de Liturgie*, Paris.
DS	*Dictionnaire de Spiritualité*, Paris.
GCS	*Die Griechischen Christlichen Schriftsteller der ersten (drei) Jahrhunderte*, Berlin-Leipzig.
JTS	*Journal of Theological Studies*, Oxford.
MEFR	*Mélanges d'Archéologie et d'Histoire (École Française de Rome)*, Paris-Rome.
MGH	*Monumenta Germaniae Historica*, Berlin.
NRT	*Nouvelle Revue Théologique*, Louvain.
PG	Migne, J. P., *Patrologia, Series Graeca*, Paris.
PL	Migne, J. P., *Patrologia, Series Latina*, Paris.
PLS	Hamman, A., *Patrologia, Series Latina, Supplementum*, Paris.
PO	*Patrologia Orientalis*, Paris.
PW	Pauly-Wissowa-Kroll, *Realencyclopädie der classischen Altertumswissenschaft*, Stuttgart.
RAM	*Revue d'Ascétique et de Mystique*, Toulouse-Paris (voir aussi *RHS*).
RB	*La Règle de saint Benoît*, éd. A. de Vogüé, t. I-II, Paris 1972 (*SC* 181-182).
RBS	*Regulae Benedicti Studia*, Hildesheim.
REA	*Revue des Études Anciennes*, Bordeaux.
REAug	*Revue des Études Augustiniennes*, Paris.
Rev. Bén.	*Revue Bénédictine*, Maredsous.
RHE	*Revue d'Histoire Ecclésiastique*, Louvain.
RHS	*Revue d'Histoire de la Spiritualité*, Paris (voir aussi *RAM*).

RivAC	*Rivista di Archeologia Cristiana*, Rome.
RM	*La Règle du Maître*, éd. A. DE VOGÜÉ, t. I-II, Paris 1964 (*SC* 105-106).
RSR	*Recherches de Science Religieuse*, Paris.
SC	*Sources Chrétiennes*, Paris.
SM	*Studia Monastica*, Montserrat.
SMGBO	*Studien und Mitteilungen zur Geschichte des Benediktiner-Ordens und seiner Zweige*, Munich-Ottobeuren.
TU	*Texte und Untersuchungen zur Geschichte der altchristlichen Literatur*, Berlin-Leipzig.
WS	*Wiener Studien, Zeitschrift für klassische Philologie*, Vienne.
ZKT	*Zeitschrift für katholische Theologie*, Vienne.

Les Livres de l'Écriture Sainte sont désignés par les sigles de la *Bible de Jérusalem*, sauf l'Ecclésiaste (Ec au lieu de Qo).

BIBLIOGRAPHIE

Sauf raison particulière, on n'a pas reproduit ici les titres cités dans les notes de façon complète.

AMANTE, B. - BIANCHI, R., *Memorie storiche e statutarie del Ducato, della Contea e dell'Episcopato di Fondi in Campania*, Rome 1903.

ANTIN, P., « Le chapitre 20 de la Vie de saint Benoît par saint Grégoire le Grand », dans *Orpheus* (Catania) 12 (1965), p. 11-19.

ANTONELLI, F., « De re monastica in Dialogis S. Gregorii Magni », dans *Antonianum* 2 (1927), p. 401-436.

ASSEMANI, I. S., *De sanctis Ferentinis in Tuscia Bonifacio ac Redempto episcopis deque presbytero et martyre Eutychio*, Rome 1745.

BALSAVICH, M., *The Witness of St. Gregory to the Place of Christ in Prayer*, Rome 1959.

BATIFFOL, P., *Saint Grégoire le Grand*, Paris 1928³.

BLOCH, M., « Les *colliberti*. Étude sur la formation de la classe servile », dans *Revue historique* 53 (1928), p. 1-48.

BOESCH GAJANO, S., « Il santo nella visione storiografica di Gregorio di Tours », dans *Atti del XII Convegno storico internazionale dell'Accademia Tudertina (Todi, 10-13 ott. 1971)*, Todi 1976, p. 29-91.

BOLTON, W. F., « The Supra-historical Sense in the *Dialogues* of Gregory I », dans *Aevum* 23 (1959), p. 206-213.

BORGHINI, B., « Congetture topografiche sul Libro II dei Dialoghi di San Gregorio », dans *Benedictina* 19 (1972), p. 587-593.

BRAZZEL, K., *The Clausulae in the Works of St. Gregory the Great*, Washington DC 1939 (*Studies in Medieval and Renaissance Latin Language and Literature* 11).

BRECHTER, S., « Monte Cassinos erste Zerstörung », dans *SMGBO* 56 (1938), p. 109-150.

— « War Gregor der Grosse Abt vor seiner Erhebung zum Papst ? », dans *SMGBO* 57 (1939), p. 209-224.

— « Marcus Poeta von Monte Cassino », dans *Benedictus, der Vater des Abendlandes*, Munich 1947, p. 341-359.

— « Die Frühgeschichte von Monte Cassino und die Chronik Leos von Ostia in Codex Lat. Monacensis 4623 », dans *Liber Floridus. Mittellateinische Studien Paul Lehmann... gewidmet*, St. Ottilien 1950, p. 271-286.

CAROSI, P., *Il primo monastero benedettino*, Rome 1956 (*Studia Anselmiana* 39).

— « Le chiese successive nel monastero di Subiaco » dans *Il Sacro Speco* 66 (1963), p. 34-41.

CASEL, O., « Zur Vision des hl. Benedikts », dans *SMGBO* 38 (1917), p. 345-348.

CATRY, P., « Épreuves du juste et mystère de Dieu. Le commentaire littéral du *Livre de Job* par saint Grégoire le Grand », dans *REAug* 18 (1972), p. 124-144.

— « Lire l'Écriture selon saint Grégoire le Grand », dans *Col. Cis.* 34 (1972), p. 177-201.

— « Amour du monde et amour de Dieu chez saint Grégoire le Grand », dans *SM* 15 (1973), p. 253-275.

— « Désir et amour de Dieu chez saint Grégoire le Grand », dans *Recherches Augustiniennes*, t. X, Paris 1975, p. 269-303.

CHAPMAN, J., *Saint Benedict and the Sixth Century*, Londres 1929.

Chronicon Sublacense (593-1369), éd. R. MORGHEN, Bologne 1927 (*Rerum Italicarum Scriptores* 24/6).

CONTE-COLINO, G., *Storia di Fondi*, Naples 1901.

COURCELLE, P., « Saint Benoît, le merle et le buisson d'épines », dans *Journal des Savants*, juillet-sept. 1967, p. 154-161.

— « La vision cosmique de saint Benoît », dans *REAug* 13 (1967), p. 97-117.

— « *Habitare secum* selon Perse et selon Grégoire le Grand », dans *REA* 69 (1967), p. 266-279.

— « Grégoire le Grand à l'école de Juvénal », dans *Studi e materiali di storia delle religioni* 38 (1967), p. 170-174.

— *Connais-toi toi-même, de Socrate à saint Bernard*, t. I, Paris 1974.

CUSACK, P. A., « St Scholastica : Myth or Real Person ? », dans *Downside Review* 92 (1974), p. 145-159.

— « Some Literary Antecedents of the Totila Encounter in the Second Dialogue of Pope Gregory I », dans *Studia Patristica* 12, Berlin 1975 (*TU* 115), p. 87-90.

— « The Temptation of St. Benedict : an Essay at Interpretation through the Literary Sources », dans *American Benedictine Review* 27 (1976), p. 143-163.

— « Number Games and the Second Dialogue of St Gregory », à paraître dans *Studia Patristica* (Conférence d'Oxford 1975).

DAGENS, C., « Grégoire le Grand et la culture : de la *sapientia huius mundi* à la *docta ignorantia* », dans *REAug* 14 (1968), p. 17-26.

— « La ' conversion ' de saint Benoît selon saint Grégoire le Grand », dans *Rivista di storia e letteratura religiosa* 5 (1969), p. 384-391.

— « La ' conversion ' de saint Grégoire le Grand », dans *REAug* 15 (1969), p. 149-162.

— « La fin des temps et l'Église selon saint Grégoire le Grand », dans *RSR* 58 (1970), p. 273-288.

— « Grégoire le Grand et le ministère de la parole », dans *Forma Futuri. Studi in onore del Cardinale Michele Pellegrino*, Turin 1975, p. 1054-1073.

— *Saint Grégoire le Grand. Culture et expérience chrétiennes*, Paris 1977.

DELFORGE, Th., « Songe de Scipion et vision de saint Benoît », dans *Rev. Bén.* 69 (1959), p. 351-354.

DOUCET, M., « La tentation de saint Benoît : relation ou création par S. Grégoire le Grand ? », dans *Col. Cis.* 37 (1975), p. 63-71.

DUCHESNE, L., *Le Liber Pontificalis. Texte, Introduction et Commentaire*, t. I, Paris 1955².

— « Le sedi episcopali nell'antico ducato di Roma », dans *Archivio della Società romana di Storia patria* 15 (1892), p. 475-503. — *Scripta minora. Études de topographie romaine et de géographie ecclésiastique*, Rome 1973 (*Collection de l'École Française de Rome* 13), p. 409-437.

— « Les évêchés d'Italie et l'invasion lombarde », dans *MEFR* 23 (1903), p. 83-116 ; 25 (1905), p. 365-399.
— « Les schismes romains au vi^e siècle », dans *MEFR* 35 (1915), p. 57-79.

DUDDEN, F. H., *Gregory the Great. His Place in History and Thought*, t. I-II, Londres 1905.

DUFOURCQ, A., *Étude sur les « Gesta martyrum » romains*, t. I, Paris 1900 (*Bibliothèque des Écoles Françaises d'Athènes et de Rome* 83) ; t. II-III, Paris 1907 ; t. IV, Paris 1910.

DUNN, M. B., *The Style of the Letters of St. Gregory the Great*, Washington DC 1931 (*Patristic Studies* 32).

EMONDS, H., « Gregors des Grossen Dial. II, 15 und das Todesjahr des hl. Benedikt », dans *SMGBO* 56 (1938), p. 89-103.

FERRARI, G. *Early Roman Monasteries. Notes for the History of the Monasteries and Convents at Rome from the V through the X Century*, Rome 1957 (*Studi di Antichità cristiana* 13).

FESTUGIÈRE, A. J., « Lieux communs littéraires et thèmes de folklore dans l'hagiographie primitive », dans *WS* 73 (1960), p. 123-152.
— *Les Moines d'Orient*, t. I-IV, Paris 1960-1965.

FEULING, D., « Zum Charakterbilde des hl. Benedikt », dans *Historisch-politische Blätter* 161, Munich 1918, p. 611-624.

FISCHER, B., « St. Benedikt und Monte Cassino », dans *Benediktinische Monatschrift* 28 (1952), p. 314-319.

FONTAINE, J., « L'expérience spirituelle chez Grégoire le Grand. Réflexions sur une thèse récente », dans *RHS* 52 (1976), p. 141-153.

GAIFFIER, B. de, « Les héros des Dialogues de Grégoire le Grand inscrits au nombre des saints », dans *AB* 83 (1965), p. 53-74.

GILLET, R., « Spiritualité et place du moine dans l'Église selon saint Grégoire le Grand », dans *Théologie de la vie monastique*, Paris 1961, p. 323-352.

HALKIN, F., « Le pape saint Grégoire le Grand dans l'hagiographie byzantine », dans *Recherches et documents d'ha-*

giographie byzantine », Bruxelles 1971 (*Subsidia hagio-graphica* 51), p. 106-111.

HALLINGER, K., « Papst Gregor der Grosse und der hl. Benedikt », dans *Commentationes in Regulam Sancti Benedicti*, éd. B. STEIDLE, Rome 1957 (*Studia Anselmiana* 42), p. 231-319.

HAUBER, R. M., *The Late Vocabulary of the Letters of St. Gregory*, Washington DC 1938 (*Studies in Medieval and Renaissance Latin* 7).

HÖRGER, P., « Extra mundum fuit. Zur Vision des heiligen Benedikt nach Gregor dem Grossen », dans *Benedictus, der Vater des Abendlandes*, Munich 1947, p. 317-340.

KEHR, P. F., *Regesta pontificum Romanorum. Italia pontificia*, t. I-IX, Berlin 1906-1962.

KINNIREY, A. J., *The Late Latin Vocabulary of the Dialogues of St. Gregory the Great*, Washington DC 1935 (*Studies in Medieval and Renaissance Latin* 4).

LAMBOT, C., « La Vie et les Miracles de saint Benoît racontés par saint Grégoire le Grand », dans *Revue monastique* (Maredsous), 1956, n° 143, p. 49-61 ; 144, p. 97-102 ; 145, p. 149-158.

LANZONI, F., *Le diocesi d'Italia dalle origini al secolo VII* (604), Faenza 1927 (*Studi e testi* 35).

LECCISOTTI, T., « Le conseguenze dell'invasione longobarda per l'antico monachesimo italico », dans *Atti del I Congresso internazionale di studi longobardi*, Spolète 1952, p. 369-376.

—— « Aspetti et problemi del monachesimo in Italia », dans *Il monachesimo nell'alto medioevo e la formazione della civiltà occidentale*, Spolète 1957, p. 331-337.

LIEBLANG, F., *Grundfragen der mystischen Theologie nach Gregors des Grossen Moralia und Ezechielhomilien*, Fribourg en Brisgau 1934 (*Freiburger Theologische Studien* 37).

McC. GATCH, M., « The Fourth Dialogue of Gregory the Great. Some Problems of Interpretation », dans *Studia Patristica* 10 (1967), Berlin 1970 (*TU* 107), p. 77-83.

Mc CULLOH, J. H., « The Cult of Relics in the Letters and Dialogues of Pope Gregory the Great : a Lexicographical Study », dans *Traditio* 32 (1976), p. 145-184.

I Monasteri di Subiaco, Rome 1904, t. I : P. Egidi, *Notizie storiche* ; P. Giovannoni, *L'architettura* ; J. Hermanin, *Gli affreschi*. T. II : V. Federici, *La Biblioteca e l'Archivio*.

O' Donnell, J. Fr., *The Vocabulary of the Letters of St. Gregory*, Washington DC 1934 (*Studies in Medieval and Renaissance Latin* 2).

Ohm, T., « Die Gebetsgebärden in der Regel und im Leben des heiligen Benedikt », dans *Benedictus, der Vater des Abendlandes*, Munich 1947, p. 263-280.

Pantoni, A., « L'identificazione della Basilica di S. Martino a Montecassino. Tradizione storica e risultati di scavi recenti », dans *Benedictina* 7 (1953), p. 347-356.

— « Sulla località del convegno annuale di S. Benedetto e S. Scolastica, e sul monastero di Piumarola », dans *Benedictina* 15 (1968), p. 206-228.

— *Le vicende della Basilica di Montecassino attraverso la documentazione archeologica*, Montecassino 1973 (*Miscellanea Cassinese* 36).

— « La descrizione di Montecassino di D. Simone Millet dell'anno 1605 », dans *Benedictina* 22 (1975), p. 255-283.

Penco, G., « Il monachesimo in Umbria dalle origini al sec. VII incluso », dans *Ricerche sull'Umbria tardo-antica e preromanica. Atti del II Convegno di studi umbri (Gubbio 24-28 maggio 1964*), Gubbio 1966, p. 257-276.

Pfeilschifter, G., *Die authentische Ausgabe der Evangelien-Homilien Gregors des Grossen. Ein erster Beitrag zur Geschichte ihrer Überlieferung*, Munich 1900 (*Veröffentlichungen aus dem Kirchenhistorischen Seminar München* 4).

Philippart, C., « Un petit fragment des Dialogues de saint Grégoire », dans *AB* 88 (1970), p. 22.

Porcel, O., « San Gregorio Magno y el monacato. Cuestiones controverdidas », dans *Monastica* 1, Montserrat 1960 (*Scripta et Documenta* 12), p. 1-95.

Il Regesto Sublacense del sec. XI, éd. L. Allodi - G. Levi, Rome 1885 (*Biblioteca della R. Società Romana di Storia patria*).

Rudmann, R., *Mönchtum und kirchlicher Dienst in den Schriften Gregors des Grossen*, Rome 1956.

Sauget, J. M., « Saint Grégoire le Grand et les reliques de saint Pierre dans la tradition arabe chrétienne », dans *RivAC* 50 (1973), p. 301-309.

Scaccia-Scarafoni, C., *Memorie storiche della badia di S. Sebastiano nel territorio alatrino*, Rome 1916.

Schaut, A., « Die Vision des heiligen Benedikt », dans *Vir Dei Benedictus*, Münster 1947, p. 207-253.

Schmidt, E., « War der hl. Benedikt Priester ? », dans *SMGBO* 22 (1901), p. 3-23 ; 25 (1904), p. 42-62.

Schmitt, A. , « Servandus Diaconus, und sein Kloster », dans *Erbe und Auftrag* 45 (1969), p. 498-502.

Schuster, I., *Saint Benoît et son temps*, tr. fr. par J. B. Gai, Paris 1950.

Speyer, W., « Die Legende von der Verbrennung der Werke Papst Gregors I », dans *Jahrbuch für Antike und Christentum* 13 (1970), p. 78-82.

Spreitzenhofer, E., *Die Entwicklung des alten Mönchtums in Italien von seinen ersten Anfängen bis zum Auftreten des heiligen Benedikt*, Vienne 1894.

Steidle, B., « Der schwartze kleine Knabe », dans *Benediktinische Monatschrift* 34 (1958), p. 339-350.

— « Die kosmische Vision des Gottesmannes Benedikt », dans *Erbe und Auftrag* 47 (1971), p. 187-196 ; 298-315 ; 409-414.

Vogüé, A. de, *La communauté et l'abbé dans la Règle de saint Benoît*, Paris, Desclée De Brouwer, 1961.

— *La Règle du Maître*, t. I-III, Paris 1964 (*SC* 105-107).

— « La Règle du Maître et les Dialogues de saint Grégoire », dans *RHE* 61 (1966), p. 44-76.

— *La Règle de saint Benoît*, t. I-VI, Paris 1971-1972 (*SC* 181-186) ; t. VII, Paris 1977 (volume annexe de *SC*).

— « La rencontre de Benoît et de Scholastique. Essai d'interprétation », dans *RHS* 48 (1972), p. 257-273.

— « *Discretione praecipuam*. A quoi Grégoire pensait-il ? », dans *Benedictina* 22 (1975), p. 325-327.

— « Benoît, modèle de vie spirituelle d'après le Deuxième Livre des Dialogues de saint Grégoire », dans *Col. Cis.* 38 (1976), p. 147-157.

— « Grégoire le Grand, lecteur de Grégoire de Tours ? »,
    dans *AB* 94 (1976), p. 225-233.
— « La mention de la *regula monachorum* à la fin de la Vie
    de Benoît (Grégoire, Dial. II, 36). Sa fonction littéraire
    et spirituelle », dans *RBS* 5 (1976), p. 289-298.
— « Un avatar du mythe de la caverne dans les Dialogues
    de Grégoire le Grand », dans *Homenaje a Fray Justo
    Pérez de Urbel*, t. II, Silos 1977 (*Studia Silensia* 4),
    p. 19-24.
— « Sur le texte des Dialogues de saint Grégoire le Grand.
    L'utilisation du manuscrit de Milan par les éditeurs »,
    dans *Latinität und Alte Kirche. Festschrift R. Hanslik*,
    Vienne 1977, p. 326-335.
— « Un cinquantenaire : l'édition des Dialogues de saint
    Grégoire par Umberto Moricca », dans *BISI* (1977).
— « Benediktus von Nursia », dans *Theologische Realen-
    zyclopädie* (1978).
— « Les vues de Grégoire le Grand sur la vie religieuse dans
    son Commentaire des Rois », dans *SM* 20 (1978), p. 17-63.
WALTHER, M., *Pondus, dispensatio, dispositio. Werthis-
    torische Untersuchungen zur Frömmigkeit Papst Gre-
    gors des Grossen*, Lucerne 1941.
WEBER, L., *Hauptfragen der Moraltheologie Gregors des
    Grossen. Ein Bild altchristlicher Lebensführung*, Fri-
    bourg 1947 (*Paradosis* 1).
WEBER, R., « Un nouveau manuscrit du plus ancien récit
    de la translation des reliques de S. Benoît », dans *Rev.
    Bén.* 62 (1952), p. 140-142.
YERKES, D., « Two Early Manuscripts of Gregory's *Dia-
    logues* », dans *Manuscripta* 19 (1975), p. 171-173.
— « The Place of Composition of the Opening of Napier
    Homily I », dans *Neophilologus* 60 (1976), p. 452-454.

INTRODUCTION

CHAPITRE I

SITUATION DE L'OUVRAGE

I. Les Dialogues dans la vie de Grégoire

La date des Dialogues — Le temps de la rédaction des Dialogues peut être déterminé de façon assez précise, soit d'après la correspondance de Grégoire, soit à partir des mentions que fait l'ouvrage lui-même de certains événements datés. La correspondance fournit les deux dates limites de juillet 593, où Grégoire en est encore à recueillir des informations [1], et de novembre 594, où meurt un personnage présenté comme vivant dans l'ouvrage [2].

Quant aux Dialogues eux-mêmes, ils parlent plusieurs fois, au Livre IV, d'une peste qui a décimé le peuple romain « trois ans plus tôt [3] ». Or cette calamité a sévi, nous le savons par ailleurs [4], de janvier à décembre 590. Les passages du

---

1. *Reg.* 3, 50 = *Ep.* 3, 51 (à Maximien de Syracuse).

2. *Reg.* 5, 20 = *Ep.* 5, 17 (février 595) : la mort du même Maximien a été annoncée à Grégoire en novembre. Il est cité dans *Dial.* I, 7, 1 ; III, 36, 1 ; IV, 33, 1.

3. *Ante triennium* : IV, 19, 2 ; 27, 6 ; 37, 7 (cf. 37, 11 : une mort antérieure a eu lieu *ante quadriennium*). Deux décès survenus au monastère de Caelius *ante triennium* (49, 7 ; 57, 8) ne sont pas mis en rapport avec cette épidémie. Celle-ci est encore mentionnée en 40, 3, mais sans précision de date, ce morceau reproduisant *Hom. Eu.* 38, 16, où Grégoire disait seulement *nuper*.

4. Cf. Grégoire de Tours, *Hist. Franc.* 10, 1 ; *clades quam inguinariam uocant... medio mense undecimo* (mi-janvier 590) *adueniens* ; *Reg.* 1, 16 = *Ep.* 1, 16 : Grégoire invite Sévère d'Aquilée et ses partisans à venir à Rome (janvier 591).

Livre IV qui la mentionnent ont donc été rédigés en 593. D'autre part, le Livre III parle d'une grande inondation du Tibre survenue « il y a environ cinq ans [5] ». S'agissant d'un sinistre qui eut lieu, d'après Grégoire de Tours [6], en novembre 589, ce chapitre du Livre III pourrait dater de l'automne 594, compte tenu d'une certaine imprécision avouée par l'adverbe « environ » (fere).

A ces données chronologiques mises à profit par tous les historiens, on peut ajouter deux indications qui ne semblent pas avoir été exploitées autant. La plus nette est la mention répétée, aux Livres III et IV, de la présence à Rome de l'évêque Venance de Luna [7]. Or celui-ci gagna son diocèse, on le sait par la correspondance [8], en mai 594. C'est donc

5. *Dial.* III, 19, 2 : *ante hoc fere quinquennium*. Nous ne voyons pas pourquoi G. Pfeilschifter, *Die authentische Ausgabe der Evangelien-Homilien Gregors des Grossen*, Munich 1900, p. 69, entend cette expression en un sens différent de celui qu'il reconnaît à *ante triennium* (ci-dessus, n. 3), de sorte que ces deux périodes aboutissent selon lui à 593. De même L. Duchesne, *Le Liber Pontificalis*, t. I, p. 309, n. 2.

6. *Hist. Franc.* 10, 1 : *anno superiore mense nono* (novembre 589).

7. *Dial.* III, 9, 1 (*ante biduum*), cf. 10, 1 et 11, 4 ; IV, 55, 1 (*adest... in praesenti*). La première référence est notée par G. Pfeilschifter, *op. cit.*, p. 69.

8. *Reg.* 4, 22 = *Ep.* 4, 22. Voir notre note sous III, 9, 1. D'autres, à commencer par l'éditeur des *MGH*, observent que *Reg.* 4, 21 = *Ep.* 4, 21, lettre expédiée au même temps que la suivante, est la première que Grégoire adresse à Venance. Celui-ci serait donc au début de son épiscopat ; sa venue à Rome dont parlent les Dialogues daterait de l'année précédente (593) et aurait eu pour but de faire confirmer son élection. Cependant ce raisonnement nous paraît incertain pour deux raisons : d'abord la correspondance de Grégoire avec les évêques d'Italie est trop peu suivie pour que la première mention de l'un d'eux soit un signe probant de promotion récente (au reste, les termes de *Reg.* 4, 21 impliquent apparemment que Venance est évêque depuis un certain temps) ; ensuite, si l'on place en 593 la visite mentionnée par les Dialogues, c'est qu'on admet a priori que l'ouvrage a été tout entier composé cette année-là, sans tenir compte de l'indication contraire de *Dial.* III, 19, 2 (ci-dessus, note 5). En raison de celle-ci, nous sommes enclin à identifier les deux séjours romains de Venance, celui dont parlent les Dialogues et celui que supposent les lettres de mai 594. On ne peut toutefois exclure qu'ils soient distincts et que le premier ait précédé l'autre.

peu avant cette date que Grégoire semble avoir écrit les chapitres en question. L'autre indication, dont l'interprétation est plus délicate, concerne la mort de l'évêque Redemptus de Ferentis « il y a environ sept ans [9] ». Elle suggère que la fin du Livre III n'a pu être écrite avant 593.

De toute façon, on le voit, c'est à ces années 593-594 que ramène l'investigation. Les dates extrêmes fournies par la correspondance délimitent une période d'environ quinze mois. Que de fait la rédaction se soit étendue sur plusieurs mois appartenant à ces deux années, c'est ce qu'indiquent à leur tour les données contenues dans le texte.

L'occasion — Quant au motif qui poussait alors Grégoire à écrire les Dialogues, il nous est connu, comme le temps de la rédaction, par le témoignage concordant de la correspondance et des Dialogues eux-mêmes. La première parle d'une forte pression dont il est l'objet de la part des « frères qui vivent dans son intimité », tandis que le Prologue de l'ouvrage fait sortir celui-ci d'une requête présentée par l'interlocuteur de Grégoire, le diacre Pierre [10]. Celui-ci étant, de fait, un intime du pontife, la demande mise sur ses lèvres dans le Prologue apparaît comme un écho des sollicitations dont fait état la correspondance. A la lumière de l'un et l'autre texte, il ne fait pas de doute que Grégoire a écrit les Dialogues pour répondre à un appel de ses familiers, avides de récits merveilleux sur des saints italiens.

Telle fut au moins l'occasion que Grégoire saisit, s'il ne l'a pas suscitée, pour se mettre à écrire. Bien qu'il se dise, dans sa correspondance, « absolument obligé d'écrire » par les exigences de ses familiers, le Prologue du livre ne donne pas l'impression qu'il ait beaucoup résisté à ces demandes

---

9. *Ante hos fere annos septem* : III, 38, 1. Voir la note sous ce passage. — D'autres déductions, que G. Pfeilschifter, *op. cit.*, p. 70-71, tire de la date des Homélies sur Ézéchiel, nous semblent trop aléatoires.

10. *Reg.* 3, 50 = *Ep.* 3, 51 : *Fratres mei qui mecum familiariter uiuunt omni modo me compellunt aliqua de miraculis patrum quae in Italia facta audiuimus sub breuitate scribere.* Cf. *Dial.* I, *Prol.* 9.

ni éprouvé grande répugnance à les satisfaire. Au contraire,
c'est de lui que vient, au début du dialogue, la première
mention des saints, et il suffit ensuite d'une demande de
son diacre pour qu'il s'engage aussitôt dans le récit de leurs
miracles. Cette promptitude invite à regarder en arrière et
à chercher les origines de l'entreprise au-delà des circonstances immédiates qui l'ont provoquée.

Les préparations   Certes, pour autant que nous sachions,
le dessein d'écrire « sur les miracles des
pères en Italie » ne s'est formé dans l'esprit de Grégoire
qu'au début de l'été 593, date de la lettre qu'il adresse à
l'évêque Maximien de Syracuse pour lui demander certains
renseignements [11]. Mais s'il se met alors au travail pour
répondre aux instances de son entourage, ce n'est pas sans
s'y être préparé plus ou moins consciemment d'assez longue
date. La lettre même que nous venons de citer le prouve :
ce qu'il demande à Maximien, c'est de lui rappeler des faits
concernant un certain Nonnosus qu'il a déjà entendu raconter. L'œuvre entière sera parsemée de récits que Grégoire
se souvient pareillement d'avoir recueilli à telle ou telle
époque de son existence, soit quand il était diacre [12], soit
quand il était encore moine [13], soit même avant [14]. Une
longue période d'information, couvrant plus de vingt ans,
a donc précédé cette troisième année de son pontificat où
nous le voyons entreprendre de réunir ses connaissances
dans un écrit.

A cette préparation qu'on pourrait qualifier de passive, il
faut ajouter les premiers essais de Grégoire dans l'art de

---

11. *Reg.* 3, 50 = *Ep.* 3, 51.
12. *Dial.* III, 32, 3 et 36, 1 (légation à Constantinople) ; IV, 28, 1
(visite à Centumcellae ; cf. *Hom. Eu.* 36, 13 : *ante triennium* = 587-
588). Voir aussi IV, 27, 4 (*ante decennium*).
13. Formule *in monasterio positus* : III, 23, 1 ; 33, 7 ; 38, 1. —
IV, 10 ; 11, 1 ; 23, 1 ; 27, 10 ; 31, 1. Cf. *eo tempore quo monasterium
petii* (IV, 16, 1). Les récits de Valentio (I, 4, 20 ; III, 22, 1 ; IV,
22, 1) sont sans doute de la même époque, et peut-être aussi les
deux épisodes de IV, 49, 1-3 et 4-5.
14. IV, 32, 1 (premiers désirs de vie monastique) ; 36, 7 (*adhuc
laicus*) ; 42, 1 (*iuuenculus atque in laico habitu constitutus*).

conter. Non seulement, en effet, les belles histoires de miracles s'accumulaient depuis longtemps dans sa mémoire,
mais il en avait déjà raconté un bon nombre dans les Homélies qu'il prononça en 590-591, aussitôt après sa promotion
à l'épiscopat. De ces treize histoires des Homélies sur les
Évangiles — ou quatorze, puisque l'une d'elles est racontée
deux fois —, neuf sont reproduites à peu près telles quelles
dans le dernier Livre des Dialogues [15].

L'œuvre entreprise en 593 avait donc des antécédents littéraires. Dans ses premières prédications, déjà publiées à
cette époque [16], Grégoire s'était fait la main. Qui plus est, il
y avait constitué une série d'*exempla* qui allait former le
noyau initial de son nouvel ouvrage.

II. Les Dialogues dans l'œuvre de Grégoire

**Les Homélies
sur les Évangiles**
Le lot de récits transportés des
Homélies dans les Dialogues n'est
pas le seul trait qui relie les deux
œuvres. Car si les Homélies sur les Évangiles renferment
déjà des histoires, les Dialogues contiennent encore des
commentaires sur la Bible et des avis moraux. Les premières
étaient des explications de l'Évangile illustrées çà et là par
quelques récits de faits contemporains. Les seconds sont un
recueil de ces faits récents, postbibliques sans doute, mais

15. Voir *Dial.* IV, 15 = *Hom. Eu.* 15, 5 ; 16 = *Hom. Eu.* 40,
11 ; 17 = *Hom. Eu.* 38, 15 ; 20 = *Hom. Eu.* 35, 8 ; 28 = *Hom.
Eu.* 36, 13 ; 40, 2-5 = *Hom. Eu.* 38, 16 (cf. 19, 7) ; 40, 6-9 = *Hom.
Eu.* 12, 7 ; 58 = *Hom. Eu.* 37, 9 ; 59, 1 = *Hom. Eu.* 37, 8. Ces deux
dernières sont abrégées, l'avant-dernière surtout. Grégoire ne
reproduit pas *Hom. Eu.* 23, 2 (père de famille hospitalier) ; 32, 7
(matrone charitable) ; 34, 18 (le moine Victorin-Émilien) ; 39, 10
(le moine Martyrius).
16. C'est-à-dire la première édition, subreptice et désavouée par
Grégoire (voir la Lettre-Préface à Secundinus, *PL* 76, 1075, non
datée), que G. PFEILSCHIFTER, *op. cit.*, p. 82, date de 592, ainsi que
l'édition authentique, procurée par Grégoire lui-même, qui pourrait être de la fin de 592 ou du début de 593 (*ibid.*, p. 95).

rapprochés des Écritures et interprétés à la lumière de celles-ci. De part et d'autre, les ingrédients sont les mêmes, encore que leur proportion diffère : dans les Homélies, c'est l'exégèse qui domine et constitue la trame, dans les Dialogues c'est la narration. Au demeurant, le dessein d'instruire et d'édifier est le même.

L'œuvre exégétique Particulièrement proches des Homélies sur les Évangiles, les Dialogues ont aussi un rapport précis avec l'ensemble des œuvres exégétiques de Grégoire. Cette relation est bien marquée dans la demande du diacre Pierre qui introduit l'ouvrage. S'excusant d'interrompre cette *expositio* des Écritures qui est leur travail habituel, le collaborateur du pontife fait valoir que les récits de miracles ne sont pas moins propres à édifier. Si les commentaires de l'Écriture enseignent la vertu, les récits de miracles montrent comment elle se manifeste. Sur certains esprits, ces exemples vivants font plus d'effet que les leçons théoriques. Et l'auditeur, quel qu'il soit, en tire d'ordinaire un double bénéfice : son zèle pour la vie future en est stimulé, et l'opinion qu'il a de lui-même rabaissée [17]. Ainsi la narration des miracles apparaît moins comme une interruption des commentaires bibliques de Grégoire que comme leur complément naturel et quasi nécessaire. C'est une autre manière, singulièrement efficace, de promouvoir les mêmes fins : l'estime de la vertu, le mépris de soi, le désir de la vie éternelle.

Cette convergence générale des deux sortes d'ouvrages est soulignée par certains remplois. Non seulement les Dialogues, dans les réflexions doctrinales dont ils sont parsemés, côtoient continuellement les œuvres d'exégèse de Grégoire, ainsi que le montrera notre annotation, mais on y trouve même des pages entières qui reproduisent tel ou tel morceau des Morales à peu près littéralement : ainsi, au Livre IV, la discussion sur les peines éternelles et la dissertation sur l'origine des songes [18].

17. *Dial.* I, *Prol.* 9.
18. *Dial.* IV, 46 = *Mor.* 34, 35-38 ; 50 = *Mor.* 8, 42-43.

La correspondance et le Pastoral

Un remploi similaire unit visiblement les Dialogues à la correspondance du pontife. Un de leurs plus beaux morceaux — l'excursus du Livre III sur les deux espèces de componction — sera reproduit tel quel dans une lettre adressée, trois ou quatre ans plus tard, à une grande dame de Constantinople [19]. En outre, le recueil des Lettres s'apparente aux Dialogues par le fait qu'il renferme plusieurs récits de faits merveilleux, tous destinés eux aussi, notons-le en passant, à des personnes du plus haut rang [20]. Quant au Pastoral, il annonce particulièrement les Dialogues par sa division en quatre Parties, ainsi que par plusieurs traits de structure que nous relèverons dans le prochain chapitre.

III. Les Dialogues dans le milieu de Grégoire

Un livre populaire ?

Ces relations des Dialogues avec le reste de l'œuvre de Grégoire infirment l'opinion de la critique moderne, qui les considère volontiers comme un bloc erratique, sinon comme une aberration. Les Dialogues ont fait tort à la réputation de Grégoire, si admiré par ailleurs. Depuis la Renaissance et la Réforme, nombre de lecteurs sont surpris des récits de miracles quasi enfantins qu'ils y trouvent et ne savent comment expliquer qu'un esprit de pareille envergure se soit laissé aller à ce qui leur semble des niaiseries [21].

19. *Dial.* III, 34. Voir *Reg.* 7, 23 = *Ep.* 7, 26 (à la *patricia* Theoctista).

20. *Reg.* 4, 30 = *Ep.* 4, 30 (à l'Impératrice Constantina) ; *Reg.* 7, 23 = *Ep.* 7, 26 (à la *patricia* Theoctista) ; *Reg.* 11, 26 = *Ep.* 11, 44 (à la *patricia* Rusticiana).

21. Après l'éditeur protestant H. Coccius (Bâle 1551-1564), qui en vient à douter de l'authenticité grégorienne des Dialogues (cf. Moricca, p. ix, n. 1), citons seulement F. H. Dudden, *Gregory the Great*, Londres 1905, p. 356 ; E. Auerbach, *Literatursprache und Publikum in der lateinischen Spätantike und Mittelalter*, Berne 1958, p. 72-77 (cf. p. 47) ; P. Courcelle, « Saint Benoît, le merle et le buisson d'épines », dans *Journal des Savants*, juill.-sept. 1967, p. 154-161 (voir surtout le début ; la fin marque une réserve). D'autres appréciations du même genre sont citées par A. Vitale

De cette énigme, la solution la plus bienveillante consiste
à supposer que Grégoire a écrit ces choses par opportunisme
pastoral et par condescendance. Les Dialogues seraient
« un livre populaire, délibérément populaire[22] ». Quittant
un instant les hauteurs où son esprit se tient habituellement,
le grand pape s'est mis à la portée du bon peuple, en « incul-
quant aux simples la foi des simples ». Comme l'écrit encore
P. Batiffol, « les Dialogues étaient la Cité de Dieu récrite
pour les simples[23] ».

Tout n'est pas faux dans ces supputations. De fait, nous
l'avons vu, le Prologue de l'œuvre invoque les besoins de
certains, plus accessibles aux « exemples » qu'aux considérations théoriques [24]. Or ces esprits sont sûrement de ceux
qu'on appelle ailleurs les « simples [25] ». De là vient sans
doute que le seul ouvrage homilétique de Grégoire où l'on
trouve des histoires semblables à celles des Dialogues est le
recueil des Homélies sur les Évangiles, qui s'adressent en
principe à l'auditoire le plus large et le plus mêlé, celui de la
station papale aux dimanches et fêtes [26].

Toutefois, en séparant les Dialogues du reste de l'œuvre
grégorienne et en les reléguant dans la littérature popu-

BROVARONE, « La forma narrativa dei *Dialoghi* di Gregorio Magno :
problemi storico-letterari », dans *Atti della Accademia delle Scienze
di Torino* 108 (1973-1974), p. 95-173 (voir p. 108-119).

22. P. BATIFFOL, *Saint Grégoire le Grand*³, Paris 1928, p. 148.
De même R. GILLET, art. *Grégoire le Grand*, dans *DS* 6, 878-879.
En réaction contre ces jugements, l'élévation des Dialogues, spécialement du point de vue de la technique littéraire et du style, a
été mise en lumière par F. TATEO, « La struttura dei Dialoghi di
Gregorio Magno », dans *Vetera Christianorum* 2 (1965), p. 101-127,
et A. VITALE BROVARONE, *art. cit.*, p. 150-173 (étude du Prologue).
Voir aussi V. RECCHIA, « La visione di S. Benedetto e la *compositio*
del secondo libro dei *Dialoghi* di Gregorio Magno », dans *Rev. Bén.* 82
(1972), p. 140-155.

23. P. BATIFFOL, *op. cit.*, p. 149.

24. *Dial.* I, *Prol.* 9.

25. Cf. *In I Reg.* IV, 100 : *simplicibus proponit exempla*, etc. ;
RM 2, 12 = *RB* 2, 12 : les *uerba* de l'abbé sont pour les disciples
intelligents, ses *facta* pour les simples.

26. Dans *Hom. Eu.* 38, 15 et 39, 10, Grégoire introduit justement
ses histoires, dont deux seront reprises par les Dialogues, en sou-
lignant la supériorité des *exempla* sur les *uerba*.

laire, on ne fait pas suffisamment droit à certains faits.
D'abord, nous venons de le voir, les Dialogues sont étroitement liés aux autres ouvrages du grand pape. La doctrine
qui les remplit, qu'elle s'exprime en de courtes réflexions ou
en de vastes excursus, est de la même veine et du même
niveau que celle des Morales et des Homélies.

**Le style
des Dialogues** — Le style lui-même n'est pas inférieur à
celui de ces ouvrages. Pour l'apprécier
correctement, il ne faut pas se contenter de
vues globales, comme on le fait parfois [27], mais entrer dans
le détail et comparer ce qui est comparable : les récits des
Dialogues avec ceux des Homélies sur les Évangiles, leurs
morceaux de doctrine avec les textes grégoriens de même
nature. On voit alors que le style des Dialogues est bien
celui d'un ouvrage « dicté » — c'est-à-dire, rappelons-le,
d'un texte littéraire soigné —, comme le sont les meilleures
parties des Morales [28], et non celui de ces simples notes
prises au vol par les auditeurs et plus ou moins revues par
l'auteur dont sont faits la troisième partie des Morales et
d'autres recueils de commentaires [29].

Ainsi, loin d'appartenir à une catégorie littéraire infé-

---

27. Ainsi E. Auerbach, *op. cit.*, p. 75 et 77 ; R. Gillet, *art. cit.*,
col. 879.

28. Voir *Reg.* 5, 53ᵃ = *Mor.*, *Praef.* 2 (*SC* 32, p. 117). Grégoire
s'est efforcé, en revisant les Morales, d'effacer la différence entre
parties « dictées » et parties « dites », mais il a laissé la troisième
partie (*Mor.* 11-16) en son état négligé, proche du style oral. De
fait, celle-ci est bien moins soignée que les autres. Avec raison,
R. Gillet (*SC* 32, p. 117, n. 1) considère *dictare* comme synonyme
de *scribere*, et cite à ce propos Grégoire de Tours, *Glor. Mart.* 63.
Il n'en était pas encore ainsi chez Jérôme, *Ep.* 104, 32, qui oppose
la « dictée » hâtive et négligée à l'écriture attentive et soignée. —
La même distinction entre homélies *dictatae* et *dictae* se retrouve
dans la Lettre-Préface des *Hom. Eu.* (*PL* 76, 1075-1077), mais elle
ne se fait guère sentir à la lecture des textes, soit que ceux-ci aient
été harmonisés comme dans l'ensemble des Morales, soit que la
division en deux Livres n'ait pas été bien conservée.

29. Outre *Mor.* 11-16, voir surtout l'*In I Librum Regum*, dont
le style est fort inférieur à celui des œuvres éditées par Grégoire
lui-même.

rieure, notre ouvrage se fait remarquer au contraire par sa
tenue, qui l'apparente aux productions dont Grégoire pouvait être le plus satisfait. Ce n'est pas sans raison qu'il y
copiera un morceau de choix pour une de ses correspondantes les plus distinguées [30].

Cette qualité littéraire des Dialogues est confirmée par
deux traits de style : d'une part l'emploi des clausules, et
de l'autre les excuses dont l'auteur croit nécessaire d'accompagner l'usage de certains mots vulgaires. Les clausules de
Grégoire ont fait l'objet d'une étude de K. Brazzel [31]. Il
en résulte que le recueil des Lettres l'emporte nettement par
l'abondance et l'élégance de ses clausules, soit métriques,
soit accentuées. Entre les autres ouvrages, dont le plus
soigné est le Pastoral, on ne constate que peu de différences.
Un classement d'après les règles du *cursus* le plus strict
donne aux Dialogues une place moyenne, un peu après les
Morales et le Premier Livre des Homélies sur les Évangiles,
un peu avant le Second Livre de celles-ci et les Homélies
sur Ézéchiel [32]. Notre texte ne tranche donc nullement, de
ce point de vue, sur l'ensemble de l'œuvre grégorienne.

Le même souci de tenue littéraire perce dans les précautions avec lesquelles Grégoire prononce certains termes familiers. Pour parler d'un merle ou de flacons, il emploie toute
une périphrase : *auis quae uulgo merula uocatur... lignea uas-
cula quae uulgo flascones uocantur* [33]. S'il écrivait pour le

---

30. *Dial.* III, 34, reproduit dans *Reg.* 7, 23 = *Ep.* 7, 26 (ci-
dessus, n. 19).
31. K. Brazzel, *The Clausulae in the Works of St. Gregory the
Great*, Washington DC 1939.
32. K. Brazzel, *op. cit.*, p. 77. L'auteur aurait dû distinguer,
semble-t-il, la troisième partie des Morales du reste de l'œuvre. Elle
ne s'occupe pas de l'*In Canticum* et de l'*In Librum I Regum*.
33. *Dial.* II, 2, 1 ; 18, 1. Cf. Grég. de Tours, *Hist. Franc.* 4,
52 : *cum cultris ualidis quos uulgo scramasaxos uocant* ; 9, 28 :
pateris ligneis quas uulgo bacchinon uocant, avec le commentaire
de M. Bonnet, *Le Latin de Grégoire de Tours*, Paris 1890, p. 226
et n. 5 (cf. p. 28 et 753). Outre ces mots germaniques ou germanisés,
certains termes latins sont introduits de même par Grég. de
Tours, *Hist. Franc.* 4, 31 : *auis corydalus quem alaudam uocamus*
(nom d'oiseau analogue au *merula* de *Dial.* II, 2, 1) ; 5, 24 : *splen-
dores illi circa solem... quos rustici soles uocant* (autres exemples

peuple, se sentirait-il obligé d'introduire ainsi des mots réputés « vulgaires » ? Dans une des dernières Homélies sur les Évangiles, on le voit à l'inverse traduire en langage « vulgaire » un mot du texte sacré qui peut faire difficulté pour le peuple [34]. A en juger par ce contraste, les Dialogues sont destinés à un public plus relevé que ne l'était l'auditoire de ces Homélies.

Ailleurs, Grégoire qualifie de « rustique » le mot *impostor* employé par des sacristains pour injurier un moine qui prie trop longtemps [35]. « Rustique » aussi le toponyme *Interocrina*, qui remplace dans l'usage le correct *Interorina* [36]. Ces remarques occasionnelles, dont on trouve l'équivalent dans les Homélies et les Morales [37], signalent les dérogations au principe posé dans le Prologue. Là, Grégoire a prévenu qu'il s'abstiendrait parfois de rapporter les mots mêmes de ses informateurs, parce que ces termes du langage rustique feraient grincer la plume de l'écrivain [38]. Nous sommes donc loin du style populaire. L'auteur a pris pour règle de n'employer qu'un vocabulaire châtié, et s'il y manque çà et là, pour donner saveur à son récit, il a soin de se distancer de ces termes du langage parlé en les présentant comme des citations.

chez M. Bonnet, *op. cit.*, p. 25-27). Voir déjà Cassien, *Conl.* 2, 9 : *sicut uulgari usus uerbo... dixisti, tanquam paracharaxim reprobamus.*

34. *Hom. Eu.* 38, 4 : *quia enim uulgo loquor, etiam ipsa me necesse est uerba euangelicae lectionis explanare : altilia enim saginata dicimus ; ab eo enim quod est alere, altilia quasi alitilia uocamus.*

35. *Dial.* III, 4, 16 : *nam hunc simulatorem dicere et uerbo rustico coepit impostorem clamare.* Chez Grégoire de Tours, *rusticus* désigne simplement l'homme du peuple, sans viser spécialement le paysan (cf. M. Bonnet, *op. cit.*, p. 26-27). En est-il de même chez Grégoire le Grand ?

36. *Dial.* I, 12, 1 : *Interorina uallis, quae a multis uerbo rustico Interocrina nominatur.* Cf. Grég. de Tours, *Hist. Franc.* 5, 24 (ci-dessus, n. 33).

37. *Hom. Eu.* 12, 7 : *Quidam uir nobilis in Valeria prouincia nomine Chrysaorius fuit, quem lingua rustica populus Chryserium uocabat* (dans *Dial.* IV, 40, 6, seule est donnée la forme correcte) ; *Mor.* 15, 47 : *Vulgaris locutionis usus est ut bouem masculum et uaccam feminam uocet, sed litteraturae locutio bouem communis generis appellat.*

38. *Dial.* I, Prol. 10 : *haec rusticano usu prolata stylus scribentis non apte susciperet.*

Ailleurs encore, un nom d'outil est glosé ou enveloppé
dans une périphrase. Ce n'est sans doute pas à un public
populaire qu'il fallait expliquer que le fauchard (*falcastrum*)
est « ainsi appelé parce qu'il ressemble à une faux », ou donner avis que *uanga* est le « mot usité » pour désigner une
pioche [39]. De telles remarques s'adressent plutôt, semble-t-il,
à des gens peu informés des travaux champêtres. Elles supposent à tout le moins que ni l'auteur ni ses lecteurs ne
veulent être pris pour des rustres.

**Citadins
et paysans**
Au reste, les Dialogues n'accordent pas,
d'ordinaire, beaucoup d'estime et d'intérêt aux
rustici. Si le Livre I en met en scène quelques-
uns, c'est pour faire ressortir leur lourdeur, leur « stupidité »,
leurs jugements et attitudes incongrus vis-à-vis de la sainteté et du sacré. « Stupide » (*stultus*) est aussi le qualificatif
appliqué aux campagnards qui persistent à vénérer les
dieux du paganisme au Mont-Cassin [40]. Il est vrai que
Grégoire, au Livre III, célèbre quarante *rustici* martyrisés
par les Lombards, mais cet exemple veut prouver que la
couronne du martyre peut être gagnée même par des « personnes de condition basse et séculière [41] » : plus celles-ci sont

---

39. *Dial.* II, 6, 1 ; III, 4, 16. — Il faut évidemment mettre à part
les termes grecs du vocabulaire médical cités en III, 33, 7 (*syncopin*)
et 35, 3 (*freneticum*) ; IV, 16, 3 (*paralysin*), avec des périphrases qui
ont leur équivalent chez Grégoire de Tours (voir la note sous III,
33, 7).

40. Voir I, 1, 1 (les parents d'Honorat, fils de *colonus*) ; 4, 11
(*rusticus = indoctus*, à propos d'un abbé) et 20 (*rusticus* portant un
coffre à blé) ; 5, 4-5 (*stultae mentis* équivaut à *mente rustica*). En II,
8, 10, *stulto rusticorum populo* équivaut à *infidelium insana multi-
tudo*. On pourrait songer au sens de *rusticus* = « païen » signalé
chez GRÉGOIRE DE TOURS, *V. Patr.* 17, 5, etc., par M. BONNET,
op. cit., p. 26, n. 2, mais ici il y aurait redondance avec *ex antiquorum
more gentilium* qui précède immédiatement. Sur l'autre sens possible de *rusticus* (« homme du peuple »), voir ci-dessus, n. 35. Sur la
rusticitas, opposée à la *reuerentia* religieuse, chez Grégoire de Tours,
voir P. R. L. BROWN, *Relics and Social Status in the Age of Gregory of Tours*, Reading 1977 (The Stenton Lecture 1976), p. 8-10.

41. Voir III, 27 (en III, 28, les 400 martyrs sont simplement des
captiui), avec l'introduction de III, 26, 9 : *uilis* (ou *uiles* ?) *quoque
et saecularis uitae personas, de quibus nil caelestis uitae gloriae*

« méprisables [42] », du point de vue religieux et peut-être aussi du point de vue social, mieux la thèse sera démontrée.

L'élite des consacrés et le peuple chrétien   Quant au peuple des villes, Grégoire ne paraît pas non plus, dans les Dialogues, s'intéresser à lui de façon particulière. Dans son ensemble, l'œuvre accorde une place prépondérante aux consacrés, moines ou clercs. Des douze personnages principaux du Livre I, un seul est séculier, et encore s'agit-il d'un employé de l'Église tout proche du clergé [43]. Après le Livre II, rempli par la geste d'un grand abbé, le Livre III continue à présenter des séries d'évêques et de moines, auxquels se joignent de nouveau deux sacristains. C'est seulement vers la fin de ce Livre que, par le biais du martyre, de vrais laïcs s'introduisent dans ce paradis ecclésiastique. Parmi eux, si le premier groupe de victimes des Lombards est formé de paysans[44], le dernier martyr séculier est Herménégilde, un jeune prince [45].

Quant au Livre IV, les laïcs y tiennent une place bien plus importante, mais c'est pour une raison qui n'est pas à leur avantage : les fins dernières, dont traite ce Livre, comprennent l'enfer aussi bien que le ciel. Quand Grégoire, au début, donne des exemples de départs visibles pour le ciel, deux cas seulement sur quatorze concernent des laïcs [46],

---

praesumi posse uidebatur, où *uilis* vise sans doute le statut religieux de ces laïcs plutôt que leur statut social de *rustici*, mais sans exclure peut-être ce dernier.

42. III, 28, 3 : *plerique subire martyrium possunt, qui esse in pace ecclesiae despicabiles uidentur*. Ces *despicabiles* sont « ceux qui suivent les voies larges du siècle » (28, 2). Le qualificatif a donc la même portée que *uilis* (note précédente).

43. I, 5, 2 : le *mansionarius* Constance. Sur cette sorte de sacristain, appelé aussi *custos* (III, 24-25), voir L. DUCHESNE, *Le Liber Pontificalis*, I, p. 364, n. 7.

44. III, 27. Le second groupe (III, 28) n'est pas qualifié de façon précise (voir plus haut, n. 41). Ni les uns ni les autres, d'ailleurs, ne font de miracles.

45. III, 31. Cette fois le merveilleux n'est pas absent (§ 5), mais il reste discret.

46. IV, 8-24. Les deux laïcs sont le paralysé Seruulus (15) et la petite fille Musa (18).

et l'un d'eux — celui de la petite Musa — est immédiatement suivi d'une scène opposée, où l'on voit un petit séculier
blasphémateur partir pour l'enfer [47]. La suite présente encore
plusieurs laïcs édifiants ou du moins honorables, objets de
faveurs célestes [48], mais en nombre deux fois plus grand des
personnages douteux ou franchement mauvais, dont le sort
dans l'au-delà est inquiétant, sinon terrifiant [49].

Non que l'enfer soit réservé aux séculiers. Grégoire y met
aussi, à l'occasion, des moines et des clercs [50], de même qu'il
ouvre le purgatoire aux ecclésiastiques comme aux laïcs [51].
Ce ne sont là toutefois que des exceptions. En majorité, les
consacrés vont en paradis [52] et les laïcs dans la géhenne [53].

Heureux donc le jeune Théodore qui se convertit de la vie
séculière à la vie monastique [54] ! Heureux le marin Varaca

47. IV, 19.
48. IV, 27, 9-14 (l'esclave Armentarius ; noter toutefois le mys-
térieux châtiment qui précède sa fin) ; 28 (le comte Théophane) ;
35 (un *religiosus uir*) ; 38 (le cordonnier Deusdedit) ; 59, 1 (un prisonnier anonyme) ; 59, 2-5 (le matelot Varaca). Voir aussi 57, 1-7,
où le séculier est seulement en purgatoire et obtient rapidement sa
délivrance.
49. IV, 27, 2 (l'avocat Cumquodeus, présumé indigne d'une
révélation) ; 31 (le roi Théodoric) ; 32 (le *spectabilis uir* Reparatus) ;
33 (un curiale) ; 36, 7-9 (le jeune Eumorphe et l'adjudant Étienne) ;
37, 5-14 (l'*illustris uir* Étienne, le *maior familiae ecclesiasticae*
Pierre) ; 40, 6-9 (le riche Chrysaurius) ; 51 (riche anonyme) ; 54-
56 (le patrice Valerius, le *defensor* Valentin, le chef des teinturiers
romains).
50. IV, 32 (le prêtre Tiburce) ; 37, 3 (le moine Pierre ; mais
était-il déjà moine ? En tout cas, il s'est converti) ; 40, 10-12
(moine d'Iconium) ; 53 (moniale) ; 54 (évêque ; mais la mort subite
n'est pas l'enfer).
51. IV, 42 (le diacre Paschase) ; 57, 1-7 (séculier) ; 57, 8-16 (le
moine Justus).
52. IV, 8-14 ; 16-17 ; 20-24 ; 27, 4-8 ; 36, 1-6 ; 37, 12 ; 48-49 ; 58.
Au total, on trouve plus de 20 consacrés béatifiés, contre une demi-
douzaine de séculiers. Le purgatoire, antichambre du ciel, renferme
deux ecclésiastiques et seulement un séculier (note 51).
53. Voir note 49. Un bon exemple du clivage consacrés-séculiers :
aux deux moines qui meurent ensemble et se rencontrent au ciel
(36, 1-6), font pendant les deux séculiers qui se retrouvent dans la
même fournée infernale (36, 7-9).
54. IV, 40, 2-5.

qui entre dans la cléricature [55] ! Sans exclure qu'on puisse vivre dans le monde en *religiosus* [56], Grégoire tend à présenter le monachisme et le ministère ecclésiastique comme les voies normales du salut. Un jugement aussi réservé sur la condition laïque ne dispose pas précisément les Dialogues à être un livre populaire. En fait, le peuple chrétien n'y reçoit que peu d'encouragements à faire fructifier les valeurs propres de son état et les richesses de grâce que recèle la vie courante. Ce que Grégoire valorise, c'est bien plutôt les formes supérieures du service divin.

Notables et petites gens   A l'intérieur du peuple chrétien, cependant, Grégoire accorde une certaine préférence aux personnes de condition modeste. Si au Livre III, comme on l'a vu, le martyre d'un roi fait pendant à celui de quarante rustres, la balance penche nettement, au Livre suivant, du côté des petites gens. Sur une demi-douzaine de bons séculiers, seul le comte Théophane appartient indiscutablement à la classe supérieure [57]. Seruulus est un pauvre, Armentarius un esclave, Deusdedit un cordonnier [58].

Réciproquement, les laïcs réprouvés sont tous des personnages d'un certain rang, depuis le roi Théodoric jusqu'au chef d'une corporation romaine d'artisans, en passant par un patrice, un *illustris* et un *spectabilis uir*, un défenseur, un curiale et plusieurs riches [59]. Plus d'une fois, la présentation du personnage et de sa qualité sociale se réfère visiblement aux catégories bibliques du riche et du pauvre. Nul doute que, du point de vue religieux qui est le sien, Grégoire n'estime davantage la pauvreté.

Mais ceci ne fait pas que les Dialogues soient un livre popu-

55. IV, 59, 2-5.
56. IV, 35 et 38. Voir aussi le bel exemple du comte Théophane (IV, 28).
57. IV, 28. La petite Musa appartient à une famille aisée qui compte un évêque et un abbé (IV, 13.18), mais le fait n'est pas souligné. On ne sait rien du *religiosus uir* de IV, 35.
58. IV, 15 ; 27, 9-14 ; 38.
59. Voir plus haut, n. 49.

laire, c'est-à-dire spécialement destiné au peuple et accessible à lui. En réalité, la pauvreté apparaît plutôt comme un trait qui rapproche certains séculiers du monachisme [60]. A ces déshérités de la société, elle confère paradoxalement une sorte de noblesse chrétienne, d'affinité avec la perfection évangélique, d'apparentement aux privilégiés de la Cité de Dieu. Le renversement des valeurs que suppose cette vue de foi n'est pas à la portée du grand nombre. L'estime surnaturelle des Dialogues pour la condition des humbles relève d'une haute spiritualité de renonçants.

Au reste, le nombre élevé de notables que Grégoire voue à la perdition ne témoigne-t-il pas d'une sollicitude particulière pour les couches supérieures de la société ? En prenant ses exemples terribles dans ce milieu, le narrateur pourrait avoir spécialement en vue son instruction. Quant aux bons pauvres, leur sort n'est pas moins apte que celui des mauvais riches à inspirer aux gens aisés une salutaire componction. Il se peut que les Dialogues soient moins destinés au peuple qu'à cette élite.

Que telle fût effectivement l'intention de Grégoire, on en a une confirmation dans le fait qu'il offrit l'ouvrage à la reine des Lombards, Théodelinde [61]. Sans doute cet envoi s'explique-t-il en premier lieu, à ce qu'il semble, par la visée anti-hérétique qu'on sent à travers toute l'œuvre et qui s'affirme sans ambages dans toute une section du Livre III [62] : Dialogues en main, la catholique Théodelinde pourra faire entendre à son royal époux et aux Lombards ariens ce qu'il en coûte, ici-bas et dans l'éternité, de persécuter l'Église de Dieu. Mais pour produire un tel effet, les Dialogues doivent être aptes à frapper des princes et leur cour. Quel que soit le niveau culturel de ces demi-barbares, ils sont l'élite de leur nation. En leur adressant, par le truchement de la reine, ses Dialogues, Grégoire juge sans doute que l'ouvrage n'est pas indigne de ce milieu aristocratique, voire princier.

60. La pauvreté de Seruulus (IV, 15, 2) est rapprochée de celle des moniales (16, 2) et décrite dans les mêmes termes.
61. PAUL DIACRE, *Hist. Lang.* 4, 5.
62. *Dial.* III, 27-32.

Le goût du miracle dans l'élite

Un fait que nous avons noté plus haut prend ici toute sa signification. La correspondance de Grégoire, observions-nous, renferme plusieurs histoires ou séries d'histoires édifiantes, et les lettres en question sont toutes adressées à de grandes dames de Constantinople [63]. Si naïfs soient-ils à nos yeux, les récits de miracles ne sont donc pas pour Grégoire des morceaux réservés au bon peuple. Tout comme la reine des Lombards, l'impératrice de Byzance et les dames de sa cour peuvent y prendre goût et en tirer profit.

Dans un cas comme dans l'autre, il est vrai, ces récits merveilleux sont présentés à des cervelles féminines. S'agit-il donc d'une littérature pour le sexe faible ? Mais la piété des femmes n'est pas la seule à s'intéresser à de telles histoires. Augustin lui-même, à la fin de cet ouvrage éminemment sérieux et savant qu'est la *Cité de Dieu*, en raconte une longue série [64]. Pour confirmer la foi en la résurrection, il croit utile de rapporter quelque vingt-cinq miracles obtenus de son temps et tout près de lui, soit par l'effet des sacrements de baptême et d'eucharistie, soit par la simple prière, soit surtout par la puissance que les martyrs déploient à leurs tombeaux et dans leurs reliques. Six de ces prodiges sont des résurrections, dont trois se sont produites à Hippone même au cours des deux dernières années. Encore n'est-ce là qu'un échantillonnage des innombrables merveilles que les saints accomplissent en tout lieu et dont la plupart demeurent malheureusement inconnues, faute d'être consignées à temps et publiées...

Cet intérêt témoigné aux miracles par le plus grand théologien de l'Église latine achève de ruiner la thèse selon laquelle les Dialogues, à raison de leur contenu merveilleux, seraient un livre populaire. En réalité, il n'est pas d'esprit à l'époque, du plus petit au plus grand, qui n'apprécie hautement les faits miraculeux. Remplir un livre de ceux-ci, ce n'est nullement le disqualifier, comme ce serait le cas de

63. Voir ci-dessus, n. 20.
64. AUGUSTIN, *Ciu.* 22, 8.

nos jours, aux yeux des hommes cultivés. Tout comme les morceaux de théologie et de spiritualité qui les accompagnent, les miracles des Dialogues pouvaient alors satisfaire de bons esprits.

**Conclusion :
un ouvrage
plutôt relevé**
Le caractère populaire qu'on attribue aux Dialogues est donc en grande partie illusoire. Qu'on entende par « peuple » les chrétiens laïcs ou les classes sociales inférieures ou les esprits incultes, on est chaque fois obligé de reconnaître que l'ouvrage convient aussi bien, sinon mieux, au public opposé, c'est-à-dire à l'élite des consacrés, des notables et des gens instruits. Seul son genre narratif, propre à atteindre même ceux que ne touche pas la pure doctrine, lui assure une certaine popularité [65].

**Compléments :
les destinataires**
Ces conclusions pourraient clore le débat, si quelques données complémentaires n'étaient à enregistrer. La première concerne à nouveau les destinataires de l'œuvre. Deux fois seulement, et par mégarde [66], Grégoire mentionne les « lecteurs » auxquels il s'adresse [67]. Or la seconde de ces mentions introduit un avertissement explicite et insistant : ce dont le « lecteur » doit se persuader, c'est qu'un homme qui a voué la continence ne doit jamais, comme l'évêque André de Fondi, admettre une femme dans sa compagnie. Ce passage suggère que les lecteurs visés par les Dialogues sont avant tout des clercs professant la chasteté, à commencer par les prélats [68]. D'autres leçons s'adressent visible-

---

65. Il faut aussi tenir compte du rôle de porte-parole des *infirmantes*, c'est-à-dire des faibles dans la foi, qu'assume Pierre en IV, 4, 9-10 (cf. 5, 9). Ceux-ci peuvent être en plus grand nombre parmi les laïcs. Cependant c'est avec un de ses prêtres que Grég. de Tours, *Hist. Franc.* 10, 13, discute des fins dernières, et notamment de « la vie de l'âme après sa sortie du corps » (540 c). Ce malheureux, « empoisonné par l'erreur des Sadducéens », ressemble aux incrédules de *Dial.* III, 38, 5 et IV, 1, 5, dont Pierre se fait l'interprète. Voir aussi plus bas, n. 85.
66. Il paraît oublier le dialogue qu'il est censé tenir avec Pierre.
67. I, *Prol.* 10 ; III, 7, 1.
68. Cf. IV, 12, 2-3 : le prêtre de Nursie et sa femme.

ment à ces derniers, comme la mise en garde contre l'adulation [69] et les paroles oiseuses [70].

Ailleurs, un avertissement similaire est donné aux « nobles », et spécialement à ceux ou celles qui sont au service de Dieu : l'humilité leur est plus difficile qu'à d'autres [71]. Ces réflexions sur les difficultés particulières de certains états confirment que Grégoire a principalement en vue une élite religieuse et sociale.

Les témoins   De leur côté, les témoins cités dans les Dialogues sont le plus souvent des personnages distingués : évêques et prêtres, abbés et prieurs, nobles et hauts fonctionnaires [72]. Ce sont surtout ces narrateurs qualifiés, jouissant d'une certaine considération, que Grégoire cite nommément. S'il lui arrive de rapporter les dires d'un clerc inférieur ou d'un mendiant, il s'abstient de dire leur nom [73]. Ce comportement suggère à nouveau une

---

69. I, 4, 11 et 19.

70. III, 15, 13-17. Grégoire se sermonne lui-même.

71. II, 23, 2. On trouve aussi des encouragements à ceux qui sont au service de S. Pierre (III, 24, 2), un avertissement aux parents qui élèvent mal leurs enfants (IV, 19, 4), une réflexion sur la difficulté d'éviter toute faute dans la gestion des biens de ce monde (IV, 41, 4), etc.

72. Voir les listes dressées par MORICCA, p. XXIII-XXXII. Elles renferment des erreurs. P. XXVI : les « voisins » de IV, 36 ne sont pas des témoins, mais des acteurs ; des « nombreux moines » énumérés au bas de la page, seuls existent en fait ceux de III, 18.23 et IV, 9.15. P. XXVIII : le *magnificus Liberius* mentionné avec Venance de Luna (IV, 55) devrait figurer parmi les laïcs des p. XXXI-XXXII ; Félix (I, 3) n'est pas abbé, mais prieur. P. XXX : le *religiosus uir* Laurent (I, 1-2) n'est pas un moine, mais un laïc ; *Illiricianus* (IV, 37) n'est sans doute pas un nom de personne, mais une épithète désignant le lieu. P. XXXI : le défenseur Julien (I, 10 et IV, 31) n'est pas un clerc, pas plus que le *custos* Théodore (III, 24). — Parmi les moins huppés des laïcs, noter Laurent, simple *religiosus* (I, 1-2), et Deusdedit, qualifié d'*honestus* (IV, 32), mais ce dernier fréquente les nobles romains. Sont encore cités nommément les simples moines Laurion (I, 7, 1), Peregrinus (II, 27, 1), Boniface (III, 29, 1), Ammonius (IV, 27, 9). Inversement, les évêques de I, 5, 1 et III, 32, 3 restent anonymes.

73. I, 9, 15 (*senex clericus*) ; I, 10, 11 (*senex pauper*) ; III, 12, 2 (*clericus senex*).

certaine préférence pratique pour les hautes sphères¦ de la société.

L'interlocuteur   Enfin le choix de l'interlocuteur des Dialogues, le diacre Pierre, n'est pas sans signification. Selon toute probabilité [74], ce personnage s'identifie avec le sous-diacre du même nom, ancien défenseur de l'Église romaine à Ravenne [75], dont Grégoire, au début de son pontificat, fit le recteur du patrimoine de saint Pierre et son propre vicaire en Sicile [76], puis le recteur du patrimoine en Campanie [77]. Encore à ce poste en juin 593 [78], on le trouve à Rome le mois suivant, promu diacre et dans l'entourage du pape [79]. Or c'est précisément en ce mois de juillet 593 qu'on voit Grégoire prendre des informations en vue d'écrire les Dialogues [80]. Des lettres ultérieures montrent que le diacre Pierre est demeuré à Rome les trois années suivantes [81], et peut-être est-ce encore sur lui que Grégoire se décharge, en 599, de sa correspondance avec l'évêque Januarius de Cagliari [82]. En tout cas, l'épistolaire grégorien n'indique plus jamais qu'il soit absent de Rome.

Ces détails suffisent à montrer que l'interlocuteur de Grégoire n'est pas un personnage de mince importance.

---

74. Outre la coïncidence des noms, des titres et des dates (ci-dessous, n. 79-80), noter que l'interlocuteur des Dialogues dit qu'il a séjourné en Sicile (IV, 59, 6), ce qui est précisément le cas du personnage connu par les Lettres.

75. *Reg.* 6, 24 = *Ep.* 6, 24. Cf. *Reg.* 3, 54 = *Ep.* 3, 56.

76. *Reg.* 1, 1 et 3 = *Ep.* 1, 1 et 3. Voir aussi *Reg.* 1, 71 ; 2, 38 = *Ep.* 1, 73 ; 2, 32.

77. *Reg.* 3, 1 = *Ep.* 3, 1.

78. *Reg.* 3, 39 = *Ep.* 3, 40.

79. *Reg.* 3, 54 = *Ep.* 3, 56. Cf. *Reg.* 5, 28 = *Ep.* 5, 34 : le diacre Pierre a été sous-diacre et recteur du patrimoine en Campanie, Voir aussi la note complémentaire sur I, *Prol.* 2.

80. *Reg.* 3, 50 = *Ep.* 3, 51 (ci-dessus, n. 1 et 11).

81. *Reg.* 5, 28 ; 6, 24 et 31 = *Ep.* 5, 34 ; 6, 24 et 61 (dans cette dernière lettre, Pierre n'est pas nommé, mais la *spata* dont parle Grégoire est sienne, comme le montre la lettre précédente ; ces deux lettres n'indiquent pas aussi clairement que la première la présence du diacre auprès du pontife).

82. *Reg.* 9, 11 = *Ep.* 9, 4 (*dilectissimo filio nostro Petro*, sans *diacono*).

Sans anticiper sur la suite de cette Introduction, où nous reviendrons sur son caractère et son rôle dans les Dialogues, il faut au moins noter à présent que Pierre appartient lui aussi à une élite, celle du haut clergé de Rome. Ami de Grégoire depuis sa prime jeunesse [83], il jouit de toute sa confiance [84] et se voit chargé par lui des missions les plus considérables. Comme vicaire du pape en Sicile, il a eu pleine autorité sur les évêques et leurs diocèses, et sa position actuelle de diacre en fait ce qu'était naguère Grégoire lui-même : un des dignitaires les plus en vue de l'Église romaine.

Avec un partenaire aussi distingué, on peut présumer que les propos échangés n'auront rien de facile et de populaire [85]. Bien plutôt, le choix de Pierre comme interlocuteur confirme que les Dialogues doivent être, dans l'esprit de leur auteur, un ouvrage de grande tenue et de haute qualité. En outre, il suggère que les premiers destinataires de ces récits sont des ecclésiastiques pieux et cultivés comme l'était Pierre lui-même. Issus des entretiens d'un évêque-moine avec son diacre, les Dialogues vont gagner de proche en proche les cercles successifs qui se dessinent autour de ce centre : d'abord les milieux cléricaux et les monastères, puis les laïcs « religieux » qui les fréquentent, enfin tout ce que le peuple de Dieu compte de dévôt, d'instruit, de curieux des choses de l'Esprit.

83. *Dial.* I, *Prol.* 2. Il ne s'ensuit pas que Pierre ait été moine au *Cliuus Scauri*, comme on le dit souvent. Sa carrière est celle d'un agent de l'Église romaine et d'un clerc. Avec raison, D. DE SAINTE-MARTHE fait observer (*PL* 77, 141-142, § XV) que JEAN DIACRE, *V. Greg.* 2, 11, le range parmi les clercs, non parmi les moines.

84. Voir *Reg.* 1, 1 = *Ep.* 1, 1.

85. Réserve faite du rôle de porte-parole des *infirmantes* que Pierre assume au début du Livre IV. Voir ci-dessus, n. 65. Dans *Hom. Eu.* 32, 6, Grégoire se plaint déjà que certains, chrétiens seulement de nom, *sola esse uisibilia aestimant, inuisibilia non appetunt, quia nec esse suspicantur.* Il leur répond par l'argument des miracles accomplis aux tombeaux des martyrs, qu'il reproduira dans *Dial.* IV, 6, 1.

CHAPITRE II

L'ŒUVRE ET SA FACTURE

I. Objets et buts

Des miracles italiens et contemporains L'objet des Dialogues est claire-ment indiqué à la fin du Prologue [1]. Pierre ayant mis en doute qu'il ait existé des thaumaturges en Italie, Grégoire se propose de raconter ce qu'il sait de leur vie et de leurs miracles. De fait, plusieurs dizaines de saints italiens vont défiler devant le diacre mal informé. Dès la fin des trois premiers récits, celui-ci confessera son erreur [2].

Cependant les récits du pape se rapportent à des person-nages disparus. Aussi l'inquiétude perce-t-elle de nouveau dans la question que pose Pierre au terme du Livre Pre-mier : pourquoi ne trouve-t-on plus de ces hommes à pré-sent [3] ? Sur le moment, Grégoire répond de façon évasive, en attirant l'attention de son interlocuteur sur la sainteté cachée, qui vaut tous les miracles [4], mais au long du Livre III il tiendra compte du désir mainte fois réaffirmé de Pierre [5]

---

1. I, *Prol.* 7-10.
2. I, 3, 5. Au reste, Pierre avait déjà connaissance de certains faits. Voir III, 37, 18 (Nursie) ; IV, 48 (?) ; IV, 52 (Rome) et 59, 6 (Sicile).
3. I, 12, 4 (cf. III, 34, 6). En disant ici *Quid esse dicimus quod tales uiri modo nequeunt inueniri ?*, Pierre oublie qu'il a lui-même constaté plus haut l'accomplissement de la parole du Christ : *Pater meus usque modo operatur, et ego operor* (I, 7, 6, citant Jn 5, 17). Mais les deux *modo* ne désignent pas exactement le même temps.
4. I, 12, 4-6.
5. III, 16, 11 (*recentia*) ; 19, 5 (*praesenti infirmitati hominum... nuper*) ; 31, 8 (*nostris... temporibus*) ; 34, 6 (*nunc*). Cf. 37, 21 (*boni... rarescunt*).

en s'efforçant de lui raconter des faits récents [6]. Par les réflexions qu'il attribue à son auditeur comme par ses propres notations, le narrateur se montre sans cesse soucieux d'actualité. Visiblement, il s'agit de se persuader non seulement que l'Italie a eu ses saints et ses prodiges, mais aussi que « notre temps » a encore les siens. C'est chaque jour qu'on voit se réaliser la parole du Christ : « Mon Père agit jusqu'à l'heure actuelle, et moi j'agis aussi [7]. »

Un réconfort dans l'épreuve   Cette aspiration à sentir la puissance et l'action de Dieu jusque dans l'instant présent est liée aux épreuves que les « Romains » d'Italie subissent à ce moment. Dans une péninsule ravagée par les Lombards et plus qu'à demi conquise, la population décimée, appauvrie, humiliée sous le joug de ces barbares ariens ou gravement menacée par eux [8] a besoin de consolation. Les récits de miracles lui apportent un tel réconfort. Au milieu des grandes tribulations où elle se trouve, ils attestent que Dieu ne l'a pas complètement abandonnée [9].

Des exemples qui édifient   Mais le bienfait de ces histoires merveilleuses ne se limite pas au soutien qu'on y trouve aux heures de catastrophe. De façon plus profonde et permanente, les miracles des saints édifient le peuple chrétien. Cet effet d'édification, Pierre l'a invoqué au début de l'entretien pour décider Grégoire à

6. III, 4, 4 (*diebus nostris*) ; 17, 1 (*nostris modo temporibus*) ; 25, 3 (*modernos patres*) ; 26, 1 et 32, 4 (*nuper*). Voir ci-dessous, n. 62-63.

7. I, 7, 6 (Jn 5, 17).

8. Voir surtout III, 26-27 et 28, 5 - 29 (persécution) ; 37, 10 - 38, 5 (meurtres, ravages, dépopulation). Cf. I, 4, 21 ; II, 17 ; III, 8, 2 et 11, 4-6, etc.).

9. III, 30, 7 (cf. III, 29, 1). Outre les passages concernant directement les Lombards, ceux qui mettent en scène des Goths (I, 2, 2-3 et 10, 12-15 ; II, 14-15 et 31 ; III, 5-6 et 11-13, etc.), des Francs (I, 2, 4), des Vandales (III, 1) ont indirectement le même effet. La confusion de ces oppresseurs d'hier fait espérer celle de leurs successeurs actuels.

entreprendre ses récits [10], et il le rappellera plus d'une fois
pour engager le conteur à poursuivre [11]. C'est que les miracles
révèlent la sainteté. En les racontant, on présente au public
des incitations à bien vivre et des modèles à imiter. *Les*
« vertus » (actes de puissance) conduisent à *la* « vertu »
(qualité de l'âme) [12]. Ou pour parler en termes d'eschatologie, comme Grégoire aime à le faire, « l'exemple des Pères
fait aimer la vie future... aimer la patrie céleste [13] », cette
« Jérusalem céleste » dont ils sont visiblement sur cette
terre les « citoyens » et les témoins [14].

La joie d'admirer — Nous aurons à revenir sur ce rôle spirituel
des récits de miracles et sur l'effort accompli
par Grégoire pour qu'ils ne manquent pas leur
but [15]. Il suffit à présent d'avoir entrevu la portée pastorale
de l'ouvrage qui les recueille. Cependant il ne faudrait pas
insister sur ces fins d'édification au point de réduire les
Dialogues à une fonction étroitement utilitaire. « Signes »,
les miracles ne le sont pas seulement à l'égard de la vertu
cachée des saints qu'ils révèlent, mais avant tout par rapport à l'invisible beauté de Dieu et à sa bonté. En ponctuant
le récit de ses exclamations émerveillées, Pierre exprime
sans doute une des intentions profondes de l'œuvre : susciter la joie et l'admiration. Comme Jean-Baptiste exultait
d'entendre la voix de l'Époux, celui qui aime Dieu se plaît
à le voir agir et dévoiler sa force. Les miracles font goûter
la « douceur de Dieu [16] », qui veut bien laisser paraître quelque
chose de sa gloire par ces manifestations inaccoutumées de
sa toute-puissance [17]. *Tam iucunda miracula* [18] : les miracles
sont un délice pour l'homme religieux.

10. I, *Prol.* 9. Cf. ci-dessus, ch. I, n. 17.
11. I, 2, 8 ; 5, 3 ; 12, 6. — III, 35, 6.
12. I, *Prol.* 7-9. Ce jeu sur *uirtus* est déjà constant chez SULPICE
SÉVÈRE (*Dial.* 1, 10, etc.). Cf. CÉSAIRE, *Serm.* 211, 4.
13. I, *Prol.* 9.
14. III, 35, 6.
15. Voir ch. III, § I.
16. III, 22, 4. Cf. *Hom. Eu.* 26, 3 : *miraculorum suorum dulcedinem*.
17. III, 37, 8. Voir ci-dessous, ch. III, n. 53-54.
18. III, 22, 4.

La recherche théologique   Cette sorte de joie contemplative se prolonge en réflexion théologique et en doctrine. Quand l'esprit a perçu l'œuvre de Dieu et s'en est émerveillé, il lui reste à la déchiffrer, à l'expliquer, à en comprendre la leçon. Aussi les récits sont-ils souvent suivis d'excursus où les deux amis s'interrogent sur le pourquoi et le comment des faits. La plus simple de ces réflexions consiste à noter le rapport du miracle narré avec un prodige analogue que relate l'Écriture [19]. A partir de ces rapprochements ou d'autres considérations, Grégoire élabore plus d'une fois de véritables « questions », qui posent un problème spéculatif et le résolvent [20]. Parfois la méditation ne prend pas pour objet le miracle, mais un trait de vertu du saint ou quelque vérité morale mise en lumière par son histoire [21].

Sous ces diverses formes, les excursus des Dialogues adaptent au genre narratif de l'ouvrage la méthode exégétique familière à Grégoire dans ses travaux sur la Bible. Au lieu d'interpréter le texte sacré, le pape explique ici l'histoire qu'il raconte. Aussi bien celle-ci est une continuation authentique de l'histoire sainte. Le même Dieu qui parlait et agissait dans les deux Testaments exerce son action dans ces vies d'Italiens du VIe siècle. Rien d'étonnant, dès lors, que les miracles de la Bible se renouvellent dans cette geste récente. Et de même que tout fait consigné dans l'Écriture a un sens spirituel plus ou moins caché qu'il importe au chrétien de découvrir, de même les miracles d'aujourd'hui, et plus généralement les œuvres contemporaines du Seigneur et de ses saints, sont encore un langage divin qui demande à être entendu.

La doctrine des fins dernières   Dans les trois premiers Livres, cet élément doctrinal reste subordonné à la narration. Au quatrième, il prend le pas sur celle-ci et devient le fil conducteur de l'œuvre.

19. I, 2, 7 et 7, 4 (Élisée) ; II, 8, 8 ; III, 37, 8, etc.
20. II, 22, 4.
21. II, 3, 5-9 (*Habitauit secum*) et 10-12 (légitimité de l'abandon de la charge pastorale).

Au lieu d'une histoire ponctuée d'exposés décousus, ce dernier Livre est un exposé méthodique illustré par des histoires.

Ce changement de présentation vient d'un changement d'objet. Ce que Grégoire se propose désormais, à la demande de Pierre, c'est de prouver que « l'âme ne finit pas avec la chair », mais « vit après la chair [22] ». Tel est du moins le thème annoncé à la fin du Livre III et que développe effectivement le début du Livre IV [23]. Continuant sur cette lancée, la suite traite plus largement un ensemble de questions relatives à la mort et à l'au-delà.

Les fins dernières sont donc le sujet propre du Livre IV. Rien, dans le Prologue de l'ouvrage, ne faisait prévoir cette inflexion vers la doctrine et l'eschatologie. Cependant Grégoire reste fidèle à son propos initial en parsemant son dernier Livre de récits merveilleux, analogues à ceux des trois autres. Comme les précédents, ces miracles relatifs à la vie dans l'au-delà se produisent, pour la plupart en Italie et au VIe siècle, souvent même dans l'environnement le plus immédiat et le passé le plus récent [24]. A cet égard, le Livre IV porte à son comble la tendance vers l'actualité que nous avons observée dans le Livre III [25].

En outre, l'eschatologie qui le remplit affleurait déjà en maint passage antérieur [26]. Aussi l'écart entre ce dernier Livre et les trois premiers frappe-t-il moins que leur continuité. La pensée de la mort et de ses suites se présente d'elle-même au terme de la série de Vies que sont les Livres I-III. Aux miracles accomplis par les amis de Dieu ici-bas succèdent normalement ceux qui ont accompagné leur trépas ou qui révèlent leur sort dans l'au-delà.

22. III, 38, 5.
23. IV, 1-24. La thèse est réaffirmée en IV, 22, 2.
24. Voir ci-dessous, n. 73-79.
25. Cf. *supra*, n. 5-6.
26. Comparer IV, 8-9 avec II, 35 ; IV, 11 avec II, 34 ; IV, 12-20 avec III, 1, 9 ; IV, 22, 1 avec III, 22-23 ; IV, 32 et 37 avec I, 10, 18 et 12, 2 ; IV, 33 et 53-56 avec II, 23-24 ; IV, 49, 7 avec I, 8, 2-3.

**Des saints
aux réprouvés :
une mutation**
La transition est si naturelle que le lecteur remarque à peine, au cours du Livre, l'entrée en scène, aux côtés de ces saints personnages, d'hommes qui ne sont pas des saints, mais l'opposé. C'est de cette apparition de pécheurs, qui deviennent en nombre croissant les héros des récits, que vient sans doute la nouveauté la plus remarquable de ce Livre IV et l'entorse la plus sérieuse au programme général défini dans le Prologue. Là, Grégoire avait promis des saints thaumaturges. Voici qu'il présente des réprouvés.

Mais ce développement inattendu a pour effet d'élargir l'œuvre, d'autant qu'il va de pair, on l'a vu, avec la multiplication des rôles de séculiers [27]. Au prix de cette inconséquence, les Dialogues peuvent embrasser toute la condition humaine ici-bas et la diversité de ses destins posthumes. L'ouvrage y gagne en ampleur, en équilibre, en conformité au message intégral de l'Évangile.

Ainsi l'analyse des fins de l'œuvre fait voir que certains de ses éléments ont peine à s'amalgamer. Cette constatation invite à regarder de plus près la structure des Dialogues.

II. Structure de l'ouvrage

**Notices brèves
et biographie complète**
Si le Livre IV se distingue manifestement des trois autres par son thème spécial et son caractère didactique, le Livre II diffère à son tour de ses deux voisins par son objet unique : la Vie de Benoît. Au Premier Livre, Grégoire a mis en scène douze figures de thaumaturges, au Troisième il en présentera plus de trente. D'ampleur très inégale, allant d'un seul récit de miracle à une douzaine, les quelque cinquante notices de ces deux Livres relèvent toutes néanmoins du même type, qui contraste par sa relative brièveté avec la grande biographie de Benoît.

Les quatre Livres des Dialogues se répartissent donc en

27. Voir ch. I, n. 46-49.

deux séries : d'une part les Livres I et III, recueils de notices brèves sur des personnages variés, de l'autre les Livres II et IV, consacrés à une seule personne ou à un seul thème. Cette structure surprend au premier abord : si le Livre IV est bien à sa place en finale, comme nous l'avons vu, on s'explique moins bien que le Livre II sépare les Livres I et III, qui semblent faits pour se suivre. Mais sans doute la ressemblance de ces deux livres est-elle précisément ce qui a incité Grégoire à les séparer. En les mettant bout à bout, il n'aurait pas évité une impression de longueur et de monotonie. Placée entre eux, la biographie de Benoît fait ressortir leur distinction et leur individualité, en même temps qu'elle procure au lecteur une diversion reposante.

Le triptyque des trois premiers Livres En outre, la position médiane de cette monographie en fait le centre d'un triptyque, dont les deux volets latéraux se répondent avec évidence. La construction est harmonieuse : au milieu, la grande figure d'un personnage unique ; de chaque côté, une multitude de personnages plus petits. L'image centrale apparaît d'autant plus haute qu'elle est flanquée à droite et à gauche de ces figurines. Comme un géant, Benoît domine la foule des thaumaturges mineurs qui l'entourent.

Une combinaison numérique renforce cette structure. Les saints du Premier Livre sont au nombre de douze, nous l'avons dit, chacun d'eux occupant un chapitre. Ceux du Livre III sont moins faciles à dénombrer, car les 38 chapitres de ce Livre ne sont pas tous consacrés à une personne ni même à un récit : les chapitres 27, 28 et 32 mettent en scène des groupes de martyrs[28], les chapitres 29 et 30 rapportent les interventions miraculeuses du Seigneur en faveur de deux églises, le chapitre 34 traite des différentes sortes de componctions. Cependant, si l'on met à part ce dernier, qui est un simple exposé doctrinal, les 37 chapitres restants

---

28. Les martyrs séculiers (IV, 27-28) ne font pas de miracles, tandis que les évêques confesseurs sont gratifiés d'un prodige (IV, 32).

constituent autant de notices distinctes et bien individua-
lisées, les saints thaumaturges étant seulement remplacés
çà et là, dans leur rôle de personnage principal, par des
groupes anonymes ou des édifices sacrés.

Le Livre III comprend donc un ensemble de 37 figures,
qui s'ajoutant aux 12 du Livre I, portent à 49 le total des
petits sujets représentés sur les deux volets du triptyque.
Sujet unique du panneau central, Benoît complète cette
somme et lui fait atteindre un nombre significatif : cinquante [29].

**Le couronnement
eschatologique
du Livre IV**

Cet ensemble des trois premiers
Livres est si achevé qu'on voit mal, à
première vue, comment le Livre IV
peut s'y adjoindre. Cependant ce der-
nier Livre n'est pas un simple appendice juxtaposé à la trilogie qui le précède. Non seulement, comme on l'a dit, ses per-
spectives eschatologiques prolongent globalement, en direction de l'éternité, les histoires terrestres contées jusque-là,
mais chacun des trois premiers Livres lui offre, vers sa fin,
un point d'attache précis qui semble l'appeler. Le Premier
Livre se termine par une descente aux enfers et un retour à
la vie, le Second par la montée au ciel de Scholastique, de
Germain et de Benoît lui-même, qui inaugure ensuite son
rayonnement posthume, le Troisième par une annonce de
la fin du monde proférée par un revenant. Autant de doigts
pointés vers l'au-delà.

De ces trois amorces du grand traité final, celle du Livre
Second est la plus naturelle : comment finir une biographie
complète autrement que par la mort du saint ? C'est aussi
la mieux soulignée, car Grégoire fera de l'ascension de Germain, contemplée par Benoît, le premier *exemplum* du
Livre IV, le second étant d'ailleurs un autre épisode bénédictin [30]. Un rapport spécial s'établit ainsi entre les Livres II

---

29. Grégoire a coutume d'entendre cinquante comme un symbole du repos, conformément à la loi juive du jubilé. Voir *Mor.* 16,
68 ; *Hom. Eu.* 24, 4 ; *Hom. Ez.* II, 5, 15 et II, 7, 4.
30. Cf. II, 35 et IV, 8-9.

et IV, déjà unis par leur caractère monographique. Des trois parties de la trilogie, c'est à celle du milieu que le Livre IV se rattache avec le plus d'évidence.

Cependant, puisqu'il a aussi des liens avec les finales des Livres I et III, ce dernier Livre demande à être situé par rapport à la trilogie entière. Pour reprendre notre image picturale, on peut se le représenter comme un vaste tableau supérieur qui couvre toute la largeur du triptyque et en couronne les trois panneaux, chacun de ceux-ci pointant visiblement vers ce sommet. A lui seul, il a presque la même ampleur que les trois autres réunis[31]. Mais le triptyque que forment ceux-ci, loin d'être déparé par le voisinage d'une pièce massive qui n'aurait pas avec lui de relation organique, trouve dans le Livre IV son achèvement harmonieux et sa plénitude.

Le nombre des chapitres et son sens   Comme à l'intérieur de la trilogie, des nombres significatifs marquent cette unité de l'œuvre entière dans la complémentarité de ses parties. Ce n'est sans doute pas par hasard que les trois premiers Livres comprennent ensemble 88 chapitres et que le Livre IV en ajoute 62, de sorte que les Dialogues en comptent au total 150. Le détail des nombres et de leurs rapports n'est pas moins intéressant[32] : les chapitres des Livres I et III font la somme de 50 (12 + 38), les chapitres des Livres II et IV celle de 100 (38 + 62).

31. Soit 62 chapitres (Livre IV) contre 88 (Livres I-III). Sans doute le nombre des chapitres des différents Livres (12, 38, 38, 62) ne correspond-il pas exactement à la longueur réelle de ceux-ci, mais cette longueur, dans une moindre mesure, croît effectivement d'un Livre à l'autre, de sorte que le dernier est bien le plus long de tous. L'écart le plus considérable est d'ailleurs celui qui sépare le Livre III du Livre II. — Comparer le Pastoral, où les trois premiers Livres sont également en progression, mais de façon beaucoup plus forte (respectivement 13, 25 et 78 colonnes), tandis que le quatrième est insignifiant (deux colonnes).

32. Nous admettons ici l'authenticité de la capitulation longue, qui attribue 62 chapitres au Livre IV. Voir à ce sujet le dernier chapitre de l'Introduction (*Présentation de l'édition*), n. 35-37. — Comparer la somme de 51 chapitres que forment les Livres II et III (ou I et III) du Pastoral (respectivement 11 et 40 chapitres).

Bien qu'on arrive aux mêmes résultats — vu le nombre égal
des chapitres aux Livres II et III[33] — en additionnant simplement les deux premiers Livres et les deux derniers, ces
nombres parfaits obtenus en réunissant les Livres pairs et
impairs sont particulièrement suggestifs des rapports spé-
ciaux qui unissent les deux recueils de notices brèves et les
deux monographies.

Qui a voulu un arrangement numérique aussi soigné ?
L'auteur lui-même ou quelque secrétaire-éditeur ? Quand
on se souvient du soin avec lequel Grégoire en personne, on
n'en peut douter, a agencé la trilogie des premiers Livres
en la peuplant de 50 figures, il semble assez probable que sa
volonté soit également à l'origine de cette capitulation si bien
conçue [34]. Celle-ci, en tout cas, reflète la structure littéraire
très achevée des Dialogues, avec leurs deux recueils symé-
triques de notices brèves encadrant une longue Vie de Benoît,
ce personnage privilégié ayant aussi pour rôle d'ouvrir la
grande conclusion eschatologique à quoi tend visiblement
toute l'œuvre.

III. Composition des Livres

Après cet aperçu d'ensemble de l'agencement des Dialogues, il reste à examiner l'organisation des différents Livres.

33. Soit 38 chapitres. A lui seul, Benoît a donc autant d'importance que tous les saints du Livre III. Pareillement, les Livres I et
II du Pastoral ont le même nombre de chapitres (11). — Sur le
nombre 100, symbole de perfection, voir *Hom. Eu.* 34, 3 ; *Hom.
Ez.* II, 6, 16 (cf. 7, 11) et 10, 17 ; *In I Reg.* III, 58 ; IV, 19 et 26 ;
V, 76 et 203. Autre symbolisme (repos de l'esprit, délivré des mauvaises pensées) dans *Mor.* 16, 68, où 100 est considéré comme le
double de 50 (repos du corps, qui cesse de mal agir). Quant à 150,
nombre où entrent 7 (temps présent) et 8 (éternité), voir *Mor.* 35, 17.

34. Les analogies de cette capitulation des Dialogues avec celle
du Pastoral, qui est certainement de Grégoire, le suggèrent pour
leur part (voir notes précédentes). — Un autre auteur contemporain
s'est plu à distribuer en deux Livres de 40 et 60 chapitres respectivement, en vue d'arriver au total de 100, un recueil de miracles
fort semblable aux Dialogues. Voir GRÉGOIRE DE TOURS, *Mir. S.
Mart.* 2, 60 (40 évoque le veuvage, 60 la virginité, 100 le martyre).

Le Prologue et le Livre I   Le Premier s'ouvre par un Prologue autobiographique, où Grégoire situe l'entretien et présente son interlocuteur. Inutile de revenir ici sur les propos du pontife et de son diacre qui introduisent directement le sujet. Relevons seulement ce qui les précède : une scène de découragement, où Grégoire exhale sa tristesse d'avoir perdu le calme contemplatif de la vie monastique et d'être emporté par le flot des affaires temporelles dont sa charge pastorale l'oblige à s'occuper. La pensée des saints qui ont renoncé au monde et vécu dans la retraite aiguise sa douleur...

Bien que Pierre saisisse cette mention des saints pour exprimer ses doutes au sujet de l'existence de thaumaturges en Italie — et de là sortira tout l'entretien —, ce n'est pas aux miracles des saints que pensait Grégoire, mais à leur vie retirée, loin des affaires humaines, toute au service de Dieu. En d'autres termes, c'est à de saints moines et à leur vie monastique qu'il songeait [35].

Aussi est-ce par une série de moines que commence le défilé des douze personnages qui vont remplir le Livre I. Attirée par Pierre sur les miracles, l'attention de Grégoire ne se détache pas pour autant, du moins au début, de la vision des monastères qui le hantait. Après les trois moines de Fondi — l'abbé Honorat, le prieur Libertinus et le jardinier anonyme —, voici Equitius, le grand abbé-fondateur de Valérie, dont la notice est une des plus longues des Livres I et III.

Ces quatre figures monastiques sont suivies d'abord de deux personnages appartenant à l'Église d'Ancône, le sacristain Constance et l'évêque Marcellin, puis des deux moines que sont Nonnosus, prieur au Soracte, et Anastase, abbé à Subpentoma. Viennent ensuite les longues notices consacrées à deux évêques, Boniface de Ferentis et Fortunat de Todi. On revient enfin en Valérie avec deux personnages de moindre relief : le moine (?) Martyrius et le prêtre Sévère.

Cette analyse sommaire fait apparaître partout des groupes

---

35. Cf. I, *Prol.* 6 : **quorum plurimi conditori suo in secretiori uita placuerunt,** etc.

de deux personnages, sauf au début où l'on trouve un groupe
de trois et une figure isolée. Les groupes sont constitués par
le lieu ou la région — le Soracte et Subpentoma sont voisins,
Ferentis et Todi appartiennent tous deux à la Tuscia —, à
quoi s'ajoutent des rapports de profession et d'amitié.
Monastères et Églises, moines et clercs alternent régulièrement, tandis que les dimensions plus ou moins considérables
des notices engendrent de leur côté une certaine variété.

A travers cette suite de contrastes, on peut discerner un
principe d'unité, ou si l'on veut un fil conducteur. Il ne
relève pas de la chronologie, dont l'influence n'est percep-
tible que dans la trilogie des moines de Fondi, mais de la
géographie : si l'on met à part les deux derniers chapitres,
probablement additionnels [36], les sites se rangent le long de
deux itinéraires du sud au nord, l'un de grande ampleur,
fort à l'est de Rome [37], l'autre plus court et à peu près sur
le méridien de la Ville [38], avec une charnière qui marque
expressément le passage du premier au second [39].

**La Vie de Benoît
et ses deux triptyques**

Au Livre II, la chronologie joue
certes un rôle important — s'agissant d'une biographie, il ne pouvait
en être autrement —, mais ce rôle ordonnateur ne s'exerce
guère qu'au début, au milieu et à la fin[40]. Une fois ses

---

36. I, 11-12 : on revient en Valérie (cf. I, 4), et l'informateur est
l'abbé Fortunat, tout comme pour Equitius (I, 3, 5 et 10, 20). Il
pourrait s'agir de nouveaux récits de Fortunat, enregistrés après
coup. Comparer les additions, contraires à l'ordre chronologique de
la biographie, à la fin de la notice sur Boniface (I, 9, 15-19) ; Grégoire dit qu'il les tient d'un informateur survenu dernièrement.
Même phénomène, mais sans entorse à l'ordre chronologique, à la
fin de la notice sur Fortunat de Todi (I, 10, 11-19). La résurrection
de Marcel par cet évêque Fortunat a pu servir de conclusion au
Livre I avant l'addition des chapitres 11-12, qui aboutissent aussi
à la résurrection d'un mort.

37. I, 1-3 (Fondi en Campanie) ; 4 (Valérie, entre Amiternum et
Rieti) ; 5-6 (Ancône).

38. I, 7-8 (Soracte et Subpentoma) ; 9-10 (Tuscia : Ferentis et
Todi).

39. I, 7, 1 : *De uicino nunc loco tibi aliquid narrabo.*

40. II, 1-3 ; 8-11 ; 33-38 (cf. 14-15 et 28-29). Encore faut-il

monastères bâtis, que ce soit à Subiaco ou au Mont-Cassin,
Benoît sort du temps, pour ainsi dire. Ses miracles ne
sont plus rangés chronologiquement, mais selon d'autres
critères. Si l'ordre suivi dans la geste de Subiaco, d'ailleurs
très brève, demeure peu apparent [41], la période cassinienne
est visiblement construite sur un plan systématique : douze
faits d'ordre cognitif, puis douze d'ordre opératif [42] ; à la
« prophétie » succède la « puissance ».

De part et d'autre de ces deux douzaines d'événements
non datés, des faits en nombre égal servent d'introduction
et de conclusion historiques : aux quatre phénomènes démo-
niaques de l'installation sur le Cassin [43] font pendant quatre
épisodes relatifs à l'au-delà [44], qui mettent fin à la geste
cassinienne et au Livre entier. Cette deuxième partie de la
Vie de Benoît (8b-38) forme donc une sorte de triptyque,
dont le centre est occupé par de longues séries de prodiges
intemporels, tandis que les côtés déroulent de brèves histoires.

La même ordonnance se rencontre déjà dans la première
partie (Prol.-8a). Par une série de faits successifs, les trois
premiers chapitres conduisent Benoît à l'abbatiat de Subiaco.
Dans cette fonction, il accomplit quatre miracles dont la

excepter de la dernière séquence les chapitres 35-36, qui ne sont
pas appelés par la chronologie. Les chapitres 33-34 eux-mêmes ne
se rattachent à la fin de la vie de Benoît que par la mention du
tombeau de celui-ci (34, 2).

41. II, 4-7. Les deux premiers miracles concernent des monastères périphériques, les deux derniers le monastère central au bord
du lac, où se placeront aussi les scènes finales (II, 8). Maur et Placide
alternent dans les trois premiers miracles et se trouvent réunis dans
le quatrième. Le premier miracle — le moine délivré du diable
par la verge — est sans précédent biblique, les trois autres sont
référés à des miracles scripturaires. Voir ci-dessous, ch. IV, n. 107.

42. II, 12-22 et 23-33. Le dernier fait de la première série (II,
22) comporte non seulement une prédiction, mais aussi une visite
en esprit et des instructions données en vision, à quoi s'oppose la
communis locutio du premier fait de la seconde série (II, 22, 5 ;
23, 1-7).

43. II, 8, 12 ; II, 9-11.

44. II, 34-35 et 37-38. Déjà le chapitre 33 est tourné vers le
ciel. — Ces groupes de quatre font penser au cycle de Subiaco
(II, 4-7 ; cf. n. 41).

séquence chronologique n'est pas indiquée. Puis le mouvement reprend, et par une suite d'incidents le saint est amené à quitter Subiaco. Début et fin ne se ressemblent pas seulement par le fait qu'ils consistent tous deux en une chaîne d'événements successifs. Des correspondances nombreuses renforcent leur symétrie : bon prêtre du début et mauvais prêtre de la fin, mauvais merle et bon corbeau, souvenir d'une femme séduisante et spectacle de filles nues, vin et pain empoisonnés, réactions similaires — de douceur et de retraite — aux deux agressions, première organisation des communautés et réorganisation finale.

Comme celle du Mont-Cassin, la période de Subiaco se présente donc comme un triptyque dont le panneau central est couvert de scènes non rangées dans le temps, tandis que les volets racontent des histoires. Cependant l'importance relative des éléments est inversée : très large dans la deuxième partie, le centre se réduit ici à quatre récits, dont le nombre est égalé ou même dépassé par celui des épisodes représentés sur les volets. En d'autres termes, la diachronie domine dans le cycle de Subiaco, l'élément intemporel dans celui du Cassin.

Deux principes majeurs, l'un chronologique, l'autre systématique, régissent donc la Vie de Benoît et la divisent par leur alternance en un double triptyque, analogue à celui que forment, nous l'avons vu, les trois premiers Livres. En outre, à l'intérieur de cette organisation d'ensemble du Livre Second, on rencontre mainte fois des groupes de deux épisodes qui rappellent l'ordonnance du Livre I. Certains de ces couples sautent aux yeux et forment des séquences au sens le plus strict ; celles-ci s'enchaînent parfois, le même épisode s'accouplant à la fois au précédent et au suivant [45].

---

45. II, 1, 6-7 et 8 (prêtre et bergers) ; 8, 2-3 et 4 (double méfait de Florent) ; 9-10 (l'idole sous la pierre et dans la cuisine) ; 12-13 (repas illicites) ; 18-19 (objets cachés) ; 28-29 (huile conservée par miracle et multipliée). — Combinaisons de séquences : comparer 14, 1-2 et 15, 1-2 (Riggo-Totila) avec 15, 1-2 et 3-4 (Totila-Rome) ; 23-24 (morts tourmentés dans leur tombe et délivrés par l'eucharistie) avec 24-25 (punition de sorties illicites) ; 33-34 (Scholastique) et 34-35 (visions d'âmes montant au ciel).

D'autres couples sont moins évidents, du fait que les deux
épisodes sont reliés par un trait d'union plus ténu [46] ou séparés par d'autres événements[47]. Il arrive même que deux
couples s'entrecroisent. Ainsi, parmi les miracles de puissance, on en trouve quatre (II, 26-28) qui se répondent alter-
nativement : une première guérison de la lèpre et une prière
qui obtient de l'argent pour soulager une misère [48] ; une
deuxième guérison de lépreux et une prière qui obtient de
l'huile pour remédier à une disette [49].

Nous aurons à reparler de ce curieux quatrain entrecroisé,
dont la structure est en rapport avec le recours à certaines
sources orales. Notons seulement ici que les quatre épisodes
suivants (II, 29-32), qui constituent les derniers miracles de
puissance opérés par Benoît lui-même, présentent à leur
tour un trait commun : chacun d'eux répond à un fait déjà
raconté dans les parties antérieures de la Vie du saint[50].

Cette grande biographie est donc composée avec soin.
Diachronie et classement systématique, douzaines et qua-
trains, paires formant séquence et couples se répondant à
distance, tous les modes d'organisation se combinent pour
lier cette succession de miracles en un ensemble compact
et bien ordonné.

Le Livre III   Au Livre suivant, on revient aux notices
                     brèves, mais cette fois Grégoire commence
par les réunir en de longues séries homogènes, qui con-

---

46. II, 1, 2 et 5 : objets cassés (le premier seul est réparé) ; II,
4-5 (monastères périphériques) et 6-7 (bords du lac).

47. II, 3, 2-4 et 8, 2-4 (empoisonnements, l'un par le vin, l'autre
par le pain) ; 8, 11 et 11, 1 (Benoît renverse l'édifice du diable, et
vice versa) ; 15, 3 et 17, 1 (prophéties de destructions).

48. II, 26 et 27, 1-2.

49. II, 27, 3 et 29 (le miracle de l'ampoule d'huile qui ne se
brise pas [28] sépare les deux faits, mais sans rompre la continuité :
la disette d'huile en est l'occasion). — Le chapitre 27 renferme donc
deux miracles, ce qui est assez rare et pourrait indiquer un ajout.

50. II, 29 répond à 21 (famine) ; 30 à 4 (diable chassé par un
coup) ; 31 à 14-15 (Goth humilié) ; 32 à 11 (enfant ressuscité).
Grégoire aurait-il puisé dans son répertoire antérieur pour compléter
cette série ?

trastent avec les petits groupes du Livre Premier. Voici
d'abord une galerie de treize évêques, suivis de cinq
moines [51]. On retrouve là un des principes d'alternance du
Livre Premier, mais à présent c'est le clergé qui ouvre la
procession au lieu des moines. Ces deux séries, épiscopale et
monastique, sont d'ailleurs habituellement fractionnées en
petits groupes de deux notices qui rappellent ceux des
Livres précédents [52].

Arrivé au milieu du Livre, Grégoire applique de façon
plus stricte et exclusive ce dernier mode de groupement.
Désormais, les chapitres s'enchaînent presque tous par
paires, celles-ci se constituant autour de thèmes fort divers :
eau et feu, menées du diable, affaires d'outre-tombe, apparitions de saint Pierre [53], catholiques martyrisés par les
Lombards, églises arrachées aux hérétiques, violences des
Ariens hors d'Italie [54]. Dans les derniers chapitres, l'auteur
ne se laisse plus guider que par un fil assez ténu [55]. Ceux-ci
mis à part, on peut dire que le Livre III s'ordonne d'abord
par catégories professionnelles, comme le Livre I, puis par
thèmes. Ce second mode de classement fait penser à l'enchaî-
nement des miracles de Benoît par groupes de faits analogues, en même temps qu'il annonce le Livre IV, où tous
les récits seront groupés par analogie, autour de thèses
doctrinales.

Par sa structure moins simple et cohérente que celle du
Livre I, le Livre III apparaît comme une sorte de recueil
complémentaire. On dirait que Grégoire a sélectionné pour
le premier un petit nombre de notices aptes à former un
ensemble harmonieux, quitte à rassembler dans l'autre

---

51. III, 1-13 (évêques) et 14-18 (moines).
52. Deux papes en Grèce (III, 2-3 ; cf. 4 : un évêque de Milan
dans le même pays) ; deux évêques face à Totila (5-6) ; deux récits
de fleuves débordés, tous deux dus à Venance (9-10) ; deux miracles
de pluie (11-12) ; deux victimes de Totila (12-13) ; deux notices sur
des moines « de la même région » (14-15 : Spolète et Nursie) ; deux
saints « récents » (16-17).
53. III, 18-19 ; 20-21 ; 22-23 ; 24-25. Le chapitre 26 (Menas)
reste hors série.
54. III, 27-28 ; 29-30 ; 31-32.
55. III, 33-37 : personnages proches dans le temps.

tout ce qui restait. La même impression se dégage du relevé des dates et des lieux. Dans le temps comme dans l'espace, le Livre III déborde le cadre restreint du Livre I. L'aire géographique de celui-ci tenait entre Ancône et Fondi, Amiternum et Ferentis. C'est dire qu'elle était circonscrite à moins de 300 kilomètres de Rome. Tout en restant habituellement dans ce cercle, le Livre III s'en échappe pour atteindre Canusium et Crotone au sud, Vérone et Plaisance au nord, pour ne rien dire de l'Afrique et de l'Espagne, de la Grèce et de Constantinople.

De même, la chronologie du Livre I sortait à peine du VIe siècle [56], tandis que celle du Livre III inclut un Père d'âge aussi reculé que Paulin de Nole [57]. Les figures du Livre III sont aussi plus variées. Si moines et clercs restent la grande majorité, on se souvient que quelques laïcs font leur apparition, ainsi que plusieurs églises [58]. Ces faits suggèrent que Grégoire a fait flèche de tout bois pour remplir cette nouvelle et très longue collection de miracles. Encore n'a-t-il atteint le total désiré de 38 chapitres qu'en constituant l'un de ceux-ci avec une simple dissertation — premier exemple d'un procédé qui sera souvent mis en œuvre au Livre IV [59].

Vers le temps présent et vers Rome   Tout en élargissant le cadre temporel et spatial, le Livre III tend aussi à se rapprocher du lieu et du temps où se déroule l'entretien. Après l'histoire de Paulin, qui date du début du Ve siècle, les voyages en Grèce des deux papes et de l'évêque de Milan se placent respecti-

---

56. La fondation d'Honorat à Fondi peut se placer à la fin du Ve siècle.

57. Voir la note sous III, 1, 1.

58. III, 27-28 (victimes des Lombards) et 31 (Herménégilde) ; 19 (S. Zénon de Vérone) et 29-30 (S. Paul de Spolète et Ste Agathe de Rome), encore que le « mérite du martyr » (saint Zénon) soit davantage mis en relief, dans le premier cas, que la sainteté de l'édifice sacré. Les deux mansionnaires de III, 24-25 sont aussi des laïcs, mais proches de la cléricature par leur emploi (cf. I, 5). Noter enfin une femme en III, 21 (moniale de Spolète).

59. III, 34 (les diverses componctions), formant couple avec 33.

vement au temps de Théodoric, de Théodat et de Vitigès [60].
Arrivé au règne de Totila, Grégoire y demeure volontiers
jusqu'au milieu du Livre [61]. Ensuite les épisodes se situent
souvent au temps de l'invasion lombarde [62] ou même dans
un passé tout à fait récent [63]. Malgré quelques anticipations
et retours en arrière [64], ce recueil complémentaire suit donc
grosso modo l'ordre chronologique, avec un souci marqué
d'arriver le plus près possible de « nos jours [65] ».

De façon analogue, la Ville même où Grégoire dialogue
avec Pierre tend à prendre une place de choix parmi les
sites des récits. Jusque-là, aucun des miracles racontés ne
s'était produit à Rome. Au Livre I, tous les personnages
vivent en province, la capitale n'étant que le lieu d'où tel
se retire pour embrasser la vie monastique et où tel autre
se voit menacé d'être conduit de force pour s'expliquer
devant le pape [66]. Au Livre II, Rome est abandonnée préci-
pitamment par le jeune Benoît, qui en reçoit ensuite deux
de ses disciples et prophétise de loin sur sa ruine [67]. Ainsi
non seulement la Ville n'a encore été le théâtre d'aucun
miracle [68], mais des thaumaturges s'en éloignent, comme

60. III, 2 (Jean) ; 3 (Agapit) ; 4 (Datius). Cette dernière histoire,
qui date des environs de 537-538, fait encore partie des *priora*,
tandis que la suivante (Sabin et Totila, entre 541 et 552, peut-être
en 542 ou 547) se passe *diebus nostris* (III, 4, 4). Grégoire songe-t-il,
en écrivant ces mots, à sa propre naissance, qu'on place communé-
ment aux alentours de 540 ?

61. III, 5-6 ; 11-13 ; 18. Cf. 14, 1 : *usque ad extrema paene Go-
thorum tempora.*

62. III, 19 ; 26-29 ; 38. La vision de Redemptus (38) a lieu sous
Jean III (561-574) et précède de peu l'invasion lombarde, qu'elle
annonce.

63. III, 30-31 ; 33 ; 35-36.

64. III, 8.11.15 (invasion lombarde) ; 32 (« temps de Justinien »,
en réalité beaucoup plus tôt).

65. Voir notes 5-6 et 61-63.

66. I, 4, 11 (Equitius cité à Rome) et 8, 1 (retraite d'Anastase).
Cf. I, 4, 3 (fuite de Basile). Du point de vue politique, la capitale
n'est pas Rome, mais Ravenne, vers laquelle on voit plus d'un personnage se diriger (I, 2, 5 ; 9, 14 ; 10, 12).

67. II, *Prol.* 1 ; 3, 14 ; 15, 3.

68. Sauf le songe du pape (I, 4, 16), qui corrige une erreur de
celui-ci et n'est connu que par une information apportée en Valérie.

d'un foyer de vices et de soucis mondains, pour gagner les saintes solitudes où l'on rencontre Dieu.

Cette fonction plutôt négative se transforme au Livre III [69]. Au pontife anonyme du Livre I, qui cédait à l'adulation et citait Equitius à comparaître, répondent, dès le début du Livre III, deux saints papes, dont les miracles portent en Grèce et à Constantinople le renom de l'Apôtre et du siège romain [70]. Mais c'est surtout dans la seconde partie du Livre que s'affirme la sainteté de Rome. Deux fois saint Pierre s'y montre dans sa basilique [71], tandis que des miracles se produisent en l'église de Sainte-Agathe, au monastère de Saint-André, à l'hôpital où Grégoire a fait venir un thaumaturge provincial [72]. Avec éclat, la geste merveilleuse fait son entrée dans la Ville.

Chronologie et topographie du Livre IV   Cette marche vers l'actualité et l'environnement le plus immédiat se précipite au Livre IV. Les références à la grande épidémie d'« il y a trois ans » et à d'autres faits contemporains y abondent [73]. Une fois même, le miracle a eu lieu pas plus tard que l'avant-veille [74]. Si, en ce vaste épilogue eschatologique, Grégoire multiplie les événements de fraîche date, ce n'est plus seulement, comme au Livre III, pour illustrer sa thèse générale : Dieu est avec nous [75], mais aussi pour faire sentir aux vivants la proximité de la mort et de l'au-delà.

---

69. Comme les précédents (I, 4, 8 ; II, *Prol.* 2), celui-ci cite des témoins de province venus habiter à Rome, peut-être pour échapper aux Lombards (III, 14, 1 ; 33, 1). Ils s'ajoutent aux visiteurs occasionnels, qui fournissent bon nombre de récits. Une fois (III, 7, 3), un voyageur se dirige vers Rome, tandis qu'on n'entend plus parler de Ravenne, déjà absente du Livre II.

70. III, 2-3.

71. III, 24-25.

72. III, 30 ; 33 ; 35.

73. IV, 19, 2 ; 27, 6 ; 37, 7 (cf. 49, 7 ; 57, 8). Voir aussi 40, 3, où la même peste est qualifiée de « récente », Grégoire reproduisant les termes de *Hom. Eu.* 38, 16 (cf. ci-dessus, ch. I, n. 3).

74. IV, 27, 2 : *ante biduum.*

75. Voir ci-dessus, n. 3-7 et 9.

La même tendance et le même dessein s'affirment dans le choix des lieux. Si le Livre IV ressemble, à cet égard, au Livre III — la plupart des faits se situent dans les provinces voisines de Rome, avec quelques excursions au nord, au sud et hors d'Italie [76] —, on y relève quatre fois plus de références à Rome elle-même [77], voire à tel ou tel de ses sanctuaires et monastères [78], et surtout au monastère de Saint-André *ad cliuum Scauri*, celui de Grégoire lui-même [79]. Cette vingtaine d'épisodes romains, dont six pour Saint-André, achève d'illustrer la capitale, devenue ville sainte et théâtre privilégié des interventions de Dieu.

Ainsi, d'un bout à l'autre des Dialogues, la geste merveilleuse se rapproche du lieu où elle est narrée. Ce retour à soi-même va d'ailleurs de pair avec un mouvement d'expansion, sensible quand on compare les deux premiers Livres avec les deux derniers [80]. Parti d'un cercle tracé autour de Rome, le récit tend à la fois à s'élargir en tous sens et à se resserrer sur son centre. Dieu, qui déploie sa puissance en tout lieu, manifeste ici-même, sous nos yeux, sa présence sacrée, son action vigilante, l'imminence de ses châtiments et de ses récompenses.

Le Livre IV : prédominance de la doctrine et remplois   Tout en parfaisant la courbe chronologique et géographique esquissée par les Livres précédents, le Livre IV se distingue nettement de ceux-ci par son caractère didactique, dont la marque s'imprime sur la composition elle-même. Désormais c'est la doctrine qui

76. IV, 54 (Brescia) et 55 (Gênes) ; 31 (île Liparis) et 59 (Ustica) ; 37 (Espagne et Constantinople) et 40 (Iconium).

77. IV, 17 et 19 ; 27, 9-13 ; 35 ; 36, 7-9 ; 37, 7-14 ; 38, 1 ; 51 ; 56.

78. IV, 14 et 38 (S. Pierre) ; 15 (S. Clément) ; 16 (Ste Marie Majeure) ; 27, 2-3 (S. Sixte et S. Janvier *uia Praenestina*) ; 32 (S. Laurent *in Damaso*) ; 56 (S. Janvier *iuxta portam Sancti Laurentii*). On trouve aussi le monastère de Galla (IV, 14) ; cf. le *monasterium Renati* (13), qui rappelle celui du Latran (II, *Prol.* 2).

79. IV, 27, 4-5 ; 40, 2-5 ; 49, 2-7 ; 57, 8-16 ; en tout six épisodes.

80. Voir ci-dessus, p. 62 (Livres I et III) et n. 76 (Livre IV). Quant au Livre II, son aire va de Nursie au nord à Canusium et Capoue au sud : un peu plus que le Livre I, moins que le Livre III.

structure l'ouvrage et en détermine la progression, les histoires
n'ayant pour rôle que d'illustrer des thèses. Sur 62 chapitres,
25 sont de pure doctrine, sans récits — chose qui ne s'était
présentée qu'une fois dans les trois premiers Livres [81].

Inversement, le Livre IV accumule parfois dans le même
chapitre deux, trois ou même quatre récits distincts, relatifs
à des personnages différents [82]. Ce fait souligne à sa façon la
moindre importance qui s'attache aux personnes : ce n'est
plus sur elles qu'est fondé le découpage du texte, mais sur
des assertions doctrinales que leur histoire ne fait qu'illustrer. Cette illustration demeure toutefois abondante : avec
ses quelque cinquante épisodes, le dernier Livre dépasse les
deux premiers et ne le cède qu'au troisième.

Une autre particularité du Livre IV est de reproduire,
expressément ou tacitement, *in extenso* ou en abrégé, des
pages écrites par Grégoire ailleurs. Son premier *exemplum*
est un résumé de la grande vision de Benoît rapportée à la
fin du Livre II [83]. Dans la suite, neuf de ses histoires sont
tirées des Homélies sur les Évangiles, d'abord avec mention
expresse de la source [84], puis sans référence [85]. Enfin deux
de ses passages doctrinaux, la réfutation des « Origénistes »
et la théorie des songes, viennent en droite ligne des Morales [86]. Paradoxalement, ce dernier Livre est donc celui
par lequel les Dialogues se rattachent de la façon la plus
nette à l'œuvre antérieure de Grégoire. De ce fait, il a une
sorte de priorité sur les trois précédents, et il se pourrait que
Grégoire l'ait écrit, au moins en partie, avant ceux-ci [87].

81. III, 34 (les deux sortes de componctions). Déjà II, 36 ne
contait aucun miracle, mais rapportait du moins un fait historique
(rédaction de la règle).
82. IV, 36 ; 57 ; 59 (deux récits) ; 37 et 40 (trois) ; 27 (quatre).
Cf. II, 1 ; 8 ; 15 ; 27, qui contiennent chacun plusieurs miracles de
Benoît.
83. IV, 8 (cf. II, 35).
84. IV, 15 ; 16 ; 17 ; 20 ; 28 ; 40, 2-5.
85. IV, 40, 6-9 ; 58 ; 59, 1. Ces deux dernières histoires sont
résumées.
86. IV, 46 et 50. Voir ch. I, n. 18.
87. Voir ch. I, n. 3-6. Cependant certains passages des Livres III
et IV, qui se réfèrent pareillement au séjour à Rome de l'évêque
Venance de Luna, semblent avoir été écrits au même moment

La survie :
visions d'âmes
montant au ciel

Trait distinctif du Livre, la combinaison de thèses doctrinales et d'*exempla* qui les corroborent se présente dès le début. Comme l'avait annoncé la conclusion du Livre III, la première thèse à démontrer est « que l'âme vit après la mort ». C'est à quoi Grégoire s'attache dans les six premiers chapitres, non sans s'occuper au passage de questions connexes, comme celles de la foi et de l'interprétation du Livre de l'Ecclésiaste.

Puis il passe aux histoires contemporaines qui font entrevoir cette existence de l'âme dans l'au-delà. Il s'agit de visions d'âmes sortant de leur corps à l'instant de la mort. Ces visions, accordées à de saintes gens, suggèrent que l'âme survit à son union avec la chair [88]. Elles sont au nombre de quatre [89] et commencent par deux épisodes « bénédictins », l'un déjà raconté au Livre II, l'autre inédit. Le dernier récit — la montée au ciel de l'abbé Spes de Nursie sous la forme d'une colombe — rappelle aussi l'assomption de la sœur de Benoît, de sorte que toute cette première série d'*exempla* rattache visiblement le Livre IV au Livre II.

Signes surnaturels
à l'heure de la mort

De celle-ci, la série suivante ne se distingue ni formellement — aucune transition ne l'en sépare —, ni par son impact. Il s'agit toujours de morts accompagnées de manifestations surnaturelles qui suggèrent la survie de l'âme. Cependant, au lieu que les assistants voient l'âme défunte s'élever au ciel, c'est le mourant lui-même qui est gratifié d'une vision ou d'une audition, l'assistance percevant ces phénomènes extraordinaires soit directement [90], soit seulement par ce que le moribond en dit ou en laisse paraître [91], à quoi se joignent parfois des confirmations d'en

---

(*ibid.*, n. 7-8). Au reste, les renvois de IV, 36, 1 au « Livre précédent » (III, 14, 1 et 33, 1-9) et de IV, 8 au « Livre second » (II, 35) sont corrects, tout comme celui de III, 16, 9 à une partie « antérieure » (Livre II).

88. IV, 7.
89. IV, 8-11.
90. IV, 13, 3-4 et 20, 4 (visions) ; 16, 5-7 (lumière, parfum et son).
91. 12, 4 ; 14, 5 ; 15, 4 ; 17, 2 ; 18, 1-3 ; 19, 3.

haut [92]. D'un seul mourant, le dernier, Grégoire ne dit pas
en propres termes qu'il ait senti la présence angélique,
laquelle est perçue plus ou moins nettement par tous ceux
qui l'entourent [93]. Dans tous les cas, il s'avère qu'un ou
plusieurs personnages surnaturels — saints, anges, démons,
voire le Christ lui-même — sont venus visiter l'âme du
malade, le plus souvent à l'instant même de la mort, parfois
quelque temps avant [94].

Neuf récits composent cette deuxième série [95]. Ils se
répartissent en trois groupes, dont le premier et le dernier
se ressemblent, tandis que le second diffère : Grégoire
commence par trois visions (12-14), continue par deux
auditions [96] (15-16), puis revient aux visions dans les quatre
derniers récits (17-20). Ce triptyque, dont les deux volets
latéraux se correspondent et encadrent une scène centrale
de nature différente, rappelle manifestement celui que
forment les trois premiers Livres des Dialogues. Au passage
d'un élément à l'autre, des articulations soulignent qu'auditions et visions sont accordées pour « consoler » l'âme et
chasser les affres de l'agonie [97]. Dans un cas, cependant —
l'avant-dernier du troisième groupe —, la vision a l'effet
opposé : ce que voit le petit moribond blasphémateur, c'est
une bande de démons venus pour le mettre en enfer. Mais
cette histoire, qui annonce des exposés et des exemples
ultérieurs, reste isolée dans la présente série, où la sainteté
et le bonheur éternel sont presque seuls en cause.

La petite série suivante, qui compte seulement trois histoires brèves [98], apporte une simple variante au thème déve-

92. IV, 15, 5 et 17, 2 (parfums).
93. IV, 20, 4. D'après le cas semblable de Redempta, dont Grégoire ne dit pas expressément qu'elle ait entendu la musique
céleste (16, 7), pourtant destinée à la consoler (15, 1), il semble
qu'Étienne ait dû voir ces anges.
94. IV, 4-5 (trois jours) ; 16, 4-5 (quatre jours, avec une seconde
visite à l'heure même de la mort ; cf. 17, 1-2) ; 18, 1-3 (un mois).
95. IV, 12-20.
96. Accordées l'une à un homme, l'autre à une femme, tous deux
pauvres. La seconde est précédée de phénomènes visuels et olfactifs.
97. IV, 15, 1 ; 17, 1.
98. IV, 21-24.

loppé jusqu'ici : au lieu de précéder ou d'accompagner la mort, la manifestation surnaturelle la suit. Ce genre de miracles va de pair avec des morts violentes, Dieu laissant les méchants tuer ses amis, pour ne révéler qu'ensuite la gloire de ceux-ci. Dans les trois cas, il s'agit de Lombards mettant à mort des consacrés, moines ou diacres. On songe aussitôt à la fin du Livre III, où figuraient déjà deux groupes de laïcs et un prêtre suppliciés par les Lombards [99].

Les remarques doctrinales qui suivent ces trois épisodes comprennent non seulement des commentaires bibliques directement *ad rem*, mais encore un développement sur le sort des âmes justes avant la résurrection, où se trouve amorcée la théorie du purgatoire [100]. Ce jalon fait penser à l'histoire sinistre que nous avons rencontrée dans la série d'exemples précédente. De part et d'autre, la considération de l'éternité bienheureuse s'accompagne d'un premier regard vers les souffrances de l'au-delà, dont Grégoire traitera plus loin.

Prédictions des mourants La thèse suivante a pour objet les prédictions que font parfois les mourants [101]. De façon fort scolastique, Grégoire les range en trois catégories, dont chacune est illustrée par un ou deux exemples. Cinq histoires sont racontées ainsi, dont la dernière toutefois ne se rattache pas de manière obvie à l'une des trois sortes de prédictions [102]. Dans leur ensemble, d'ailleurs, la thèse et ses exemples ne contribuent que de façon large et imprécise à la démonstration de la survie de l'âme. Tout ce qu'ils indiquent est que celle-ci peut recevoir à l'heure de la mort des lumières exceptionnelles, qui font pressentir son activité future [103]. Plus qu'un argument

---

99. III, 27-28 ; 37, 10-17.

100. IV, 24, 2-25, 1 et 25, 2-26, 4. Le purgatoire est annoncé en 26, 1. Cf. note 121.

101. IV, 27-28.

102. Le cas de Théophane (28) n'est pas commenté. Sa prédiction peut relever du deuxième type (27, 4-8).

103. Ces lumières sont l'équivalent des phénomènes surnaturels décrits plus haut, dont on trouve ici-même une trace dans le dernier exemple (28, 3-4).

démonstratif, les prédictions des mourants sont un objet de
curiosité et de réflexion théologiques qui semble intéresser
Pierre et Grégoire pour lui-même [104].

La première thèse   La suite du Livre est difficile à
sur l'enfer   analyser, car Grégoire continue à
                              poser des questions apparemment
et ses corollaires   discontinues, qu'il résout l'une après
l'autre sans que se dessine une ligne générale. Ces questions
s'enchaînent parfois, mais à distance. Ainsi la première
qui se présente au point où nous sommes est celle du sort
des âmes réprouvées avant le jugement [105]. En la posant,
Pierre se réfère à ce que Grégoire a dit plus haut du sort des
âmes justes avant la résurrection [106] : de même que celles-ci
vont au ciel, les autres ne vont-elles pas en enfer ? Ainsi
rattachée à un développement antérieur, dont la sépare
on ne sait pourquoi la thèse sur les prédictions des mourants,
cette question de l'enfer sera reprise à son tour, dix chapitres plus loin, sous des formes plus précises : où est l'enfer ?
Son feu brûle-t-il tous les damnés de la même façon ? Ses
peines sont-elles destinées à durer éternellement [107] ?

Entre ces deux dissertations sur l'enfer, dont la première
est illustrée par trois récits terrifiants [108], se place sans raison
apparente une série de questions ou thèses assez disparates :
justes et méchants se reconnaissent-ils dans l'au-delà [109] ?
Comment se fait-il que certains défunts reviennent à la vie,
après s'être entendu dire qu'on les avait fait mourir par
erreur [110] ? Le diable se montre parfois aux mourants, soit
pour le bien de ceux-ci quand ils reviennent à la santé et se
convertissent, soit pour l'instruction d'autrui quand la mort

---

104. Comme paraît l'indiquer la question du premier (26, 5) et
la savante division du second (27, 1).
105. IV, 28, 6 - 33, 4.
106. IV, 25, 2 - 26, 4.
107. IV, 43, 6 - 47.
108. IV, 31-33 (Théodoric, Tiburce et le curiale).
109. IV, 33, 5 - 36, 7.
110. IV, 37, 1 - 39. En réalité, l'erreur n'est pas mentionnée
expressément dans le premier cas, celui du moine Pierre (37, 3-4).

ne leur est pas épargnée [111] ; y a-t-il après la mort un feu purificateur (purgatoire) [112] ?

A y regarder de plus près, cependant, la première de ces questions est bien à sa place en cet endroit, après que Grégoire a établi que bons et méchants vont au ciel ou en enfer dès leur mort. Elle suppose en effet cette doctrine et la complète : quand on a situé justes et damnés en leurs lieux respectifs, il devient possible et nécessaire de s'interroger sur la connaissance qu'ils ont les uns des autres.

Au reste, l'illustration de la thèse — trois récits de mourants qui reconnaissent l'un des saints du paradis, les autres un futur compagnon de béatitude ou d'enfer [113] — n'est pas sans rappeler les visions et prédictions *in articulo mortis* racontées auparavant [114]. De plus, le dernier de ces récits donne lieu à un double développement doctrinal. On y apprend d'abord que l'enfer pourrait bien ressembler aux cratères des volcans de Sicile, à moins qu'il ne s'identifie tout simplement avec ceux-ci, et ensuite que des différences de degrés séparent les âmes au sein de leur sort commun, heureux ou malheureux [115]. La description de l'enfer, aussi bien que du ciel, progresse donc par le moyen de ces notations nouvelles.

La question suivante, celle des sentences de mort révoquées et des excursions dans l'au-delà (IV, 37-39) enrichit également les connaissances du lecteur au sujet des fins dernières. Le moine d'Iviça et le séculier Étienne reviennent de leur voyage outre-tombe avec des informations sur le jugement et ses suites redoutables. Mais le plus remarquable de ces reportages est celui d'un soldat anonyme, victime temporaire de la grande peste romaine d'il y a trois ans, qui a vu le fleuve infernal, les prairies et les demeures des bienheureux, le pont étroit par où l'on pénètre en paradis si l'on ne glisse pas dans les eaux infectes, le sort misérable d'un ancien chef du personnel enclin à la cruauté, l'entrée

111. IV, 40, 1-12.
112. IV, 40, 13 - 43, 5.
113. IV, 35 - 36, 9.
114. IV, 12-20 et 27-28.
115. IV, 36, 10-14.

d'un bon prêtre dans la béatitude, le combat que se livraient anges et démons pour prendre avec eux le charitable mais voluptueux Étienne, et bien d'autres choses aussi merveilleuses qu'instructives. Complété par une vision, d'origine également anonyme, sur les mérites et le sort futur du cordonnier Deusdedit, ce témoignage du soldat donne un aperçu extrêmement suggestif des réalités eschatologiques et des voies par lesquelles on s'y achemine ici-bas.

On notera du reste que tous ces voyages dans l'au-delà ont été précédés par celui de Reparatus, le héros d'une des trois histoires qui illustraient plus haut la thèse sur l'enfer [116]. Par ce trait particulier comme par l'ensemble de son contenu, la présente question se rattache donc aussi visiblement que la précédente à cette thèse fondamentale. Après avoir établi que les méchants vont en enfer, Grégoire y envoie quelques vivants en explorateurs.

La section sur les visions du diable *in articulo mortis*, qui vient ensuite (IV, 40, 1-12), n'est pas non plus sans rapport avec la doctrine de l'enfer. Ce que voit le mourant, c'est un monstre infernal qui commence à le dévorer ou des esprits mauvais qui l'entraînent dans leur sinistre empire. Les trois histoires que Grégoire raconte à ce sujet — il aime à illustrer chacune de ses thèses par trois récits — font d'ailleurs penser aux visions de mourants maintes fois rapportées précédemment, en dernier lieu à propos de la connaissance des âmes dans l'au-delà [117]. Plus loin en arrière, elles rappellent singulièrement la fin du petit blasphémateur, que Grégoire avait posée comme une pierre d'attente parmi les saintes morts du début du Livre [118]. Enfin le classement de ces visions en deux catégories, selon qu'elles profitent ou non au voyant lui-même, est analogue à la distinction mise en œuvre dans la section précédente, où seul le premier voyage dans l'au-delà portait un fruit de conversion, non le second [119].

116. IV, 32.
117. IV, 33, 5 - 36, 7.
118. IV, 19.
119. IV, 37, 1-4 et 5-14.

Le purgatoire   Quand on arrive aux chapitres sur le purgatoire (IV, 40, 13-43, 5), il semble difficile de les rattacher soit à ce qui les précède, soit à ce qui les suit immédiatement. Posée *ex abrupto*, la question de Pierre n'a pas de rapport apparent avec les visions diaboliques à l'heure de la mort qui viennent d'être racontées [120], et c'est de façon tout aussi abrupte qu'il passera du purgatoire aux questions concernant l'enfer. Si l'on veut trouver à la présente section une amorce dans les pages précédentes, il faut remonter à une remarque faite en passant sur les délais qui retardent l'entrée des âmes au ciel après la mort [121]. Mais la soudaineté et la netteté avec lesquelles Pierre formule sa question suggèrent plutôt que ce précédent est oublié et qu'on aborde ici un thème nouveau, provenant simplement de la doctrine théologique reçue, de l'enseignement d'Augustin en particulier.

Seule illustration de cette thèse, l'histoire du diacre Paschase veut faire entendre que l'accomplissement préalable de bonnes œuvres durant cette vie est requis pour que l'âme, après la mort, puisse être délivrée de ses peines par les suffrages des vivants. Cette histoire de baigneur qui rencontre un revenant et le fait sortir du purgatoire ressemble étrangement à un fait que Grégoire racontera à la fin du Livre [122]. Au vrai, la présente section tout entière annonce la conclusion de l'ouvrage, qui roulera sur la façon de libérer les défunts des peines *post mortem* et de s'en préserver soi-même.

La seconde thèse sur l'enfer   Après ce bloc quelque peu erratique, on retrouve le thème de l'enfer (IV, 43, 6-47). N'ayant pas l'intention d'y revenir, Grégoire le traite de façon directe et systématique, en mettant à profit plusieurs idées qui ont émergé au cours

120. Quant à la réponse de Grégoire, l'accent qu'elle met sur l'absence de faute grave et la fixation du sort éternel à la mort pourrait faire écho aux scènes dramatiques qui ont précédé.

121. IV, 26. 1. Voir ci-dessus, n. 100.

122. IV, 57, 1. Même les deux sites se correspondent, étant l'un et l'autre à peu de distance, soit de la mer Tyrrhénienne, soit de l'Adriatique. On passe de l'est à l'ouest de la péninsule.

des discussions précédentes. Que l'enfer se trouve sous cette
terre, l'histoire d'Eumorphe et d'Étienne partant pour la
« Sicile » l'avait déjà fait entrevoir [123], et le même récit
suggérait aussi la seconde thèse que Grégoire établit ici, à
savoir l'inégale intensité des flammes éternelles suivant la
gravité des fautes qu'elles punissent [124]. Quant à son troisième point — la perpétuité des peines de l'enfer —, il en
tire la démonstration d'une page des Morales [125], mais le
paradoxe qui s'ensuit — l'âme du damné meurt perpétuel-
lement sans jamais mourir — a déjà été esquissé dans les
Dialogues eux-mêmes, au début du Quatrième Livre [126].
Ce deuxième traité de l'enfer fait donc figure de conclusion
qui rassemble et organise ce que Grégoire a dit çà et là,
et seulement en passant, dans des pages antérieures.

Morts angoissées   La section suivante (IV, 48-51),
et morts consolées   tout en se rattachant de l'extérieur
                             à cette doctrine de la damnation [127],
marque en réalité un retour aux questions de la mort et du
purgatoire. La menace du jugement et de la damnation a
de quoi faire trembler tout mourant, mais cette crainte est
parfois le moyen dont Dieu se sert pour purifier l'âme dans
l'acte même de la mort et lui épargner des peines ultérieures [128], tandis qu'il prend soin, dans d'autres cas, de ras-
surer ses fidèles par des prémonitions apaisantes [129]. Les
trois histoires qui illustrent cette dernière éventualité font
penser aux saintes morts du début du Livre, plus particulièrement à celles qu'une intervention céleste n'accompa-
gnait pas, mais précédait [130].

123. Comparer IV, 36, 12 et 44, 1-3.
124. IV, 36, 13-14 et 45, 1-2. Noter l'ordre identique des deux
séquences.
125. *Dial.* IV, 46 = *Mor.* 34, 35-38.
126. Comparer IV, 3, 2 et 47, 1-2.
127. Cf. IV, 47, 3.
128. IV, 48 (histoire unique et singulièrement vague).
129. IV, 49.
130. IV, 14 ; cf. IV, 16 et 17. Au reste, on retrouve ici (49, 5) le
parfum (cf. 15, 5 ; 16, 5-6 ; 17, 2 ; 28, 4). Dans la dernière histoire
(49, 7), l'appel du mort fait penser à I, 8, 2.

La digression sur les songes
Cependant ces trois récits de morts consolées comportent des « visions nocturnes », et ce trait attire l'attention de Pierre, qui s'enquiert de la confiance qu'on peut placer dans les songes. L'ample réponse de Grégoire [131] forme une digression manifeste. Rien, dans cette dissertation sur les six espèces de songes, ne concerne directement l'eschatologie. Plus encore que l'exposé sur les prévisions des mourants rencontré plus haut [132], elle n'est qu'un morceau didactique en marge du sujet, où Grégoire déploie sa curiosité théologique, sa connaissance de la Bible, son aptitude à analyser et à classer. Il est vrai que la conclusion, qui recommande le discernement et la prudence, donne lieu à une très brève anecdote où l'on retrouve la mort [133].

Défunts ensevelis dans les églises
Non sans avouer que sa question sur les songes a fait dévier l'entretien [134], Pierre adresse alors une demande qui ouvre la finale du Livre. Tout ce qui suit, jusqu'aux dernières lignes, va rouler sur le thème proposé ici : que peut-on faire pour subvenir aux âmes en détresse ? Une première solution, qui consiste à ensevelir les morts dans les églises, sera d'abord écartée comme peu efficace en elle-même [135], voire dangereuse pour les défunts indignes, comme le montrent quatre histoires effrayantes [136]. En revanche, Grégoire recommandera un moyen sûr : la célébration de messes à l'intention des défunts.

Délivrance par l'eucharistie
Mais ce dernier mode de suffrage ne vaut pas seulement pour la délivrance des âmes en purgatoire. Illustrée par deux histoires mémorables, dont l'une se situe aux bains

131. IV, 50.
132. IV, 27-28.
133. IV, 51. Aussi vague que celle de IV, 48, cette histoire est pareillement connue de Pierre.
134. IV, 52 : *sed... ea quae coepimus exequamur*.
135. IV, 52 : son seul effet est d'inciter les proches du défunt à prier pour lui.
136. IV, 53-56.

de Tauriana et l'autre au monastère même de Grégoire [137], l'efficacité de la messe dans l'au-delà se double de bienfaits perceptibles dès ici-bas, comme il appert d'autres récits concernant l'évêque Cassius, un prisonnier anonyme et le matelot Varaca [138]. Tout en suggérant des applications relatives aux suffrages pour les défunts [139], ces trois dernières histoires — la première surtout — ramènent l'attention sur les vivants et sur le moyen par lequel ils peuvent ici-bas, à l'avance, s'épargner à eux-mêmes les souffrances du purgatoire. Ce moyen à leur portée, c'est la célébration eucharistique, que Grégoire exalte en une belle page [140], non sans les dispositions qui sont requises pour recueillir tous les fruits d'une telle grâce : d'abord la contrition du cœur, reflet intime du sacrifice liturgique, qui doit accompagner la célébration elle-même et être entretenue avec vigilance le reste du temps [141] ; ensuite le pardon des offenses du prochain, afin d'obtenir que Dieu nous pardonne les nôtres [142].

Ainsi se terminent les Dialogues. Une telle conclusion montre bien que l'exploration de l'au-delà qui a rempli le Livre IV était autre chose qu'un jeu de l'imagination et une satisfaction pour la curiosité. Toute cette eschatologie n'avait qu'un but : édifier les vivants, les instruire des devoirs qu'ils ont à remplir ici-bas.

De façon non moins patente, Grégoire marque ici l'intention christologique qui l'a dirigé constamment. Considérés à travers tout l'ouvrage comme des manifestations de la grâce et de la puissance du Christ [143], les saints et leurs miracles disparaissent dans ces derniers chapitres pour laisser le lecteur en tête-à-tête avec le Christ lui-

---

137. IV, 57, 3-7 et 8-16.
138. IV, 58-59. Noter cette dernière triade.
139. IV, 59, 6. La dernière phrase rappelle 41, 6 et 42, 5.
140. IV, 60, 2-3.
141. IV, 61. Cet appel final à la componction n'est pas sans rapport avec l'ouverture de l'ouvrage (I, *Prol.* 1-6). Voir t. III, note complémentaire IV, 61, 2.
142. IV, 62.
143. I, 1, 5 et 4, 9 ; II, 8, 8-9 et 23, 6 ; III, 20, 3 et 32, 2, etc.

même [144]. C'est lui qui, par son mystère sacrificiel, opère
les derniers miracles du Livre.

IV. Le dialogue

Les quatre Livres que nous venons de parcourir portent
un revêtement uniforme : du début à la fin, Grégoire y dialogue avec son diacre Pierre. Après que la première page a
présenté les deux hommes, leur entretien remplit tout l'ouvrage, sans laisser la moindre place à d'autres propos. Point
d'interruption, d'incident, de jeu de scène. Personne ne
vient se mettre en tiers et déranger leur conversation.

Paisible, monotone, recueilli, le dialogue n'a pour ainsi
dire pas de cadre. La seule allusion qui soit faite au lieu est
la mention, tout au début, d'un *locus secretus*, où Grégoire
s'est réfugié pour gémir à son aise [145]. Elle vaut au moins
pour la première journée, c'est-à-dire pour le Premier Livre.
Toute indication locale fait défaut pour la suite.

Le cadre temporel n'est pas moins problématique. Véri-
fiant les prévisions du Prologue, Grégoire décide de s'arrêter
à la fin du Livre I, « parce que le temps ne nous permet pas
d'achever aujourd'hui ». Une autre pause est décrétée à la
fin du Livre II, mais cette fois il s'agit seulement de « refaire
ses forces en se taisant [146] », sans qu'on sache si le jour est
fini. Quant aux deux derniers Livres, ils s'enchaînent apparemment sans intervalle. A peine esquissée au début de
l'ouvrage, la chronologie s'efface, et le dialogue, dans le
temps comme dans l'espace, s'enveloppe d'une sorte de
brume.

Rien ne détourne donc l'attention des propos échangés
par Grégoire et par Pierre. Tout l'intérêt se concentre sur
les récits de miracles et leurs commentaires. A vrai dire, le

144. Le prêtre de Tauriana (57, 3-7) et l'évêque Cassius (58) sont
sans doute des saints, mais leur sainteté disparaît dans le rayonnement du mystère eucharistique.

145. I, *Prol*. 1. Il faut un peu d'imagination pour voir là, comme
on le fait parfois, un jardin (MORICCA, p. LV).

146. I, 12, 7 (cf. I, *Prol*. 8) ; II, 38, 5.

spectacle qui passe sur l'écran est assez prenant pour qu'on
ne regrette pas l'obscurité de la salle. Si l'enveloppe du
dialogue reste aussi incolore, c'est en raison et au bénéfice
d'un contenu singulièrement coloré.

Entorses à la fiction   Le dialogue en lui-même a d'ailleurs si peu d'importance que Gré-
goire l'oublie à plusieurs reprises. Dans le dernier para-
graphe du Prologue, qui fait déjà partie de l'entretien, il
parle de la peine qu'il va prendre pour « ôter toute occasion
de doute *à ses lecteurs* » et ne point faire grincer « la plume
de l'écrivain [147] ». On ne peut avouer plus candidement,
dès le début de l'ouvrage, que le dialogue est une fiction.
Celle-ci sera pareillement trahie au Livre III, quand Grégoire, à propos d'un point de discipline ecclésiastique qui
lui tient particulièrement à cœur, lancera un solennel avertissement « à ses lecteurs [148] ». De tels propos brisent l'entretien et en accusent le caractère imaginaire. Il en va de même
pour les quatre références à un « Livre » ou à un « volume »
qui échappent à Grégoire çà et là [149]. Tous ces manquements
à la fiction du dialogue indiquent soit qu'il la perd de vue,
soit qu'il en fait peu de cas. On en trouve de semblables
dans les Dialogues de Sulpice Sévère et ailleurs [150].

147. I, *Prol.* 10.
148. III, 7, 1. Cf. ci-dessus, ch. I, n. 67-68.
149. II, 27, 3 (*in libri huius exordio*) ; III, 38, 5 (*subsequenti hoc
quarto uolumine*) ; IV, 8 (*In secundo namque huius operis libro*) ;
IV, 36, 1 (*praecedenti libro*).
150. SULPICE SÉVÈRE, *Dial.* III, 5, 6 : au beau milieu d'un discours attribué à Gallus, on trouve la parenthèse suivante : *Ceterum
etsi dialogi speciem, quo ad releuandum fastidium lectio uariaretur,
assumpsimus, nos pie praestare profitemur historiae ueritatem. Haec
me extrinsecus inserere nonnullorum incredulitas non sine meo dolore
compulerit. Sed redeat ad nostrum sermo consessum...* Cf. B. R. Voss,
Der Dialog in der frühchristlichen Literatur, Munich 1970, p. 309,
n. 7, qui reconnaît l'inconséquence et voit là une insertion postérieure. En III, 1, dans la phrase *dulcis et grata cognitio est etiam nota
relegenti*, le dernier mot paraît être une inconséquence du même
genre. — Cf. AMBROISE, *De exc. Sat.* 2, 1 (*superiore libro*) et 42
(*ipso libro*), bien qu'il s'agisse d'un sermon. De même *Consultationes
Zacchaei* 2, 20 : *libelli prioris... praesentis... praecedentis* (dans la
bouche d'un des interlocuteurs, Apollonius).

Un dialogue didactique Quant à l'échange entre Grégoire et Pierre, il est exempt de tout imprévu. La narration est entièrement faite par Grégoire [151], ainsi que le commentaire. Les brèves interventions de Pierre consistent seulement à admirer les récits, à approuver les commentaires, à présenter des objections, à demander des explications. C'est donc un courant à sens unique qui passe entre les deux interlocuteurs. De l'un émane un flot continu d'informations et d'enseignements, que l'autre se contente de solliciter et de recueillir. La scène est d'une tranquillité quasi liturgique. Le pontife, assisté de son diacre, exerce imperturbablement sa fonction doctrinale. Jamais il n'apprend, jamais il n'est pris en défaut, jamais il n'hésite.

Dépourvu de toute tension, le dialogue n'est pas ennuyeux pour autant. Par ses 145 interventions [152], Pierre joue un rôle aussi agréable qu'utile. Ses questions suscitent des exposés doctrinaux, ses objections les font avancer, son avidité provoque de nouveaux récits. Même quand il ne fait que pousser des « Oh ! » et des « Ah ! », ces cris d'admiration ont quelque chose de divertissant qui détend le lecteur. Certes, l'entretien n'a rien de dramatique, mais il est bien plus animé que d'autres dialogues didactiques, comme celui de Boèce avec Fabius dans son Commentaire sur Porphyre [153].

Qualité de l'interlocuteur En prenant pour lui-même le beau rôle, Grégoire n'a laissé à Pierre qu'une fonction modeste. Toujours enseigné, parfois rabroué [154], le diacre fait penser au Monsieur Loyal

---

151. Il y a bien, en IV, 5, 1, une ébauche de narration faite par Pierre, mais cet *exemplum* tout à fait indéterminé n'est visiblement qu'un procédé pour rendre l'objection plus frappante.

152. Soit 31 au Livre I, 28 au Livre II, 39 au Livre III, 47 au Livre IV.

153. Boèce, *In Porph. Dial. a Vict. transl., PL* 64, 9-70. L'ouvrage se compose de deux Livres, dont chacun représente l'entretien d'une nuit. Dans le second, Fabius n'intervient que trois fois.

154. II, 13, 4 : *Oportet, Petre, ut interim sileas...* Assez souvent, Grégoire s'étonne de ses remarques : II, 22, 4 (*Quid est quod perscrutans rei gestae ordinem ambigis, Petre ?*), etc.

du cirque et aux confidents du théâtre classique. La bana-
lité et l'ingénuité de certains de ses propos ne doivent
pourtant pas le faire prendre pour un nigaud. Ses interventions sont souvent pertinentes et pleines de sens.
Connaissant bien la Bible, il rapproche judicieusement tel
miracle récent de son modèle scripturaire [155] et cite à
propos les textes qui paraissent s'opposer à tel enseignement de son maître [156]. Il est même capable de mettre en
opposition deux passages de l'Écriture et de poser ainsi un
intéressant problème [157].

Le rôle que Pierre joue dans les Dialogues ne dément
donc pas le compliment que Grégoire lui adressait naguère
dans une lettre : « petit de taille, tu es grand par la sa-
gesse [158]. » Petit, il l'est par l'humilité autant que par la
taille, et ce trait lui fait honneur. Mais sa culture religieuse
et son esprit avisé font de lui le partenaire dont Grégoire
avait besoin pour discourir des réalités spirituelles. L'interlocuteur des Dialogues est à la hauteur de l'œuvre.

V. La manière d'écrire

Le style des Dialogues, nous l'avons vu [159], est moins
« populaire » qu'on ne le dit, l'ouvrage ne se distinguant
guère, à cet égard, du reste de l'œuvre grégorienne.

Un vocabulaire direct   A l'intérieur de celle-ci, toutefois, il s'apparente particulière-
ment aux Lettres par un trait de son vocabulaire. Alors
que Grégoire, dans ses commentaires scripturaires et son
Liber Pastoralis, évite systématiquement d'appeler par leur
nom les diverses catégories du peuple chrétien et remplace

---

155. Voir II, 8, 8 et la note ; II, 12, 4, etc.
156. Ainsi II, 16, 4, citant Rm 11, 34.
157. Cf. II, 16, 6, opposant Rm 11, 33 et Ps 118, 13.
158. *Reg.* 2, 38 (137, 1-2) = *Ep.* 2, 32 (568 b) : *siquidem paruo
corpusculo maiorem sapientiam habes.* Cf. Grég. de Tours, *Hist.
Franc.* 5, 46.
159. Cf. ch. I, n. 28-39.

ces appellations courantes par des termes voilés (*doctor,
pastor, praedicator, praelatus, qui praeest, rector ; auditores,
discipuli, subditi, subiecti, plebs sancta, populus*), dans les
Dialogues comme dans les Lettres, au contraire, il emploie
les mots ordinaires : *antistes, episcopus, sacerdos, presbyter,
clericus ; abbas, monachus ; laicus* [160].

Le vocabulaire des Morales, des Homélies et du *Liber*
signifie le refus des étiquettes sociales, auxquelles Grégoire
préfère des expressions dégageant la fonction que représente chaque état de vie et ses implications morales. Quel
que soit l'intérêt de ce langage [161], il donne au discours
quelque chose d'obscur et d'emprunté, en regard duquel la
simplicité des Dialogues et des Lettres produit un effet
reposant.

Un style de notaire   Un autre trait rapproche les Dialogues de la correspondance : l'usage
et l'abus des adjectifs ou phrases de renvoi, toutes les
fois qu'une personne ou une chose déjà nommée reparaît
dans le texte. Pour peu que le récit se prolonge, ces « le
même », ces « susdit », ces « dont j'ai parlé plus haut » se

160. *Antistes* (6 fois) prévaut dans les Livres I et II, *episcopus*
(25 fois) dans la suite ; *pontifex* est réservé au pontife romain
(10 fois), sauf en III, 19, 2 (Zénon de Vérone), de même que *papa*
(4 fois) et *praesul* (2 fois). Dans le domaine monastique, *pater* et
frater sont environ trois fois plus fréquents que *abbas* et *monachus*,
tandis que *discipulus* désigne le moine dans son rapport à l'abbé.
Parmi les laïcs, les *religiosi* occupent un rang d'honneur. Ajoutons
que les saints sont ordinairement appelés *beatus*, tandis que *sanctus*
s'emploie devant le nom d'un second saint venant après un *beatus*
(II, 8, 12 ; III, 30, 2).

161. Il a été bien marqué par J. BATANY, « Tayon de Saragosse
et la nomenclature sociale de Grégoire le Grand », dans *ALMA* 37
(1970), p. 173-191. Cette terminologie vaporeuse rappelle le soin
avec lequel le Maître évite le vocabulaire proprement monastique
dans les introductions de sa Règle. Voir nos remarques dans *La
Règle de Saint Benoît*, t. VII, Paris 1977, p. 29-30 et 71-73. — L'exclusion des termes propres dans l'œuvre exégétique de Grégoire connaît
des exceptions. Cf. *Mor.* 4, 72 (*Eutychius Constantinopolitanae urbis
episcopus*) ; *Hom. Eu.* 17, 18 (*coniugatum... clericum... monachum*)
et les récits des Homélies sur les Évangiles, mais tous ces passages
ont eux aussi un caractère exceptionnel.

multiplient avec une singulière lourdeur [162]. Il arrive que trois mentions de ce genre se succèdent dans la même phrase [163], ou que deux *idem* viennent immédiatement l'un après l'autre [164].

Ce tic littéraire relève du style juridique, où il importe de ne pas laisser la moindre place à l'ambiguïté. Rattachant chaque nouvelle mention d'un objet aux précédentes, il surcharge le discours de liaisons. Par là, il s'apparente à un autre caractère du style des Dialogues : l'abondance des relatifs de liaison, eux aussi accumulés souvent en séries monotones [165]. La même tendance à préciser et à ligaturer se manifeste par la fréquence des adverbes *nimirum, scilicet, uidelicet*, dont le rôle est en général explétif ou peu s'en faut.

Pour en finir avec ces aspects ingrats, notons la pesanteur et la monotonie des titres décernés aux saints personnages, voire aux simples informateurs. Les *uir uenerabilis, uir uitae uenerabilis, uir uenerandus* ne se comptent pas. Si Grégoire, dans les Dialogues, appelle hommes et fonctions par leur nom, l'adoption de ce langage direct, qui revient à accepter les étiquettes sociales, ne va pas sans un lourd tribut payé à la courtoisie et aux convenances. La société strictement hiérarchisée du Bas-Empire se reflète dans l'Église, tant triomphante que militante. Chacun a droit à son titre, où la « vénération » est de rigueur.

Un alliage de gravité et de bonhomie — Cependant cette inclination à vénérer le prochain a sans doute des racines plus profondes qu'il ne paraît. Pour être quasi obligée, une telle titulature n'en exprime pas moins la foi au caractère sacré des fonctions

---

162. On trouve ainsi *idem, ipse, praedictus, quem praedixi, quem praefatus sum, cuius superius memoriam feci*, etc.

163. IV, 27, 7 : *qui eodem tempore a praedicto episcopo... in eisdem epistolis* ; IV, 27, 10 : *Cum uero eiusdem aduocati domus eadem clade uastaretur, isdem puer percussus est.*

164. IV, 53, 2 : *Nocte autem eadem eiusdem ecclesiae custos...* Cf. IV, 57, 3 : *isdem presbiter in eodem loco.*

165. II, 12, 2 : *Quos... Qui... Quibus...* ; IV, 20, 1-2 : *Qui... Ad cuius... Quod... Ad cuius...*

et à la dignité spirituelle des âmes saintes. Elle contribue à donner aux Dialogues cette note de gravité et de solennité religieuses qui s'allie à la simplicité, voire à la familiarité, de bien des récits. Le charme de l'œuvre tient peut-être avant tout à ce mélange inimitable de grandeur et de petitesse dans les sujets, de majesté et de bonhomie dans le ton, de hautes considérations spirituelles et de bon sens terre à terre, non dénué parfois d'humour.

Une harmonie pénétrante   Quant à l'écriture, les Dialogues ont sensiblement les mêmes qualités que les autres ouvrages de Grégoire, ceux du moins qu'il a « dictés », c'est-à-dire rédigés lui-même. Usant de la langue de son temps [166], dont un des traits saillants est la pléthore de périphrases verbales [167], son style se distingue par une musicalité qui lui est propre, empreinte d'élégance discrète, d'harmonie douce et un peu monotone. Sa clarté et sa simplicité constantes n'ont rien à voir avec le pédantisme et la

166. Outre l'ouvrage déjà cité de K. Brazzel (ch. I, n. 31), voir A. SEPULCRI, « Le alterazioni fonetiche e morfologiche nel latino di Gregorio Magno e del suo tempo », dans *Studi medievali* (Turin) I (1904), p. 171-234, qui attribue trop facilement, comme le fera Moricca à sa suite, les altérations des quatre mss des Dialogues dont il se sert à Grégoire lui-même ; V. STELLA, *I Dialoghi di S. Gregorio Magno nella storia del latino. Saggio filologico*, Cava dei Tirreni 1910, travail utile, mais dont on ne peut se servir qu'avec précaution en raison de ses erreurs non seulement de références, mais aussi d'interprétation (même remarque pour l'étude précédente) ; A. J. KINNIREY, *The Late Latin Vocabulary of the Dialogues of St. Gregory the Great*, Washington DC 1935 (p. 124 : « plutôt le langage familier des gens cultivés qu'une langue vulgaire »). L'étude de V. DIGLIO, *La bassa latinità e San Gregorio Magno*, Bénévent 1912, est sans intérêt. — On cite souvent JEAN DIACRE, *V. Greg.* 2, 13 : *Nullus pontifici famulantium... barbarum quodlibet in sermone uel habitu praeferebat, sed togata Quiritum more seu trabeata Latinitas suum Latium in ipso Latiali palatio singulariter obtinebat*, mais cet éloge exprime-t-il autre chose que la nostalgie d'un clerc romain du ixe siècle ?

167. Surtout avec *coepi, consueui, debeo, possum, ualeo, uideor*, mais aussi avec *conor, curo, dignor, habeo, incipio, mereo(r), permittor, praesumo, soleo, studeo, sum, uolo*. Voir notre Index grammatical.

prétention de certains littérateurs du siècle [168]. Si le besoin d'antithèses le porte parfois à des contrastes artificiels [169], ce procédé fondamental assure habituellement le bel équilibre de ses phrases harmonieuses, aux membres cadencés et aux finales rimées.

Ici comme partout ailleurs dans l'œuvre grégorienne, cette musique tire une vibration particulière de certains thèmes préférés, tels que la contemplation et l'au-delà. Les plus belles pages des Dialogues sont peut-être celles où Grégoire dit sa nostalgie du cloître [170], son désir du ciel [171], ses aspirations à « habiter avec soi-même », à vivre sous le regard de Dieu, à mépriser le monde dans sa lumière [172]. Le texte devient aussi un chant quand il s'agit des grandeurs et des abaissements du Christ [173], du sacrifice eucharistique où il se donne [174], du martyre subi pour l'amour de lui [175]. Ces réussites soulignent le rapport qui unit la musicalité du style de Grégoire à sa spiritualité.

168. Que l'on songe par exemple à Ennode et à Cassiodore.
169. Ainsi III, 4, 3 : *ueraciter fidelis... mendax spiritus* ; III, 32, 3 : *ore uacuo plena... uerba formabant*.
170. I, *Prol.* 3-6 ; cf. III, 16, 13-17.
171. III, 34, 1-5 ; IV, 1, 1-5.
172. II, 3, 5-9 et 35, 6-7.
173. II, 8, 9 et 23, 6.
174. IV, 60, 2-3.
175. III, 31, 2-8 et 37, 18-20. Cf. III, 1, 8. — A ces morceaux de choix, il faudrait évidemment ajouter quantité de récits. Grégoire est un maître dans l'art de conter.

CHAPITRE III

LE CONTENU DES DIALOGUES

I. Récits de miracles

L'objet primordial des Dialogues est de rapporter les miracles de saints personnages qui ont vécu en Italie récemment. Il est plus facile de dénombrer les faiseurs de miracles que leurs miracles eux-mêmes [1]. On peut dire toutefois que le nombre de ceux-ci s'élève à plus de deux cents [2].

A la suite de Dudden, Moricca s'est employé à classer ces faits merveilleux par catégories et à en dresser la liste [3]. Sans refaire ce travail, on peut noter que Grégoire lui-même a esquissé certains groupements, soit en assemblant par séries les miracles de la période cassinienne de Benoît [4], soit en rapprochant, aux Livres III et IV, des faits analogues relatifs à des personnages différents [5]. Nous retrouverons plus loin ces essais de classement, à propos des réflexions doctrinales qui les accompagnent parfois. A présent, il faut surtout s'arrêter à la signification que Grégoire attache aux récits de miracles.

---

1. Outre qu'il est parfois malaisé de discerner s'il y a miracle, il arrive qu'un même fait comporte plusieurs éléments miraculeux.

2. Soit environ 45 au Livre I, 45 au Livre II, 70 au Livre III, 50 au Livre IV.

3. MORICCA, p. LVII-LXIV. Il distingue avec Dudden les visions, les prophéties et les miracles.

4. II, 12-22 (prophétie) ; 23-33 (puissance) ; 34-37 (visions). Sur les petits groupes de deux ou trois miracles à l'intérieur de ces séries, voir ci-dessus, ch. II, n. 45-49.

5. III, 11-12 (pluie écartée) ; 18-19 (feu et eau inoffensifs) ; 22-23 (miracles de défunts), etc. Voir ci-dessus, ch. II, n. 52-54, 82 et 89-98, etc.

Du miracle à la vertu   Dans les Dialogues, le miracle est considéré avant tout comme un signal de Dieu qui révèle la vertu d'un saint. Telle est la perspective que définit le Prologue [6] et à laquelle les trois premiers Livres se tiennent habituellement. Peu nombreuses dans ceux-ci [7], les exceptions se multiplieront au Livre IV, où les signes de Dieu concernent assez fréquemment des pécheurs, sans être en rapport avec une personne sainte [8].

Dans tous les cas, le miracle a une portée morale. Du récit se dégage souvent une leçon claire, que les interlocuteurs ont soin d'énoncer [9]. Quand le fait n'a pas par lui-même un sens particulier, il reste significatif comme indice de sainteté. Selon une formule chère à Grégoire, chaque prodige « fait voir de quel mérite » est le saint en faveur duquel Dieu l'opère [10]. Il attire ainsi l'attention sur une vie sainte, modèle à imiter.

Cette relation du miracle à la vertu est ce qui motive l'entreprise des Dialogues. Si Grégoire s'engage dans la narration de faits merveilleux, c'est que ceux-ci « manifestent la vertu [11] ». A cet égard, le premier récit a une valeur exemplaire : on y voit comment l'abstinence d'un jeune ascète, objet de moquerie de la part des siens, fut honorée par Dieu d'un miracle qui mit fin aux railleries [12]. Moins évidente en d'autres cas, l'exaltation de la vertu reste le propos constant de Grégoire. Il est même si soucieux d'édification qu'il ne craint pas de mêler aux miracles proprement dits de simples traits de vertu éclatante. A deux reprises, au Livre Premier, la notice d'un thaumaturge se termine par une histoire qui

---

6. I, *Prol.* 6-9. Cf. I, 12, 6.
7. Ainsi le miracle vise parfois à convertir des pécheurs (III, 7), à corriger un manquement (III, 20), à punir une faute (III, 29, 3 et 32, 4). D'autres miracles concernent des édifices (III, 29-30).
8. Voir ci-dessus, ch. I, n. 49-50 et 53 ; ch. II, n. 27.
9. Ainsi III, 7, 10 ; 10, 4 ; 11, 3, etc.
10. Voir I, 4, 20 et 5, 2 ; II, 19, 3 et 20, 3, etc. La vertu figure à côté du mérite dans d'autres formules : III, 15, 13 et 19. On trouve aussi l'estime (d'en haut) en III, 25, 1, la sainteté en III, 37, 15. Autres expressions analogues : III, 5, 5 ; 6, 2 ; 16, 4, etc.
11. I, *Prol.* 9. Cf. I, 12, 6 : *signa... bonae uitae testimonium ferunt.*
12. I, 1, 1-2.

ne présente pas d'autre fait merveilleux qu'un acte héroïque.
Avec une insistance croissante, le commentaire affirme que
ces actes de patience et d'humilité l'emportent sur tous les
miracles, y compris celui de la résurrection d'un mort qui
vient d'être raconté dans le premier cas [13].

Signe de la vertu, le miracle lui est donc inférieur. L'extérieur ne vaut pas l'intime [14], le visible ne vaut pas l'invisible.
La vraie grandeur est au dedans. Dès lors, ce qu'il faut
chercher, ce n'est pas les signes, mais la vie [15]. Telle est la
conclusion du Livre Premier. Répondant manifestement au
Prologue, elle ramène les récits de miracles à leur point de
départ : la vertu. Une considération nouvelle fait ressortir
le prix de cette dernière : à elle seule, sans miracle, elle fait
la valeur d'un homme. Paul, sans pouvoir sur la mer où il
fait naufrage, n'est pas moins grand que Pierre qui marche
sur les flots [16].

Simple signe d'une réalité cachée, le miracle n'ajoute donc
rien à celle-ci [17]. Il peut même la mettre en péril. La tentation d'orgueil résulte facilement des prodiges qu'opère
l'homme de Dieu [18], et c'est pourquoi Grégoire relève si
volontiers les traits d'humilité de ses thaumaturges [19]. Un
jour viendra où, à l'annonce des miracles qu'Augustin accomplit en Angleterre, il lui recommandera instamment de
rester humble [20].

Pour revenir aux Dialogues, notons que le Livre Premier

13. I, 2, 8-11 et 5, 3-6.
14. I, 5, 6 ; III, 37, 9.
15. I, 12, 6 : *uita et non signa quaerenda sunt.* Cf. 12, 4, où *uita*
signifie la valeur de l'homme, qui s'apprécie d'après la *uirtus
operum,* opposée à l'*ostentatio signorum.*
16. I, 12, 4-5.
17. I, 12, 4. En outre, ce signe n'est pas exempt d'ambiguïté.
Dans *Mor.* 34, 7, Grégoire a noté que l'Antéchrist accomplira des
signes à la fin des temps, tandis que l'Église en sera incapable. Dans
Hom. Eu. 29, 4, il observe que les miracles extérieurs sont communs
aux saints et aux réprouvés (cf. *Reg.* 11, 36 = *Ep.* 11, 28, citant
Mt 7, 22).
18. I, 5, 3. Cf. III, 33, 4-6.
19. I, 2, 5-7 et 8-10 ; I, 5, 3-6 ; I, 9, 5-7 ; II, 1, 3 ; II, 8, 6 ;
III, 17, 5.
20. *Reg.* 11, 36 = *Ep.* 11, 28.

n'est pas le seul à relativiser ainsi le miracle en le subor-
donnant à la vertu. De façon plus discrète, la Vie de Benoît
porte trace du même dessein. Arrivé au terme des miracles du
saint, le narrateur consacre un chapitre particulier à une autre
de ses œuvres qui n'a rien de miraculeux : « il a écrit une règle
pour moines [21] ». Ce texte normatif, ajoute Grégoire, est un
reflet de sa vie, « car le saint homme n'a pu enseigner autrement qu'il ne vivait ». Aussi « celui qui veut connaître plus
à fond ses mœurs et sa vie peut-il trouver dans les enseignements de la dite règle tous les actes par lesquels Benoît fut
un maître ». Grégoire passe ainsi des miracles à la vie. Si le
contenu de celle-ci n'est pas spécifié — on renvoie pour cela
au document annexe qu'est la règle —, le biographe marque
son souci de conduire le lecteur à la réalité morale dont les
miracles racontés jusque-là n'étaient que le signe [22]. De
façon plus sommaire, la mention de la règle bénédictine à
la fin du Livre II joue le même rôle que les traits de patience
et d'humilité à la fin des notices sur les petits thaumaturges
du Livre I : de part et d'autre, il s'agit de déboucher, au delà
du miracle, sur la vertu.

A son tour, le Livre III laisse paraître cette volonté de
mettre en valeur les vrais biens spirituels, en les plaçant au-
dessus des faits merveilleux. Le long récit de la charité de
Paulin qui ouvre ce Livre comporte sans doute des traits
miraculeux [23], mais l'attention de Grégoire se porte bien
davantage sur le sacrifice héroïque du saint, qui fait penser
à celui du Christ [24]. Quand il conclut cette première histoire,
il en a si bien perdu de vue l'élément merveilleux qu'il
s'excuse d'avoir présenté une « vertu tout à fait intime »,
après laquelle il faut en venir à des « miracles extérieurs [25] ».

---

21. II, 36.
22. Ils sont mentionnés au début de ce petit chapitre et contrastés
avec le *uerbum doctrinae* qu'est la règle. Sur tout cela, voir notre
article « La mention de la *Regula monachorum* à la fin de la Vie de
Benoît. Sa fonction littéraire et spirituelle », dans *RBS* 5 (1976),
p. 289-298.
23. III, 1, 5-6 : prophétie de Paulin et vision du roi vandale.
24. III, 1, 8.
25. III, 1, 10.

A l'autre bout du Livre III, on trouve de nouveau une charité héroïque, celle du prêtre Sanctulus qui se livre à la mort pour sauver la vie d'un condamné [26]. Comparé, comme celui de Paulin, au sacrifice du Christ [27], ce dévouement sublime sert de conclusion à la notice sur Sanctulus, dont Grégoire a d'abord raconté deux miracles spectaculaires. Pas plus que dans l'histoire de Paulin, le merveilleux ne fait défaut dans ce dernier récit [28], mais tout l'intérêt se concentre, ici encore, sur l'admirable charité du saint. Cet épilogue joue donc dans la geste de Sanctulus le même rôle que les traits d'humilité héroïque à la fin des notices sur Libertinus et Constantius ou que la mention de la règle à la fin de la Vie de Benoît. Chaque fois, Grégoire conclut la narration des miracles par l'exaltation de la vertu. A tout lecteur s'adresse l'avertissement qu'il donne à Pierre en introduisant ici le trait de la fin : « N'admire pas plus longtemps ce que Sanctulus a fait au dehors avec la puissance du Seigneur ; écoute plutôt *ce qu'il a été au dedans* par la puissance du Seigneur [29]. »

Compris entre la « vertu intime » de Paulin et celle de Sanctulus, le Livre III présente en son milieu un rappel vigoureux du même thème. Après avoir raconté comment un mort fut ressuscité par le moine anonyme du Monte Argentario, Grégoire modère pareillement l'admiration de Pierre, qui ne voit rien de plus grand que ces miracles de résurrection. A la réflexion, ressusciter un mort est un moindre prodige que convertir un pécheur [30]. Illustrée par

26. III, 37, 10-20.
27. III, 37, 19.
28. III, 37, 15-16 : le bourreau perd l'usage de son bras, puis le recouvre par la prière du saint.
29. III, 37, 9. A ce *ne diutius mireris* répond le *nihil in hac re... mireris* qui conclut la narration (37, 18) et écarte de nouveau le merveilleux. — Après ce dernier récit sur Sanctulus, la vision de Redemptus (III, 38) est une sorte d'épilogue eschatologique annonçant le Livre suivant. La charité du prêtre de Nursie reste donc, d'une certaine façon, la conclusion du Livre III, répondant à la charité initiale de Paulin.
30. III, 17, 6-14. Déjà en I, 2, 8 et 12, 4, la réflexion sur l'infériorité des miracles extérieurs venait à la suite d'une résurrection.

la comparaison de Lazare et de Paul, cette thèse met en lumière la supériorité de l'âme sur la chair, de l'éternité sur le temps, de l'intérieur sur l'extérieur. La résurrection corporelle n'atteint son but que si elle s'achève en conversion morale [31]. Aux yeux de Grégoire, le miracle physique est subordonné à la transformation de l'âme et à l'épanouissement des vertus.

Fréquence ou rareté des miracles ? En affirmant ainsi dans les Dialogues la supériorité du miracle spirituel sur le miracle physique, Grégoire n'innove pas. Dans une Homélie sur l'Évangile, il a déjà montré que les « merveilles de charité et de piété » que l'Église opère dans les âmes aujourd'hui encore l'emportent incomparablement sur les prodiges extérieurs que Dieu lui avait donné d'accomplir à ses débuts. Ceux-ci ne faisaient que manifester la sainteté, les autres la produisent [32].

Cependant ce morceau des Homélies associe les deux sortes de miracles à des époques différentes de l'histoire ecclésiastique, ce que ne font pas les Dialogues. A plusieurs reprises, les Homélies et les Morales considèrent pareillement les miracles extérieurs comme l'apanage plus particulier des premiers temps de l'Église [33]. Non que les faits de ce genre aient cessé de nos jours. La toute-puissance divine reste intacte, et elle sait se déployer à l'occasion [34]. Mais les miracles contemporains sont bien moins nombreux et écla-

31. III, 37, 13. Cf. III, 13, 4, où le miracle posthume d'Herculanus provoque cette réflexion de Pierre : *signa mortuorum... fiunt pro excitatione uiuentium.*

32. *Hom. Eu.* 29, 4.

33. *Mor.* 27, 36-37 ; *Hom. Eu.* 4, 3. Le premier texte considère l'âge apostolique comme un temps de persécution, le second comme une époque de prospérité temporelle, en contraste avec notre temps, où l'Église est en paix et le monde accablé de malheurs qui annoncent sa fin prochaine (cf. *Dial.* III, 38, 4). Nécessaires pour soutenir les chrétiens persécutés, les miracles l'étaient aussi pour arracher les hommes à la séduction des biens visibles.

34. *Mor.* 27, 36 : *Ecclesia... non iam uirtutum signa, sed sola merita operum requirit, quamuis et illa per multos cum opportunitas exigit ostendat.* De leur côté, les Homélies sur les Évangiles rapportent, on s'en souvient, plus d'une douzaine de miracles récents.

tants que ceux qui accompagnèrent la prédication des apôtres. Une telle raréfaction s'explique : accordés alors par Dieu pour soutenir la foi naissante et encore fragile, les miracles ne sont plus aussi nécessaires maintenant que cette foi s'est répandue partout et enracinée dans les cœurs.

Par leur théorie du miracle et de son ordination aux biens invisibles [35], ces pages grégoriennes annoncent les Dialogues. Mais leur problématique historique ne sera guère reprise par ceux-ci. Loin de poser a priori que les miracles sont rares de nos jours, les Dialogues s'efforcent au contraire de montrer qu'ils sont fréquents, et le contraste de l'âge apostolique avec le nôtre fait place à des rapprochements : comme le prince des apôtres, Benoît marche sur les eaux, délie les pécheurs dans l'au-delà, ressuscite les morts [36]. Si certains passages de l'œuvre nouvelle avouent encore à demi que les miracles manquent actuellement [37], le terme de comparaison qui provoque ces constats n'est pas le temps de l'Église primitive, mais celui des « pères » italiens de la génération précédente. Encore Grégoire fait-il tous ses efforts pour prolonger l'activité miraculeuse jusqu'au passé le plus récent, voire à l'actualité la plus fraîche.

De l'apologétique à la morale   Une autre différence avec les autres œuvres est que les Dialogues font beaucoup moins valoir la portée apologétique des miracles. Celle-ci constituait l'objet habituel des réflexions de Grégoire dans les Morales et les Homélies. Qu'il s'agît du Christ [38] ou des apôtres [39], les miracles étaient presque toujours envisagés comme des arguments qui confirment la prédication évangélique, touchent les cœurs insensibles aux seules paroles, renversent l'opposition des persécuteurs.

35. Thèse appuyée par 1 Co 14, 22, que citent pareillement ces trois passages.
36. II, 7 ; 23 ; 32.
37. I, 12, 4 : Grégoire ne répond pas directement à l'objection de Pierre. Cf. III, 37, 21.
38. *Hom. Eu.* 2, 1. Cf. *Mor.* 27, 41.
39. *Mor.* 27, 36-37 ; 28, 37 ; 30, 6 ; 31, 2. — *Hom. Eu.* 4, 3 ; 29, 4. — *Hom. Ez.* I, 5, 14-15 ; II, 3, 23. Cf. *Hom. Eu.* 32, 6 (martyrs).

Cette perspective n'est pas absente des Dialogues. Certains miracles y tendent visiblement à confondre l'hérésie [40], à punir ou à tenir en respect ses fauteurs [41]. Il est même possible que tel soit un des desseins généraux de l'œuvre et que cet impressionnant ensemble de miracles attribués à des catholiques — à de nombreux évêques notamment — vise tout entier à soutenir la vraie foi face aux dissidents [42]. Cependant cette intention reste à l'arrière-plan. L'accent n'est plus sur l'office apologétique du miracle, mais sur ses effets pour l'édification des âmes — chose que Grégoire envisage à peine dans ses autres œuvres [43]. Du service de la foi, le miracle est passé à celui de la vertu.

De la morale à l'eschatologie   Tel est du moins le rôle essentiel des miracles dans les trois premiers Livres. Au Quatrième, le miracle reprend une fonction apologétique, mais au service d'un article de foi bien déterminé : la survie de l'âme après la mort. Suivant une argumentation augustinienne déjà mise en œuvre dans les Homélies sur les Évangiles [44], les miracles accomplis aux tombeaux des martyrs sont invoqués comme preuves de cette foi en la vie future pour laquelle les martyrs ont versé leur sang [45]. A ces prodiges dus à des saints anciens et que Grégoire se contente d'évoquer globalement,

40. III, 30-32.
41. III, 29. Cf. II, 14-15 et 31 ; III, 18. Voir aussi *Reg.* 7, 23 = *Ep.* 7, 26.
42. Cf. *Reg.* 7, 37 = *Ep.* 7, 34 : à Dominica, schismatique revenue à l'unité, Grégoire écrit : *Considerare enim debuistis... quantis uirtutibus sacerdotes qui in ista fide defuncti sunt coruscarunt uel quanta ad corpora sua miracula faciant, atque... plus tantis uiris ac sacerdotibus quam tibi credere debuisti.*
43. Du moins dans les passages exégétiques traitant du miracle (ci-dessus, n. 32-34 et 38-39), c'est-à-dire dans les considérations que Grégoire développe au sujet de celui-ci. Au contraire, les *récits* de miracles des Homélies sur les Évangiles ont une visée moralisante, comme on le verra ci-dessous.
44. *Hom. Eu.* 32, 6 (cf. AUGUSTIN, *Ciu.* 22, 8).
45. *Dial.* IV, 6, 1 (cf. IV, 21). Cependant Grégoire ne reproduit pas à ce propos l'anecdote de *Hom. Eu.* 32, 7, qui eût illustré sa thèse.

s'ajoutent les miracles, racontés un à un, qui ont accompagné des morts récentes. De ceux-ci Grégoire tire aussi argument en faveur de l'existence des réalités futures, sans insister sur les leçons morales qui se dégagent en même temps du récit.

A cet égard, il est très instructif de comparer les neuf histoires tirées des Homélies sur les Évangiles dans leur teneur originale et dans la version des Dialogues [46]. Sauf les deux dernières, qui illustrent de part et d'autre la même thèse de la délivrance par l'eucharistie [47], elles ont une portée différente dans chaque ouvrage. Dans les Homélies, ces morts accompagnées de phénomènes surnaturels ne font que confirmer une leçon morale, qui est la visée principale du récit. Ce que Grégoire souligne par un commentaire insistant, c'est la patience de Seruulus, la grandeur cachée de Redempta, le détachement de Théophane, et ainsi de suite. Dans les Dialogues, au contraire, ces éléments moraux ne font l'objet d'aucune remarque. Généralement conservés [48], ils continuent à produire leur effet édifiant, mais sans que le narrateur les souligne. A présent, ce sont les phénomènes surnaturels environnant la mort qui deviennent l'objet propre de la narration. De l'exhortation morale, Grégoire est passé à la description des fins dernières [49].

Les miracles posthumes Le miracle est donc utilisé de façon différente dans les trois premiers Livres des Dialogues et dans le dernier. Cependant ces deux parties de l'œuvre s'accordent sur un point important. Pas plus au Livre IV que dans les précédents, Grégoire ne fait grand usage des miracles posthumes, opérés par les

46. Voir ci-dessus, ch. I, n. 15.
47. *Dial.* IV, 58 = *Hom. Eu.* 37, 9 (Cassius) ; *Dial.* IV, 59, 1 = *Hom. Eu.* 37, 8 (prisonnier anonyme).
48. Fait exception *Dial.* IV, 17 = *Hom. Eu.* 38, 15, où l'histoire des trois sœurs se réduit à celle de Tharsilla. Secondaire dans l'Homélie, cette sainte devient le personnage principal, tandis que la méchante Gordiana, figure centrale de l'Homélie, reçoit à peine une mention et n'est plus caractérisée comme moniale indigne.
49. Celle-ci a d'ailleurs une portée morale, comme nous l'avons dit plus haut (ch. II, § III, conclusion).

reliques des saints ou sur leurs tombeaux. Nous venons de voir que l'argument apologétique tiré des miracles des martyrs se présente chez lui sous une forme générique, sans qu'il énumère des faits précis à la manière d'Augustin [50]. Quant aux récits proprement dits qui illustrent les thèses sur l'au-delà, ils mettent en scène habituellement des vivants à l'article de la mort. Des saints viennent parfois les visiter, des âmes en purgatoire se montrent aussi, quelques défunts sont honorés ou maltraités dans leur tombe, mais là se bornent les manifestations de l'au-delà.

Ce caractère du dernier Livre se retrouve dans toute l'œuvre [51]. Chose curieuse, notre auteur n'a presque rien à dire d'un sujet qui passionne ses contemporains : les guérisons et merveilles de toutes sortes qui se produisent aux tombeaux des saints. Autant l'œuvre de Grégoire de Tours abonde en histoires de ce genre [52], autant les Dialogues en sont pauvres. Le pape Grégoire ne s'intéresse guère à la *uirtus* qui rayonne des hommes de Dieu après leur mort. Ce qui lui importe bien davantage, c'est le saint vivant.

La définition du miracle   La conception du miracle et de son rôle n'a pas seulement reçu dans les Dialogues ces nuances nouvelles. L'ouvrage se distingue encore par une carence surprenante. Bien qu'entière-

50. Augustin, *Ciu.* 22, 8, rapporte à ce sujet quelque vint-cinq miracles.

51. Comme miracles strictement posthumes, où n'intervient aucun saint vivant, on ne peut guère citer que I, 4, 20-21 (au tombeau d'Equitius) et 10, 19 (au tombeau de Fortunat ; indications générales, sans fait précis) ; II, 38 (grotte de Subiaco) ; III, **13** (Herculanus) et 15, 18 (tunique d'Euthicius) ; III, 22-23 (tombes en Valérie et à Préneste) et 31, 5 (dépouille d'Herménégilde) ; IV, 22-23 (victimes des Lombards) et 28, 4-5 (Théophane ; cf. 15, 5 et 17, 2 : parfum après la mort). Les miracles de IV, 33 et 54-56 se produisent après la mort, mais concernent des pécheurs. Celui qu'opère une relique d'Honorat (I, 2, 5-7) est aussi l'œuvre de Libertinus.

52. Elles font des écrits de l'évêque de Tours un véritable guide des sanctuaires miraculeux de la chrétienté, à commencer par la Gaule et par Tours, avec indications sur la spécialité curative de chaque saint et le mode d'emploi des poussières, fleurs, huiles et autres objets emportés de son tombeau. L'*Historia Anglorum* de Bède renferme aussi bien des traits de ce genre.

ment consacré à des récits de miracles, il ne contient aucune réflexion sur la nature même du phénomène miraculeux.

A deux reprises au moins, dans un passage des Morales et dans une Homélie sur l'Évangile, Grégoire avait exposé la doctrine d'Augustin à ce sujet : œuvre de la toute-puissance divine, le miracle est accordé par Dieu en vue de provoquer, par son caractère inhabituel, l'admiration des hommes, trop habitués aux merveilles quotidiennes de l'ordre naturel. Sans être en lui-même plus étonnant que les autres œuvres de Dieu, il frappe davantage les esprits parce qu'il est insolite [53]. De cette théorie, on ne trouve qu'un faible écho dans les Dialogues. Dans un passage du Livre III, Grégoire l'a manifestement présente à l'esprit [54], mais il n'y fait qu'une allusion rapide et trop peu explicite. En définitive, son De miraculis ne dit nulle part ce qu'est un miracle.

Un dernier trait reste à noter : la typologie des récits de miracles. Beaucoup d'entre eux, en effet, se réfèrent explicitement ou implicitement à des histoires analogues déjà racontées dans la Bible ou dans la tradition hagiographique. Mais ce point sera plus aisé à étudier quand nous parlerons des excursus et des sources littéraires des Dialogues.

II. Figures de saints

Les miracles des Dialogues sont habituellement opérés par des saints ou en faveur de saints, dont ils manifestent la vertu et la sainteté. Il est donc nécessaire de considérer au moins sommairement ce second élément du contenu de l'œuvre : l'image du saint.

Dans bien des cas, à vrai dire, cette image reste fort imprécise. Sur quelque soixante-dix saints qui peuplent les Dialogues, un tiers environ n'est caractérisé que par une mention générique telle que uir uitae uenerabilis. Ces saints

53. *Mor.* 6, 18 ; *Hom. Eu.* 26, 12. Cf. Augustin, *Tract. in Ioh.* 8, 1 ; 9, 1 ; 24, 1.
54. *Dial.* III, 37, 8.

sans visage sont particulièrement nombreux au Livre III. Quant aux autres, leur portrait se réduit habituellement à un bref éloge mentionnant une ou deux vertus. Seuls quelques privilégiés ont droit à des récits qui illustrent, non seulement leur puissance de thaumaturges, mais encore l'un ou l'autre de leurs mérites.

Vertus diverses des saints   Appartenant en grande majorité à l'ordre monastique et au clergé [55], les saints sont loués pour toute sorte de vertus. Parmi celles-ci, une place d'honneur revient, comme de juste, à la charité, soit qu'elle se manifeste par ses œuvres coutumières, comme l'aumône et l'hospitalité [56], soit qu'elle inspire quelque dévouement héroïque, longuement raconté, comme celui d'un Paulin ou d'un Sanctulus [57].

La foi héroïque des martyrs et des confesseurs est aussi célébrée, mais seulement dans une section bien définie du Livre III [58]. Elle s'apparente à une autre disposition que Grégoire prise hautement : le détachement à l'égard des choses d'ici-bas — propriété, mariage, gloire [59] — et le désir des biens éternels [60]. Celui-ci se traduit souvent par la componction et les larmes [61], dont l'importance est telle que Grégoire, contre son habitude, en fait l'objet d'un chapitre entier du Livre III [62]. Proche de ces états d'âme est la gravité, vertu particulièrement rare et remarquable

55. Voir ci-dessus, ch. I, n. 43-56.
56. Aumône et générosités diverses : I, 3, 4 et 9, 4.10.16-17 ; I, 10, 10 ; II, 27-28 ; III, 1, 1 et 14, 7 ; IV, 9, 1 et 14, 3 ; IV, 15, 3 ; IV, 23, 1 et 42, 1 ; IV, 37, 16 et 38, 1 ; IV, 49, 4 (cf. 37, 13). — Hospitalité : III, 11, 1 ; IV, 15, 3-4 et 28, 1. Cf. I, 10, 6.
57. III, 1, 1-8 et 37, 8-17. Cf. II, 33, 5 (charité singulière de Scholastique).
58. III, 27-32.
59. Renoncement à la propriété : III, 14, 4-5 et 26, 4 ; IV, 9, 1 et 20, 1-3. — Au mariage : III, 14, 1 et 21, 1 ; IV, 14, 1. — A la gloire : III, 31, 2 (cf. IV, 28, 1).
60. II, 33, 2 et 4 ; II, 35, 1 (cf. II, 1, 7) ; IV, 49, 2. Voir aussi I, *Prol.* 3 ; III, 34, 2-5.
61. III, 33, 1 et 8 ; IV, 49, 2 et 4 ; IV, 58, 1. Cf. I, 12, 2 ; II, 17, 1 ; IV, 61, 2 et 62, 3.
62. III, 34.

chez les êtres jeunes [63]. Excluant sinon la joie, au moins la gaieté [64], elle montre qu'on a compris le sérieux de la vie, l'enjeu du temps présent, la valeur exclusive des biens à venir.

La même perspective de renoncement à la terre et de désir du ciel rend compte de l'accent qui est mis sur les différentes formes d'abnégation : chasteté, abstinence, patience, humilité [65]. A cette dernière vertu, qui est une des plus estimées, se joint parfois la simplicité, disposition dont Grégoire fait souvent un mérite aux prêtres de province, aux moines et moniales, aux laïcs de condition modeste [66]. Associé ou non à la simplicité, l'esprit d'oraison continuelle figure dans plusieurs portraits [67], tandis que d'autres parlent équivalemment de psalmodie perpétuelle [68]. Le zèle pour la lecture de la Bible, aliment de la prière et de la componction, est noté çà et là [69]. Enfin le « zèle spirituel » proprement dit, ou « ardeur » à convertir, à instruire, à corriger le prochain, apparaît chez quelques grands moines [70].

63. III, 25, 1 ; IV, 17, 1 et 18, 2 ; IV, 49, 6. Le vice opposé (leuitas) est mentionné en IV, 18, 1-2 (légèreté d'enfant, qui consiste en rire et en jeux) ; IV, 54, 1 et 55, 2 (légèreté d'adulte, associée à la lubricité). Jeunes hommes au caractère de vieillard : II, Prol. I ; III, 18, 1.
64. Ou du moins un excès de celle-ci : III, 14, 10 (tanta laetitia) et 33, 4 (inmoderatius per laetitiam tactus). Cf. IV, 61, 2 : uana laetitia. Sanctulus est félicité d'être iucundi uultus et animi (III, 37, 2 ; cf. laeto uultu... laetiori uultu).
65. Chasteté : I, 4, 1-2 ; II, 2, 1-2 ; III, 16, 5 (cf. III, 7, 1) ; IV, 12, 2-3 et 53, 1. Le vice contraire est réprouvé en II, 8, 4-5 ; III, 32, 4 ; IV, 33 (cf. 32, 3) et 37, 12-13 ; IV, 54-55. — Abstinence : I, 1, 1-2 ; III, 14, 10 ; IV, 17, 1. On peut y joindre la frugalité de Benoît (II, 1, 5), la « stricte » ascèse de son homonyme (III, 18, 1), deux cas de réclusion (III, 16 et IV, 10), les veilles et jeûnes du moine Pierre (IV, 37, 4) ; cf. II, 35, 2 : veille anticipée. — Patience : I, 2, 8 ; IV, 11, 2 et 15, 4 ; IV, 16, 2 et 20, 2-3. — Humilité : I, 2, 9-10 ; I, 5, 3-6 et 7, 5 ; III, 25, 1 et 33, 1 (cf. 33, 8) ; IV, 26, 6 et 27, 10.
66. III, 15, 2.6.8.13 et 33, 1 ; III, 35, 1 et 37, 18 ; IV, 11, 4 et 14, 3 ; IV, 26, 10 et 27, 6.10. La simplicité est aussi louée chez des témoins : I, 4, 21 ; III, 37, 1.
67. I, 10, 1 ; III, 14, 2-3.10 (cf. 15, 2) ; IV, 16, 2 et 17, 1 ; IV, 20, 1 (cf. II, 11, 2 et 27, 2).
68. IV, 15, 3 et 49, 4.
69. IV, 15, 3 et 49, 2.
70. III, 15, 2 : spiritali zelo atque feruore uirtutis. On retrouve

Grégoire le Grand, I.   7

Bien qu'incomplète, cette liste de vertus diverses induirait en erreur si elle donnait l'impression que les physionomies de saints sont assez variées dans les Dialogues. En fait, ce qui frappe surtout est le retour fréquent des mêmes éloges. L'idéal de sainteté qui hante l'esprit de Grégoire est simple, et son image du saint ne manque pas de netteté. En bref, il s'agit essentiellement de se détacher de tout ce qui passe et d'attacher tout son être à ce qui ne passe point. Dans le mouvement qui emporte vers la vie éternelle ces âmes de saints, on reconnaît l'aspiration qui anime l'œuvre entière de Grégoire et les Dialogues eux-mêmes.

Grandeur redoutable de l'homme de Dieu L'amour du prochain, la bonté et la douceur envers tous les hommes [71] font certes partie de cet idéal du saint. Cependant il ne faut pas se dissimuler que l'homme de Dieu est par certains côtés un être effrayant. La protection dont Dieu l'entoure le rend redoutable à qui lui fait tort [72]. Les puissants de ce monde, en particulier les rois et les guerriers barbares, sont souvent réduits à s'humilier devant lui [73]. Ses miracles ne sont pas tous de bienfaisance et de pitié. Il peut aussi prophétiser le malheur [74], déchaîner le châtiment ou l'épouvante [75], infliger la mort [76]. Sa connaissance des actions cachées et du secret des cœurs donne à ses réprimandes une efficacité terrifiante [77].

On comprend qu'une crainte révérentielle soit souvent le sentiment qui s'empare des cœurs à la vue de ses prodiges [78].

---

feruor dans le même sens en I, 4, 10 (cf. I, 4, 9 : *studium praedicationis*). Voir aussi II, 8, 11 et 19, 1 ; III, 26, 4.

71. *Dulcedo* : IV, 49, 6 (cf. III, 37, 1). Nombreux traits de douceur et de bonté envers des agresseurs : I, 2, 2 et 4, 17 ; I, 5, 4-5 et 10, 13 ; I, 3, 4 et III, 14, 7, etc.

72. I, 9, 8-9 et 10, 6 ; II, 8, 6 ; III, 15, 6-7 et 37, 15 ; IV, 24, 1-3 et 31, 3-4 (cf. 54, 2).

73. I, 2, 2-3 et 10, 6 ; II, 14-15 et 31 ; III, 6, 2 et 22, 1-3.

74. I, 9, 13 et 10, 13-15 ; II, 15, 2 ; III, 1, 5-6 et 5, 3-4.

75. I, 4, 20-21 ; II, 23-24 ; III, 14, 3 et 26, 2.

76. I, 9, 8-9 ; III, 5, 4 et 16, 5.

77. II, 12-13 et 18-20 ; III, 14, 8-9 et 26, 5-6.

78. *Reuerentia* : III, 3, 2 ; 11, 2 ; 12, 3. Il arrive que la seule **vue**

Comme le dit Grégoire, après avoir conté un de ces faits terribles, « craignons les saints, car ils sont les temples de Dieu. Quand on s'attire la colère d'un saint, qui donc est provoqué à la colère sinon l'habitant de ce temple ? Il faut donc redouter l'irritation des justes, d'autant qu'on est certain de la présence en leur cœur de celui qui ne manque d'aucun moyen pour les venger comme il veut [79] ».

Cet aspect formidable de la sainteté, ce texte l'insinue bien, a son origine en Dieu même. Parce que Dieu est juste autant que bon, distributeur de châtiments comme de récompenses, l'homme de Dieu, à son image, réprime le mal en même temps qu'il répand le bien. Ici encore, l'histoire des saints reflète la théologie, et l'ambivalence de leur action correspond au double destin des âmes annoncé par le dernier Livre des Dialogues.

Les faiblesses des saints   Au reste, Grégoire est trop réaliste pour présenter un modèle de saint surhumain, d'où serait exclue toute imperfection. Non seulement il signale avec franchise de graves misères chez les consacrés, clercs ou moines [80], qui entourent ses héros, mais il ne craint pas non plus d'imputer à ceux-ci certaines défaillances.

A peine envisagée dans les deux premiers Livres [81], cette fragilité des hommes de Dieu apparaît assez souvent au Troisième : deux évêques très méritants pèchent par luxure [82], un grand moine par excès de gaieté [83], d'autres en

---

du saint plonge dans la terreur : I, 4, 13 (inmenso timore) et 14 (intolerabilis pauor). Cf. III, 24, 2 ; IV, 13, 3.

79. I, 9, 9.

80. Colère et brutalité (I, 2, 8 ; 7, 1 et 3) ; tentatives d'empoisonnement (II, 3, 3-4 et 8, 2-3 ; III, 5, 3) et de corruption (II, 8, 4) ; meurtre d'animal par jalousie (III, 15, 5) ; ambition et simonie (I, 9, 13) ; péchés de la langue (II, 23, 2 ; IV, 53, 1) ; impureté (IV, 32, 3) ; hypocrisie (IV, 40, 10-12) ; fautes contre la règle monastique (II, 4.12.19.20.28 ; IV, 57, 9-10).

81. I, 12, 1-2 (négligence de Sévère) ; II, 33, 5 (moindre amour de Benoît).

82. III, 7, 2-3 et 32, 4.

83. III, 14, 10-11.

lançant la malédiction, en proférant une parole inconsi-
dérée, en cédant à un mouvement d'orgueil [84]. Jointes à
l'obstination schismatique du bon diacre Paschase [85], ces
notations donnent au saint des Dialogues son vrai visage
d'homme faillible et divisé, qui n'obtient son salut que par
la grâce divine, le repentir et l'effort.

La montée de Benoît par l'épreuve   Cependant la lutte du saint
contre ses propres penchants mau-
vais ne peut être décrite dans des
notices brèves, comme le sont presque toutes celles des
Dialogues. C'est à peine si Grégoire signale une fois ce
combat que présupposent toutes ses histoires de thaumaturges [86].

En revanche, la biographie complète qu'est le Livre II
lui offrait l'occasion de tracer un itinéraire de saint. Il n'y a
pas manqué. Les premiers chapitres de la Vie de Benoît,
jusqu'à son départ de Subiaco pour le Mont-Cassin, présentent une série d'épreuves par lesquelles l'homme de Dieu
se construit graduellement, avant d'atteindre la plénitude
de sa stature spirituelle et de son rayonnement [87].

La possibilité même d'une telle croissance semble exclue
par le Prologue du Livre et la conclusion du premier épisode,
qui présentent un garçon « au cœur de vieillard dès l'en-
fance » et « commençant la vie religieuse par la perfection [88] ».
Pourtant Benoît est bientôt affronté à diverses épreuves.
Son premier miracle à Affile le met en évidence et menace
son humilité ; ses premières rencontres, au terme des trois
ans qu'il a passés seul dans la grotte de Subiaco, se soldent
par une terrible tentation de luxure ; son premier supériorat

---

84. III, 15, 7-10 ; 20, 1 ; 33, 4-6.
85. IV, 42, 1-3.
86. I, 4, 1-2 (tentation et délivrance d'Equitius).
87. Les vues qui suivent résument notre article « Benoît, modèle
de vie spirituelle d'après le Deuxième Livre des Dialogues de
saint Grégoire », dans *Col. Cis.* 38 (1976), p. 147-157. Voir aussi
l'article « Benedikt von Nursia », à paraître dans *Theologische
Realenzyklopädie*.
88. II, *Prol.* 1 et 1, 2.

à Vicovaro lui vaut la haine mortelle de mauvais moines ;
ses premières fondations sur les bords de l'Anio excitent
la jalousie d'un prêtre, qui tente à son tour de l'empoi-
sonner.

Ces quatre affrontements avec le péché se terminent par
quatre victoires. A la vaine gloire qui le menace, Benoît se
soustrait en disparaissant complètement du regard des
hommes ; à la tentation de luxure, il répond en se roulant
dans les épines ; aux deux attentats contre sa vie, qui le
provoquent à s'emporter et à haïr, il réagit la première fois
avec « un visage placide et une âme tranquille », manifestement victorieuse de tout émoi, et la seconde fois en « éprou-
vant plus de peine pour l'offenseur que pour lui-même »,
voire en pleurant la mort du méchant et en punissant un
disciple qui s'en était réjoui.

Chacun de ces triomphes sur la passion conduit à un rayonnement sur les hommes, lui-même générateur de l'épreuve
suivante. Dans la grotte où il a fui la renommée, Benoît est
découvert par des bergers et commence à donner aux
visiteurs la parole de vie. L'image d'une femme aperçue
dans ces circonstances le perturbe gravement, mais sa
réaction héroïque lui vaut, avec la délivrance de la passion,
l'immunité définitive à l'égard des pulsions sexuelles, d'où
résulte une influence nouvelle et plus profonde : non content
de donner quelques bonnes paroles, le jeune solitaire devient
le directeur d'âmes en quête de perfection. Quand ce ministère de direction le met en conflit aigu avec de mauvais
moines qui l'ont pris pour abbé, sa parfaite maîtrise de soi,
sa victoire sur la haine et la colère, son sage retour à sa soli-
tude bien-aimée pour « habiter avec lui-même sous le regard
de Dieu » aboutissent à une recrudescence de son rayonnement : cette fois, d'authentiques disciples s'assemblent
autour de lui en véritables communautés cénobitiques.
Lorsque enfin le succès de ces fondations provoque la
jalousie meurtrière de Florentius, l'humble mouvement de
retrait qu'il exécute à nouveau le mène à un genre d'action
inédit — la lutte contre le paganisme, la prédication populaire, les rencontres face à face avec le démon — et à l'influence charismatique qui s'ensuit.

La première partie de cette Vie de Benoît (II, 1-8) déroule donc une chaîne de quatre anneaux solidement assujettis l'un à l'autre. A quatre reprises, on assiste au même cycle ternaire : tentation, victoire, rayonnement. Liés entre eux du fait que chaque nouvelle tentation résulte du rayonnement qui vient d'être exercé, ces cycles successifs ne se répètent pas simplement. Si les deux dernières épreuves viennent de la même passion — haine, colère — les deux premières relèvent chacune d'un vice différent : vaine gloire d'abord, puis luxure.

L'âme de Benoît est donc soumise successivement à trois grandes tentations, dont la dernière l'assaille à deux reprises. Devant un tel parcours, on ne peut s'empêcher de songer à la tripartition classique de l'âme humaine — *logistikon*, *epithymètikon*, *thymikon* —, telle qu'elle a été proposée, après bien d'autres, par Évagre et Cassien [89]. De fait, la vaine gloire s'attaque à l'élément raisonnable (*logistikon*), la luxure à l'appétit concupiscible (*epithymètikon*), la colère et la haine à l'irascible (*thymikon*). Grégoire avait-il présente à l'esprit cette doctrine ? En ce cas, la triple épreuve par laquelle il fait passer son saint préféré signifierait clairement que celui-ci accomplit toute justice et triomphe de toute tentation.

En tout état de cause, il ne paraît pas douteux que l'itinéraire de Benoît a une portée générale et une valeur exemplaire. De ce personnage privilégié, Grégoire fait le modèle de l'ascèse et de la victoire sur les passions. A sa marche bien ordonnée de vertu en vertu succédera, on l'a vu, le classement méthodique de ses miracles. Enfin Benoît atteindra un sommet mystique dans l'effusion de la lumière divine où il verra monter l'âme de l'évêque Germain [90]. Dans cette lumière infinie, il voit la petitesse du monde créé, tout entier recueilli sous son regard dilaté. Son renoncement initial porte à cet instant un fruit inespéré : ce monde qu'il avait jadis méprisé par une vue de foi [91] lui apparaît main-

---

89. Évagre, *Traité pratique* 89 ; Cassien, *Conl.* 24, 15, 3-4. Cf. Augustin, *Ciu.* 14, 19.

90. II, 35, 2-7.

91. II, *Prol.* 1, où *mundus* est pris en un sens plus limité : la terre et ses jouissances temporelles.

tenant, avec l'éclat de l'évidence, insignifiant auprès de l'immensité du Créateur, où la mort va bientôt le plonger. Progrès ascétique, couronnement mystique, gloire eschatologique, rien ne manque pour faire de Benoît le type parfait du saint et le symbole des aspirations les plus profondes de Grégoire lui-même. Il ne fait d'ailleurs pas de doute que celui-ci a vu dans la conversion immédiate et entière du jeune bourgeois de Nursie l'antithèse de ce qu'avait été sa propre rupture avec le monde, lente, hésitante et finalement imparfaite [92]. Sans doute aussi le destin de Benoît est-il pour lui exemplaire à un autre titre. Moine comme lui, Benoît s'est vu confier une charge pastorale qu'il n'avait pas cherchée. Dans cette figure de solitaire qui paraît accepter et exercer paisiblement ses responsabilités d'abbé, Grégoire, évêque malgré lui, retrouve l'alliage de contemplation et d'action, d'aspiration à Dieu seul et de service des hommes, dont la Providence a fait la loi et le tourment de sa propre existence [93].

A tous égards, Benoît est donc au centre des Dialogues. Figure achevée de la sainteté, il rassemble en sa personne bien des traits épars attribués aux autres personnages de l'œuvre [94]. A côté de ces vertus fragmentaires, la biographie complète que Grégoire lui consacre joue un rôle irremplaçable au service d'une des intentions majeures de l'ouvrage : proposer à l'admiration et à l'imitation des hommes l'idéal du saint.

92. Comparer II, *Prol.* 1 et *Reg.* 5, 53ᵃ = *Morales*, Lettre-Préface (*SC* 32, p. 114-116). Cf. C. Dagens, « La ' conversion ' de saint Benoît selon saint Grégoire le Grand », dans *Rivista di storia e letteratura religiosa* 5 (1969), p. 384-391. Aux contrastes relevés dans cet article, on peut ajouter celui-ci : Grégoire pouvait aussi se repentir de s'être fait moine à Rome même, où le pape ne tarderait pas à lui imposer un ministère ecclésiastique. Benoît au contraire, il le relève avec insistance (II, 1, 1 et 3), quitta Rome et « gagna le désert ».

93. Les textes grégoriens concernant les deux vies ont été rassemblés par C. Butler, *Western Mysticism*, Londres 1922.

94. Malgré la pauvreté du Livre II en notations sur le caractère et la *politeia* de Benoît, au sujet desquels Grégoire renvoie à la *regula monachorum* (II, 36). Voir ci-dessus, n. 21-22, et plus loin, ch. IV, n. 35-38.

III. Réflexions doctrinales

**Les formes
du commentaire** Docteur et pasteur, Grégoire ne se
contente pas de raconter des faits édifiants. Il les commente. Ces commen-
taires sont de longueur très variable, allant d'une seule
phrase à un ou plusieurs paragraphes, quand ce n'est pas,
comme au Livre IV, à des chapitres entiers ou même à des
groupes de chapitres. Des simples remarques faites en passant aux véritables excursus, on trouve dans les Dialogues
des réflexions de tout genre, greffées sur les récits de façons
diverses. Si l'on s'attache à celles qui, par leur ampleur, se
prêtent le mieux à un recensement, on constate qu'elles
sont distribuées assez régulièrement [95], sauf un vide singu-
lier dans la grande galerie d'évêques qui ouvre le Livre III,
et une abondance non moins insolite dans les quelques
notices de moines qui suivent immédiatement [96].

**Liberté
de la réflexion** Quant au contenu de ces dissertations,
s'il est relativement homogène et facile
à définir dans le traité des fins dernières
qu'est le Livre IV [97], on a plus de mal à le cerner dans les

---

95. Des réflexions d'une dizaine de lignes au moins se rencontrent
en I, 1, 5 ; 2, 7 ; 4, 18 et 19 ; 8, 4-5 ; 9, 5-7 ; 10, 7 ; 12, 4-6. — II,
2, 3-4 ; 3, 5-9 et 10-12 ; 8, 8-9 ; 16, 3-8 ; 21, 3-4 ; 22, 4 ; 23, 6 ; 30,
2-3 ; 35, 5-7 ; 38, 2-4, à quoi l'on peut ajouter plusieurs petits paragraphes détachés formant une même thèse : 31, 4 ; 32, 4 ; 33, 1 et 5.
La régularité est surtout sensible au Livre II, où l'on trouve quatre
dissertations dans la période de Subiaco (1-8), trois dans la série
des prophéties (12-22), trois dans celle des miracles opératifs (23-
33), deux dans le groupe des faits eschatologiques (34-38).
96. Les chapitres III, 1-13 ne contiennent que des réflexions de
quelques lignes (1, 8 ; 7, 1 et 10 ; 10, 4). Puis les dissertations se
pressent : III, 14, 10-14 ; 15, 8-10 et 13-17 ; 17, 6-14 ; 18, 3, soit
5 dissertations pour 5 notices consécutives. Voir ensuite 21, 4 ;
24, 3 ; 26, 7-9 ; 28, 2-4 ; 34 ; 37, 18-20 et 21-22 ; 38, 4 (les deux
premières de ces dissertations sont à peine plus longues que les
réflexions de 19, 5 ; 20, 3 ; 31, 8 ; 32, 2 ; 33, 6 ; 37, 8). Supérieur à
celui du Livre II, le nombre des dissertations du Livre III correspond à sa longueur accrue.
97. Compte tenu de certaines digressions comme IV, 50. Voir ci-
dessus, ch. II, n. 131-133.

trois premiers Livres. Avant tout essai d'analyse et de classement, il faut reconnaître l'imprévisible liberté avec laquelle les remarques jaillissent de la narration. Cette fantaisie, qui est un des charmes de l'ouvrage, vient pour une part de la spontanéité propre au dialogue. Mais plus profondément, elle relève d'une habitude de l'auteur et d'une caractéristique générale de son œuvre. Dans ses commentaires bibliques aussi bien qu'ici, Grégoire parle de tout à propos de tout. En déployant autour du récit des miracles — équivalent du texte sacré — une large arabesque de réflexions variées, les Dialogues procèdent à la manière de cette immense encyclopédie en désordre que sont les Morales sur Job.

Miracles et vertus Cela dit, le contenu des excursus des trois premiers Livres peut être ramené aux deux grands thèmes des Dialogues : le miracle et la vertu. Il arrive que l'un de ces thèmes soit développé seul. Ainsi l'on trouve quelques dissertations traitant uniquement de miracles et de leurs rapports, sans considération éthique [98], et beaucoup plus souvent — en particulier au Livre III — des dissertations purement morales, où Grégoire ne s'occupe pas de miracles [99]. Mais dans la majorité des cas, l'excursus traite à la fois de miracles et de vertus, son objet étant précisément la relation de ces deux éléments, ou si l'on veut la figure du saint.

Les excursus **des Livres I et III** Au Livre Premier, c'est surtout l'humilité qui est ainsi confrontée avec le don des miracles. A mainte reprise, Grégoire décrit leurs délicates interférences : ici l'humilité apparaît comme la condition du miracle [100], là elle est dédommagée par lui de ses propres abaissements [101], ailleurs elle défend l'âme de l'orgueil qu'il inspire [102], ail-

98. Ainsi II, 22, 4 ; III, 18, 3. Cf. II, 35, 5-7 et III, 24, 3.
99. Voir I, 1, 5 ; 4, 19 ; 8, 4-5 ; 10, 7. — II, 2, 3-4 ; 3, 5-9 et 10, 2. — III, 14, 10-14 ; 15, 8-10 et 13-17 ; 26, 7-9 ; 34 ; 37, 18-20.
100. I, 2, 7.
101. I, 4, 18.
102. I, 5, 3 et 6 (simples réflexions brèves).

leurs encore elle suggère de le cacher, tout en acceptant qu'il soit manifesté pour la gloire de Dieu [103]. Dans la même ligne restrictive, Grégoire conclut en démontrant que le miracle n'ajoute rien à la sainteté de la vie, qui seule importe [104]. Ces dissertations du Premier Livre sont autant d'avertissements liminaires. Dès le début de ce recueil de récits merveilleux, il importait de situer le miracle dans la vie morale, de faire voir ses risques, de conjurer sa fascination.

L'autre volet du triptyque présente, on s'en souvient, un rappel énergique de cette doctrine. Au milieu du Livre III, une résurrection de mort — le miracle par excellence — donne à Grégoire l'occasion de rabaisser à nouveau les prodiges extérieurs au-dessous des vrais biens spirituels que sont les vertus [105]. Mais la préférence accordée à celles-ci se traduit surtout, dans ce Livre, par le fait dont nous venons de parler : la plupart de ses excursus traitent uniquement de questions morales, en laissant de côté le merveilleux.

Les dissertations du Livre II   Au contraire, les dissertations du Livre II sont presque toutes consacrées aux pouvoirs miraculeux du serviteur de Dieu. Passées les trois premières, qui sont de caractère purement spirituel [106], Grégoire porte son attention sur les miracles de Benoît et ne l'en détourne plus jusqu'à la fin du livre.

La première évidence qui s'impose à lui est que le thaumaturge de Subiaco n'a pu faire tant de miracles différents, à l'imitation de divers saints de l'Écriture, que par la puissance de l'unique « Esprit de tous les justes » dont il était rempli, grâce aussi aux abaissements du Christ, qui ont

---

103. I, 9, 5-7.
104. I, 12, 4-6.
105. III, 17, 6-14. Cf. ci-dessus, n. 30. Comme le Premier, ce Livre recommande d'ailleurs l'humilité : III, 14, 12-14 ; 21, 4 (cf. 6, 2).
106. II, 2, 3-4 (Nb 8, 24) ; 3, 5-9 (*Habitauit secum*, « revenir à soi ») ; 3, 10-12 (légitimité de l'abandon d'une charge pastorale).

valu aux hommes la gloire de pareils pouvoirs [107]. Dans cette
dernière notation on retrouve, sous un mode original et
spécifiquement christologique, le thème favori du Livre I :
les rapports du miracle avec l'humilité. Plus loin, Grégoire
reviendra sur ces abaissements du Christ, cause méritoire
des hauts faits admirables de Benoît et de ses pareils [108].

D'autres excursus réaffirment, au moyen de textes johan-
niques et pauliniens, l'absolue maîtrise de Dieu sur les charismes départis au grand abbé. En « adhérant au Seigneur »,
Benoît ne faisait qu'« un esprit » avec lui, comme dit l'Apôtre,
et c'est l'Esprit qui révélait à cet homme ce qui lui plai-
sait [109]. C'est lui aussi qui, « soufflant où il veut », selon le
quatrième évangile, illuminait le voyant quand il voulait [110].
D'autre part, le Prologue de cet évangile de Jean fournit
plusieurs fois la preuve de l'entière dépendance du thaumaturge, en ses actes de puissance comme en ses visions, à
l'égard du Verbe fait chair qui « illumine tout homme »,
« donne la puissance de devenir fils de Dieu », possède en
« plénitude » l'ensemble des dons distribués par lui aux
croyants [111].

Recevant tout de Dieu, du Christ, de l'Esprit, Benoît est
limité dans l'exercice de ses pouvoirs par le bon vouloir
divin. Cette question de l'étendue et des limites du don des
miracles intéresse vivement Grégoire et Pierre. Benoît connaissait les secrets divins, mais jusqu'où cette connaissance
allait-elle [112] ? L'Esprit le faisait prophétiser, mais non point
en toute circonstance, afin de le garder dans l'humilité [113].

---

107. II, 8, 8-9. Parmi ces cinq prototypes scripturaires, on notera
que le dernier (David) n'est pas l'auteur d'un miracle, mais un
simple modèle de vertu.

108. II, 23, 6, citant Jn 1, 14.

109. II, 16, 3-8, citant 1 Co 6, 17. Cf. II, 30, 2-3 (*Qui deuota
mente Domino adhaerent*), qui fait allusion au même texte.

110. II, 21, 3-4, citant Jn 3, 8.

111. II, 8, 9 (Jn 1, 9 et 16) ; 30, 2 (Jn 1, 12). Cf. 23, 6 (allusion
à Jn 1, 14). Le Prologue johannique sera encore invoqué en III,
32, 2.

112. II, 16, 3-8.

113. II, 21, 3-4. Cette résurgence du thème de l'humilité rappelle
le Livre Premier (ci-dessus, n. 100-103) et annonce le Livre III
(n. 105).

Ces pouvoirs, qui se jouent de l'espace et de la mort — vivant, Benoît délie les âmes dans l'au-delà ; défunt, il continue d'agir sur terre, même loin de son tombeau [114] —, le thaumaturge les exerce parfois à son gré, mais parfois aussi il doit recourir à la prière [115]. En outre, il arrive que sa volonté soit mise en échec, soit que le Seigneur refuse de l'exaucer, soit qu'une âme plus aimante se fasse mieux écouter de Dieu, qui est amour [116].

Humilité, prière, charité : on voit que ces investigations sur les miracles aboutissent naturellement à des réflexions morales et spirituelles. On peut en dire autant de l'excursus apparemment plus technique que Grégoire consacre à la grande vision cosmique de Benoît. Si le monde est apparu si étroit au saint, c'est que son âme était immensément dilatée dans la lumière de Dieu [117]. De l'explication du phénomène résulte donc un enseignement sur le mépris du monde éprouvé par l'âme qui voit Dieu, sur la petitesse de la créature et l'incommensurable grandeur du Créateur.

Ainsi le Livre II est le lieu privilégié de la réflexion de Grégoire sur la figure du saint thaumaturge. Mieux que les petites notices des Livres environnants, cette grande biographie lui a permis d'étudier de façon suivie, à la lumière de l'Écriture [118], le pouvoir miraculeux des saints. Non seulement il a pu ranger les miracles cassiniens de Benoît en grandes séries homogènes et disposer les trois derniers de manière à illustrer certaines thèses [119], mais la continuité du sujet l'a incité à centrer ses excursus sur cet objet unique. En faisant à lui seul tant de miracles, Benoît mettait son biographe à l'aise pour présenter un faisceau d'observations sur le thème du miracle dans la Bible. Cette méditation sur

114. II, 23, 6 ; 38, 2-4.
115. II, 30, 2-3.
116. II, 33, 1 et 5.
117. II, 35, 5-7 (cf. ci-dessus, n. 90-91 et 98).
118. La seule exception est l'avant-dernier excursus (II, 35, 5-7), où toute référence scripturaire fait défaut.
119. II, 31-33. Les deux premiers chapitres illustrent les deux façons d'opérer des miracles, déjà mises en évidence par l'histoire de saint Pierre, et le troisième fait voir que le thaumaturge est parfois impuissant, à l'exemple de saint Paul.

les hauts faits de Benoît, successeur des saints de l'une et l'autre Alliance, Grégoire l'a conduite de manière à glorifier la divinité et à suggérer au lecteur de s'unir à elle [120]. Ici comme ailleurs, la contemplation des miracles est un appel à la sainteté.

120. Le dernier excursus (II, 38, 2-4) n'est pas le moins caractéristique à cet égard. Des miracles accomplis par les martyrs loin de leur tombeau, Grégoire s'élève à la présence spirituelle du Christ, corporellement absent de ce monde. Une dernière fois, en conclusion de tout le Livre, on se retrouve devant le Christ et l'Esprit.

CHAPITRE IV

TRADITION LITTÉRAIRE
ET RÉALITÉ HISTORIQUE

Recueil de récits de miracles et de notices sur des saints récents, les Dialogues se présentent comme une œuvre d'histoire. A ce titre, ils s'insèrent dans une tradition littéraire dont il importe de connaître au moins les représentants les plus proches de Grégoire, c'est-à-dire les auteurs d'histoire chrétienne, tant ecclésiastique que monastique.

Cependant, à comparer les Dialogues avec ces ouvrages historiques similaires, on s'aperçoit vite d'un fait troublant : la similitude ne se borne pas à des ressemblances formelles, mais atteint souvent la substance même des événements racontés. En d'autres termes, plus d'un miracle des Dialogues a un équivalent précis dans telle ou telle œuvre antérieure que Grégoire connaissait. Cette constatation met en cause le caractère historique de l'ouvrage et oblige à se demander si les récits de Grégoire ne sont pas influencés jusque dans leur contenu par ces modèles littéraires, que ceux-ci aient inspiré l'écrivain lui-même ou les narrateurs dont il rapporte les propos.

Mais avant de répondre à cette question, il nous faut parcourir les documents qui ont pu servir ainsi de sources aux Dialogues.

I. L'arrière-plan littéraire de l'œuvre

**Références des Dialogues
à des textes
non scripturaires**
A l'exception de la Bible, qu'il cite constamment, Grégoire ne se réfère presque jamais à des écrits antérieurs. Deux fois seulement il mentionne des récits non bibliques. Au Livre

Premier d'abord, il compare deux miracles du moine Nonnosus à des faits semblables : le déplacement d'une montagne
par Grégoire le Thaumaturge et la réparation d'un calice
par le martyr Donat [1].

Cette double allusion à l'Histoire Ecclésiastique de Rufin
et à la *Passio Donati* est du même genre que la référence à
la geste d'Élisée qui suit aussitôt [2]. De même que le moine
du Soracte a « imité » les hauts faits des deux saints chrétiens,
qui servent d'« exemples » à ses miracles, de même il « imite »
le prophète juif en multipliant l'huile. Ces « imitations »
successives vérifient la parole du Christ : « Mon Père agit
jusqu'à maintenant, et moi aussi j'agis [3]. » Cette première
mention de récits antérieurs établit donc un simple rapport
d'analogie entre les faits du passé et ceux des Dialogues.

Au contraire, la seconde vise une véritable source du
récit grégorien. A la fin de la notice sur Paulin qui ouvre le
Livre III, Grégoire cite un « écrit » relatant sa mort à Nole.
Ce texte, que nous pouvons identifier avec le *De obitu
Paulini* du prêtre Uranius [4], est l'unique source écrite dont
fassent état les Dialogues.

L'Histoire Ecclésiastique, la passion d'un martyr toscan,
un opuscule sur la sainte mort d'un évêque campanien,
voilà donc tout l'arrière-plan non biblique des Dialogues,
si l'on s'en tient à ce que déclare l'auteur. A ces aveux explicites des Livres I et III on peut tout au plus joindre une
allusion très voilée du Livre IV. Quand Grégoire met sur les
lèvres de Pierre une question relative aux morts par erreur,
il paraît supposer la connaissance de certains récits à ce
sujet. Plus précisément, d'après les termes mêmes de la
question, il songe à l'histoire des deux Curma racontée par
Augustin dans son *De cura pro mortuis gerenda* [5]. De fait,
cette histoire est si semblable à celle des deux Étienne
racontée ensuite par Grégoire, pour ne rien dire de celle de

1. I, 7, 3. Cf. Rufin, *Hist. Eccl.* 7, 28, 2 ; *Passio Donati*, dans
B. Mombritius, *Sanctuarium*, Paris 1910, p. 416-418 (*BHL* 2289).
2. I, 7, 4. Cf. 2 R 4, 1-7.
3. I, 7, 6. Cf. Jn 5, 17.
4. III, 1, 9. Cf. Uranius, *De obitu Paulini* 4, PL 53, 862.
5. IV, 37, 1. Cf. Augustin, *Cura mort.* 12, 15.

Tiburce et de Reparatus rapportée plus haut [6], qu'on pourrait parler à nouveau d'« imitation ».

Est-ce Grégoire qui imite Augustin, ou la Providence qui s'imite elle-même en reproduisant le miracle ? Laissons la question ouverte. Il suffit pour l'instant de relever que Grégoire lui-même, par la voix de Pierre, reconnaît ici l'existence de narrations plus anciennes sur des morts par erreur. Il ne dit d'ailleurs pas que ces narrations aient été consignées par écrit, et encore moins qu'on en trouve une dans un ouvrage d'Augustin. En précisant de la sorte la référence très discrète et très vague à laquelle il se borne, nous entrons dans un domaine nouveau, celui des antécédents inavoués des Dialogues.

Citations hagiographiques de Grégoire en dehors des Dialogues   Avant d'y pénétrer pour de bon, il est utile de rappeler que l'œuvre grégorienne contient, en dehors des Dialogues, quelques mentions de la littérature hagiographique déjà existante. Une Homélie sur l'Évangile cite les *Gesta emendatiora* de sainte Félicité [7]. Une lettre à Euloge d'Alexandrie parle d'un *codex* contenant quelques *Gesta martyrum* et d'un autre qui indique pour chaque jour de l'année les noms des martyrs avec le lieu où ils sont morts — ce que nous appellerions un martyrologe [8]. Plus tard, une autre lettre, adressée à l'évêque de Lyon, mentionne les *Gesta* de saint Irénée comme un texte que Grégoire n'a pu encore se procurer et qu'il désire connaître [9].

Complétées par une allusion à la translation des saints Apôtres *ad catacumbas* [10], ces diverses mentions se rapportent

---

6. IV, 32, 2-4 (Reparatus et Tiburce) et 37, 5-6 (les deux Étienne).
7. *Hom. Eu.* 3, 3. Cf. *AS, Jul.* III, p. 12-13 (*BHL* 2853). Cette mention suppose en outre l'existence de *Gesta* non « émendés ». Comme la *Passio Donati*, le texte cité par Grégoire est relativement court et sobre. — D'autres Homélies font des allusions imprécises à l'histoire des martyrs célébrés. Voir *Hom. Eu.* 27, 9 ; 28, 3, etc.
8. *Reg.* 8, 28 = *Ep.* 8, 29.
9. *Reg.* 11, 40 = *Ep.* 11, 56.
10. *Reg.* 4, 30 = *Ep.* 4, 30. Ici, pas de référence à un écrit.

toutes à la littérature concernant les saints anténicéens, apôtres et martyrs. Elles rejoignent la double référence du Livre Premier des Dialogues, qui visait aussi deux figures du temps des persécutions.

L'arrière-plan des Livres I et III : Rufin, Pallade, Sévère, Cassien

Il est donc vraisemblable que bien des Passions de martyrs et autres écrits relatifs à des saints de même époque étaient présents à l'esprit de Grégoire quand il a rédigé les Dialogues [11]. Ce n'est pourtant pas de ce côté que paraissent se trouver les modèles prochains de l'œuvre. Pour reconnaître ceux-ci, il est nécessaire de distinguer les différentes parties des Dialogues : petites notices des Livres I et III, grande biographie du Livre II, traité sur l'eschatologie du Livre IV.

Le recueil de notices brèves que sont les Livres I et III rappelle avant tout deux ouvrages d'hagiographie monastique : l'*Historia monachorum in Aegypto* traduite par Rufin, et cette traduction de l'Histoire Lausiaque de Pallade qu'est le *Paradis d'Héraclide* [12]. Quantitativement, le triptyque des Dialogues, avec ses cinquante figures, se trouve à mi-chemin entre la trentaine de notices de l'*Historia* et les quelque soixante-dix du *Paradis* [13]. En ajoutant la vingtaine de saints du Livre IV [14], on arrive pour l'ensemble des Dialogues à un total de figures égal à celui du second de ces modèles. Ainsi l'Italie du vie siècle n'a rien à envier à l'Égypte et à l'Orient des siècles précédents.

11. Ainsi les épisodes de *Dial.* II, 3, 4 et III, 5, 2 font penser à Abdias, *Hist. cert. apost.*, p. 66-67 (Jean boit une coupe empoisonnée) ; celui de III, 22, 2-3 (cf. I, 3, 2-4 et III, 14, 7) rappelle Rufin, *Hist. eccl.* 10 (1), 5 (voleurs de moutons cloués sur place chez l'évêque Spiridion).
12. Traduit au vie siècle, peut-être en Afrique, le Paradis joint aux moines quelques figures de clercs ascètes, comme le feront les Dialogues.
13. Les 58 chapitres de celui-ci, qui correspondent aux 71 de l'Histoire Lausiaque, contiennent souvent plus d'une notice.
14. On pourrait même ajouter les figures douteuses ou mauvaises de ce Livre, car le Paradis en compte aussi plusieurs.

Grégoire le Grand, I.   8

De son côté, le Livre II rappelle évidemment quelques grandes Vies de saints moines, à commencer par celle d'Antoine écrite par Athanase et celle de Martin due à Sulpice Sévère. Plus qu'à la première, dont les dimensions sont nettement supérieures [15] et la composition bien plus lâche, il fait penser à la seconde par sa longueur voisine comme par son organisation méthodique [16].

Considérés dans leur ensemble, les trois premiers Livres de Grégoire ne sont pas sans analogie avec l'autre grande œuvre de Sulpice Sévère : les Dialogues. La ressemblance ne tient pas seulement à la forme dialoguée, mais aussi à la combinaison de notices brèves, concernant des personnages divers, avec un récit de grande ampleur consacré à un seul héros. Sulpice rapporte d'abord une douzaine d'anecdotes de Postumianus sur des moines égyptiens [17], puis, en un discours attribué à Gallus, une trentaine de faits concernant Martin. Grégoire, dans ses deux premiers Livres, ne procède pas autrement : aux douze petits récits sur des moines et des clercs italiens fait suite la longue biographie de Benoît. Sans la nouvelle série d'histoires brèves que constitue le Livre III, les Dialogues grégoriens reproduiraient assez exactement l'ordonnance de ceux de Sévère.

Quant à la manière de dialoguer, les deux auteurs diffèrent beaucoup. Si l'entretien de Grégoire et de Pierre est bien plus animé, nous l'avons dit, que celui de Boèce et de

15. A défaut de mesures précises, la *Vita Antonii*, avec ses 94 chapitres, semble être 1,5 ou 2 fois plus longue que *Dial.* II.

16. Nettement plus courte que *Dial.* II si on la prend seule, la *Vita Martini* s'en rapproche si on y joint les trois Épîtres qui la complètent. Quant à la composition, les groupes de miracles de *Dial.* II, 12-22 et 23-33 ne sont pas sans rappeler ceux de *Vita Martini* 12-15 (conversions de païens), 16-19 (guérisons) et 21-24 (affrontements avec le diable), où le nombre des épisodes est d'ailleurs moins élevé. La première partie de la *Vita* (1-10), qui suit un ordre non systématique, mais chronologique, correspond à *Dial.* II, 1-8, et le portrait final de Martin (*Vita* 25-27) à *Dial.* II, 36.

17. SULPICE SÉVÈRE, *Dial.* 1, 10-22. Cependant cette section égyptienne ne remplit pas à elle seule la première journée du Dialogue, qui contient en outre le début des récits sur Martin (L. 2). D'autres analogies entre Sévère et Grégoire seront relevées plus loin (n. 26-27).

Fabius, il paraît fort terne auprès des propos pleins de verve
et d'imprévu qu'échangent Sulpice et ses deux amis [18]. A
comparer l'œuvre grégorienne avec son ancêtre gauloise, on
mesure combien elle est austère, didactique, dépouillée. Il
reste que l'une et l'autre utilisent le dialogue comme cadre
d'une narration. Sans être tout à fait isolé — on connaît
au moins un autre dialogue narratif : celui de Pallade sur
saint Jean Chrysostome [19] —, ce parti est trop rare pour ne
pas constituer un trait d'union notable entre Sulpice Sévère
et Grégoire [20].

Cependant les deux Dialogues diffèrent encore sur un
autre point. L'élément didactique, dont nous avons dit l'importance chez Grégoire, n'est guère représenté dans l'œuvre
de Sévère. Quand celui-ci interrompt son récit, ce n'est pas
pour se livrer à des réflexions savantes comme le saint pape,
mais pour plaisanter les moines gaulois, critiquer les clercs
et les vierges, se plaindre à mots couverts des mauvais pro-
cédés de certains évêques.

Pour trouver un antécédent aux dissertations grégoriennes, il faut s'adresser ailleurs. On songe aussitôt à un
autre ouvrage dialogué : les Conférences de Cassien. Ces
entretiens avec des moines d'Égypte comportent, comme

18. Encore que les interventions des auditeurs cessent au cours
du long monologue de Gallus qui remplit presque toute la seconde
journée (*Dial.* 3, 2-15). — Un des traits qui distinguent le Dialogue
grégorien de son ancêtre est le système de la *praenotatio nominum*
(I, *Prol.* 7), qui réduit la tâche rédactionnelle de l'auteur à l'énoncé
des paroles échangées et supprime toute occasion d'interrompre la
conversation.

19. PALLADE, *Dial. de uita S. Ioh. Chrys.*, *PG* 47, 5-82. Curieu-
sement, l'entretien se situe déjà à Rome et s'échange entre un
évêque (oriental) et un diacre romain, le premier étant, comme
Grégoire, le narrateur.

20. Cf. P. R. COLEMAN NORTON, « The Use of Dialogue in the
Vitae Sanctorum », dans *JTS* 27 (26), p. 388-395 ; M. PLEZIA,
« L'histoire dialoguée : procédé d'origine patristique dans l'histo-
riographie médiévale », dans *Studia Patristica* 4, Berlin 1961
(*TU* 79), p. 490-496 ; B. R. VOSS, *Der Dialog in der frühchristlichen
Literatur*, Munich 1970, p. 365-366 (cf. p. 339, n. 68 : l'origine du
genre est peut-être à chercher dans les exercices de rhétorique
consistant à mettre l'histoire en dialogue, à la manière de THÉON,
Progymn. 4).

ceux de Grégoire avec Pierre, un mélange de théories et de
narrations. Toutefois les considérations spéculatives n'y
sont pas de simples excursus, mais l'objet même du discours, tandis que les récits n'apparaissent que çà et là, en
vue d'illustrer certaines thèses. Assez différentes à cet
égard des trois premiers Livres de Grégoire, les Conférences
de Cassien ressemblent davantage au Quatrième, où la
doctrine des fins dernières structure le discours et commande
la distribution des récits.

L'arrière-plan du Livre IV : Énée de Gaza et Augustin A raison de son thème eschatologique,
de son caractère doctrinal et de sa forme
dialoguée, ce dernier Livre peut encore
être rapproché d'une œuvre orientale un
peu antérieure, le *Théophraste* d'Énée de
Gaza [21]. Mais celui-ci traite particulièrement de la résurrection des morts, sujet que Grégoire n'aborde pas pour
lui-même. De plus, si Énée raconte en finale quelques histoires, dont l'une se retrouve dans nos Dialogues [22], l'élément narratif reste chez lui aussi réduit que chez Cassien
et ne peut se comparer à l'abondance des récits de Grégoire,
même au Livre IV. Rien n'indique, en définitive, que Grégoire ait connu cet ouvrage grec et s'en soit inspiré.

En revanche, il n'est pas douteux que le Quatrième Livre
des Dialogues doit beaucoup à Augustin. Il suffit de parcourir l'*Enchiridion*, le *De cura pro mortuis gerenda* et surtout ce vaste traité des fins dernières que sont les derniers
Livres de la Cité de Dieu, pour y retrouver la plupart des
problèmes et des solutions proposés par Grégoire, parfois
sous une forme à peine différente [23]. Cette dépendance, que
notre annotation montrera en détail, se double d'une simi-

---

21. ÉNÉE DE GAZA, *Theophrastus*, *PG* 85, 871-1004.
22. ÉNÉE, *Theophr.*, col. 1000-1001. Voir *Dial.* III, 32, 1-3 et
notes. Mais cette histoire est racontée par plusieurs autres auteurs,
avec lesquels Grégoire a parfois des points de contact particuliers.
De plus, il cite une source orale. Reste qu'Énée parle comme lui
de *hiereas*.
23. Nous reviendrons sur ces contacts avec Augustin. Voir
ci-dessous, ch. V, n. 26-39.

litude de position : comme la Cité de Dieu, les Dialogues s'achèvent par la contemplation de l'au-delà. Les vingt-cinq récits de miracles accumulés par Augustin dans un de ses chapitres [24] accentuent la ressemblance entre les deux œuvres.

Celle-ci, toutefois, ne doit pas être exagérée. Il y a loin de l'ample et puissant discours d'Augustin au modeste compendium qu'en tire Grégoire. Réunis par le premier en un seul chapitre, au service d'une seule et même proposition doctrinale, les récits de miracles se multiplient, se diversifient et s'éparpillent sur toute la surface de l'exposé du second, où ils illustrent chacune des thèses et prennent une importance bien plus considérable.

Les Dialogues sont «la Cité de Dieu récrite pour les simples», disait Batiffol. Cette définition, dont nous avons montré l'inexactitude [25], s'appliquerait assez bien, moyennant correction, au dernier Livre de Grégoire, sinon à l'œuvre entière. Ce quatrième Livre, peut-on dire, est la fin de la Cité de Dieu récrite pour une société qui a beaucoup perdu au plan de la culture et un peu progressé à celui de la foi. De ce milieu relativement simple, Grégoire ne se détache pas par un génie exceptionnel. Non par condescendance mais par connaturalité, il parle spontanément le langage simplifié, plus riche d'exemples que d'idées, qui peut être entendu des gens pieux, distingués et médiocrement instruits auxquels il s'adresse.

La synthèse des Livres I-III et le précédent de Sulpice Sévère Quand on rassemble les antécédents variés des Dialogues, on se trouve en présence d'une ascendance assez complexe. Le triptyque des trois premiers Livres s'apparente à la fois aux recueils de courtes notices sur les saints d'Orient — *Historia monachorum*, Paradis d'Héraclide — et aux grandes

24. AUGUSTIN, *Ciu.* 22, 8. Cf. ch. III, n. 44-45 et 50 : ces miracles diffèrent de ceux des Dialogues en ce qu'ils sont posthumes et que leur portée est apologétique (cf. *Dial.* IV, 6, 1).
25. Voir ci-dessus, ch. I, n. 23-85. Cf. ci-dessous, ch. V, n. 10.

Vies de moines comme Antoine et Martin. On dirait que
Grégoire veut doter d'un coup l'Italie de ces deux sortes
d'histoires qui illustraient depuis longtemps d'autres parties de la chrétienté. Avec deux siècles de retard, son pays
possédera enfin, grâce à lui, un ensemble hagiographique
comparable à celui de l'Égypte. A lui seul, il sera pour l'Italie un Rufin, un Athanase et un Pallade.

Dans cette œuvre de synthèse, Grégoire a été précédé par
Sulpice Sévère. Déjà celui-ci a produit — en des ouvrages
séparés, il est vrai — une grande Vie de saint, complétée
par trois Lettres, et un recueil de traits édifiants relatifs à
divers personnages. Ce second ouvrage, les Dialogues, comprend lui-même un récit de voyage en Égypte, fait de multiples petits tableaux, et une longue séquence complémentaire sur le héros de la grande biographie précédente, Martin.

A considérer l'œuvre sévérienne dans son ensemble, on
a donc devant soi une sorte de trilogie [26], formée d'une première Vie de Martin, d'un recueil d'anecdotes égyptiennes
et d'une seconde Vie de Martin. Ce triptyque est à la fois
semblable et opposé à celui des Dialogues de Grégoire. Semblable, il l'est par sa structure — deux volets analogues
encadrant un panneau central différent — ainsi que par les
motifs qu'il combine : petits médaillons et grand portrait.
Mais ce que Sulpice place au centre, c'est la collection de
petites figures, en la flanquant de deux grands portraits de
Martin [27]. A l'opposé, Grégoire met au centre le portrait
en pied de Benoît, et sur les volets latéraux deux séries de
personnages mineurs.

Une autre différence entre Sévère et Grégoire est que le
premier emprunte ses sujets à des régions différentes :

26. Celle-ci ne coïncide pas parfaitement avec la division primitive des Dialogues, dont le Livre I (réunissant les Livres I et II des
éditions modernes) comprenait à la fois le voyage d'Égypte et le
début de la seconde Vie de Martin.
27. Le second de ceux-ci (Dial. 2-3) est bien moins ordonné que
le premier (Vita Martini). Comparer, toutes proportions gardées,
le Premier et le Troisième Livre des Dialogues grégoriens (cf. ci-
dessus, ch. II, n. 55-59).

l'Égypte et la Gaule, tandis que les petits personnages de Grégoire appartiennent à l'Italie aussi bien que son grand héros. Chez Sévère, les petites histoires de moines égyptiens étaient expressément destinées à mettre en relief, par comparaison, la grande figure du moine-évêque gaulois. Un contraste du même genre est sans doute voulu par Grégoire, encore qu'il ne le dise pas, mais le pape n'oppose pas pour cela Benoît, son compatriote, à des saints d'une autre contrée. L'Italie du vie siècle a la bonne fortune de posséder ce qui manquait à la Gaule du ive, au moins si l'on en croit l'âpre censeur qu'est Sévère : une pléiade de saints dignes d'entourer le thaumaturge principal.

Ainsi l'œuvre hagiographique de Grégoire est entièrement italienne. Ce que le prêtre gaulois n'avait réussi qu'à moitié, le pontife romain l'obtient complètement dans ses trois premiers Livres. Par ses soins sa patrie aura non seulement une grande biographie, capable de rivaliser avec celle d'Antoine, mais encore une abondance de notices hagiographiques comparable à celle des « Vies des Pères » en Égypte.

Les recueils de Grégoire de Tours

Cependant ce succès ne doit pas être apprécié à la seule lumière d'une comparaison avec l'œuvre de Sulpice Sévère. Car la Gaule n'en était pas restée à la production de ce pionnier. Dans le dernier tiers du vie siècle, un autre écrivain, auvergnat devenu évêque de Tours, avait pris la plume et enrichi le patrimoine gaulois d'une œuvre hagiographique de grande envergure.

Cette œuvre de Grégoire de Tours, qui est à peine achevée quand Grégoire de Rome écrit ses Dialogues, ressemble beaucoup à ceux-ci. Sans présenter une grande Vie de saint analogue à celle de Benoît [28], elle comprend à la fois des livres rapportant les hauts faits de héros divers — martyrs, confesseurs, « pères » —, et d'autres consacrés aux miracles d'un seul saint, comme Julien de Brioude ou Mar-

---

28. Grégoire de Tours a laissé ce genre d'ouvrage à son ami Venance Fortunat, dont les Vies sont d'ailleurs de qualité assez médiocre.

tin de Tours. Dans le détail, les récits de ces ouvrages, comme ceux de l'*Historia Francorum*, sont mainte fois si semblables à ceux de nos Dialogues qu'on ne peut s'empêcher de se demander si le pape Grégoire n'a pas lu et démarqué les écrits de son homonyme [29].

Quoi qu'il en soit de ce point, c'est un fait que la Gaule possède depuis peu, au moment où Grégoire rédige ses Dialogues, l'équivalent des recueils de notices hagiographiques composés près de deux siècles plus tôt en milieu égyptien. Ce précédent de fraîche date, dont Grégoire doit à tout le moins avoir entendu parler [30], n'a pu que le stimuler à réaliser pour l'Italie ce qui venait d'être fait pour la Gaule. Par la même occasion, il produirait un substitut italien de ce que la Gaule possédait depuis longtemps avec sa double *Vita Martini* : une longue Vie de saint moine semblable à la *Vita Antonii*.

**Hagiographie latine
et grecque**
Au reste, les trois premiers Livres des Dialogues n'ont pas seulement les antécédents lointains ou proches que nous venons d'indiquer. A ces modèles ou parallèles, auxquels on songe en premier lieu, s'ajoutent les autres membres de l'une et l'autre famille d'écrits auxquels appartiennent nos trois Livres. Le genre des recueils de notices hagiographiques comprend une œuvre célèbre, l'*Histoire philothée* de Théodoret, dont un trait au moins semble être passé dans le Livre III des Dialogues [31].

---

29. Sur cette question délicate, on peut voir l'étude que nous avons faite de deux cas tirés des Homélies sur les Évangiles : « Grégoire le Grand, lecteur de Grégoire de Tours ? », dans *AB* 94 (1976), p. 225-233.

30. Il a été en contact avec un diacre de Tours envoyé par son évêque peu avant le début du pontificat. Cf. Grég. de Tours, *Hist. Franc.* 10, 1.

31. Comparer *Dial.* III, 16, 9, et Théodoret, *Hist. rel.* 26, 10. Sans avoir lu l'*Historia religiosa*, Grégoire peut avoir entendu raconter ce trait de la Vie de Syméon Stylite, soit au cours de son séjour à Constantinople, soit à Rome même. Bien entendu, il peut en avoir été de même pour Benoît, héros du récit grégorien, et pour les informateurs de Grégoire.

Quant aux Vies de saints, leur multitude ne permet guère de délimiter avec précision le champ des lectures de Grégoire, mais on peut sans grand risque d'erreur désigner quelques-unes de celles qu'il a dû connaître : avant tout la Vie d'Hilarion par Jérôme [32], puis la Vie d'Ambroise par Paulin et celle de Séverin par Eugippe, toutes deux italiennes à des titres divers ; pour la Gaule, la Vie de Césaire d'Arles, et moins probablement celle des Pères du Jura ; pour l'Afrique, les Vies de Cyprien, d'Augustin et peut-être de Fulgence. Comme les Vies d'Antoine et de Martin, ces récits latins de bonne qualité, écrits par des biographes contemporains de leur sujet, ouvraient la voie à l'historien de Benoît.

Du côté oriental, l'incertitude où l'on est touchant la connaissance du grec qu'avait Grégoire [33], ne permet pas de s'avancer beaucoup. En tout cas, une œuvre comme celle de Cyrille de Scythopolis fournit un point de comparaison intéressant à qui veut situer l'œuvre grégorienne. Peu de temps après celle-ci, le *Pré spirituel* de Jean Moschus et la Vie de Jean l'Aumônier par Léonce de Neapolis — celle-ci surtout — présentent des points de contact importants avec nos Dialogues. Si le premier dépend certainement des Dialogues [34], il se pourrait que la seconde recueille indépendamment certains traits de légende transmis par Grégoire [35].

Par toute sa manière, en outre, le *Pré spirituel* rappelle les Dialogues. Avec la *Vita Patrum* de Grégoire de Tours, il encadre l'ouvrage de Grégoire à la fois dans le temps et

32. A laquelle il faut ajouter la *Vita Pauli* et peut-être la *Vita Malchi*.

33. Cf. J. M. PETERSEN, « Did Gregory the Great know Greek ? », dans *Studies in Church History* 13 (1976), p. 121-134.

34. Comparer *Dial.* IV, 57, 8-16, et JEAN MOSCHUS, *Pré spir.* 192. Cependant les divergences sont telles qu'on se demande si Moschus, qui a séjourné à Rome, ne tient pas l'histoire d'une tradition orale découlant des Dialogues, tradition dont il a pu aggraver lui-même les déformations.

35. Comparer *Dial.* III, 1, 2, et LÉONCE DE NEAP., *V. Ioh. Eleem.* 22 ; *Dial.* IV, 59, 1, et LÉONCE, *V. Ioh.* 24. Ce dernier parallèle est très frappant.

dans l'espace. Entre ces deux parallèles, l'un à peine avant
notre auteur, l'autre peu après, le premier au Nord-Ouest
de la péninsule, le second vers le Sud-Est, les Dialogues
apparaissent avec une évidence accrue comme l'ouvrage
dont l'Italie avait besoin juste à ce moment.

Caractères
de la Vie de Benoît
Les antécédents que nous venons
d'énumérer permettent en particulier
de situer le Second Livre des Dia-
logues. Cette Vie de Benoît, qui n'est qu'un tissu de miracles, diffère du tout au tout des Vies de Cyprien, d'Augustin et de Fulgence, où le merveilleux manque presque
complètement [36]. Même parmi les autres Vies, dont la teneur
en miracles est importante, elle se distingue par la surabon-
dance de ceux-ci [37]. Non que les prodiges y soient plus
extraordinaires qu'ailleurs, mais peu d'œuvres présentent
une chaîne de miracles aussi serrée, aussi constitutive de la
structure du texte, aussi exclusive de tout autre élément.
Bien plus longue, la *Vita Antonii* en contient deux fois
moins, tandis qu'elle fait une large place aux enseignements
du saint, à son portrait moral, aux notations sur son comportement et son ascèse [38]. De telles indications sont
malheureusement presque absentes de la Vie de Benoît.
Grégoire se contente de renvoyer en finale à la « règle des
moines » écrite par le saint, où le lecteur trouvera, avec sa
doctrine, le reflet de sa manière de vivre et de sa person-
nalité [39]. Cette référence à un ouvrage de Benoît dispense le

36. On n'y relève guère que les traits suivants, d'un merveilleux
très discret : une vision prémonitoire de Cyprien (PONTIUS, *V.
Cypr.* 12), une guérison qu'Augustin mourant accomplit comme
malgré lui (POSSIDIUS, *V. August.* 29), une prédiction de Fulgence
(FERRAND, *V. Fulg.* 49).
37. Benoît fait près de deux fois plus de miracles spécifiés qu'Hilarion.
38. ATHANASE, *V. Ant.* 16-43 (grand discours ascétique) ;
55 (conseils aux moines) ; 73 et 85 (apophtegmes) ; 74-80 (discours
aux païens) ; 89 et 91 (dernières recommandations). Portraits
d'Antoine : *V. Ant.* 14.67. 73. Aperçus sur son ascèse : *V. Ant.* 3-
4.7.45.47 ; cf. 12.50-51.93.
39. *Dial.* II, 36. Cf. ci-dessus, ch. III, n. 21-22.

biographe des prestations habituelles de l'hagiographie [40].
Négligeant complètement de rapporter les leçons du saint,
sa *conuersatio*, ses vertus, il peut faire de cette grande Vie
une simple collection de miracles, à la manière des deux
recueils de notices qui l'environnent.

De ce fait, le Second Livre des Dialogues s'insère parfaitement dans un ouvrage intitulé *De miraculis patrum Ita-
licorum* [41]. En revanche, il déçoit le lecteur moderne, qui
préférerait aux récits d'événements miraculeux des données
sur le caractère, le comportement ordinaire, le message
spirituel et le gouvernement du grand abbé. Du moins
faut-il savoir gré à l'auteur de tracer, au début et à la fin
de cette biographie, un schème d'ascension spirituelle, qui,
sans interrompre la chaîne des miracles, la double d'un enseignement sur la marche vers Dieu [42].

Au reste, l'élément doctrinal et moral ne manque pas dans
cette Vie de Benoît. Mais plutôt que dans les enseignements
et les exemples de Benoît lui-même, il réside dans les réflexions que Grégoire et Pierre font à son propos. Comme la
mention finale de la *regula*, ces excursus didactiques tiennent
lieu de renseignements sur l'âme et la doctrine du saint.
La charge spirituelle du Livre est moins placée dans la biographie proprement dite que dans ses marges.

Il serait intéressant de poursuivre la comparaison de
la Vie de Benoît avec ses semblables. Nous ne pouvons le
faire ici [43]. Ce qui vient d'être dit laisse entrevoir la méthode

40. Voir notre article « La mention de la *Regula monachorum* à
la fin de la Vie de Benoît. Sa fonction littéraire et spirituelle », dans
RBS 5, p. 289-298. Cf. SULPICE SÉVÈRE, *V. Mart.* 25-27 (portrait de
Martin) et 25, 4-8 (son enseignement ; cf. *Dial.* 2, 11-12) ; EUGIPPE,
V. Seu. 43, 1-7 (dernières recommandations de Séverin) et 4, 6-
12.17, 2-3.39 (son ascèse) ; *Vie des Pères du Jura* 62-67 (*conuersatio*
de Lupicin) et 167-174 (ascèse d'Oyend et règle de son monastère),
etc.

41. Cf. *Reg.* 3, 50 = *Ep.* 3, 51 : *aliqua de miraculis Patrum quae
in Italia facta audiuimus sub breuitate scribere.*

42. Voir ci-dessus, ch. III, n. 87-94.

43. On trouvera quelques indications dans « Un cinquantenaire :
l'édition des Dialogues de saint Grégoire par U. Moricca », dans
BISI (1977).

comparative qui est à suivre pour interpréter avec profit cet essai biographique de Grégoire. A présent, il nous faut passer de l'arrière-plan littéraire de l'œuvre [44] à son contenu historique. A cet égard, le problème particulier du Livre Second est inséparable de celui que posent les Dialogues en leur entier.

II. Les Dialogues et la réalité historique

Sources orales : les témoignages invoqués En composant ses Dialogues, Grégoire n'entend pas faire œuvre de fiction. Autant il est réservé sur l'existence de ces modèles hagiographiques qui pourraient inspirer ses récits, autant il insiste sur les témoignages garantissant les faits qu'il raconte. Une seule fois, nous l'avons vu, ce témoignage vient d'un « écrit [45] ». Dans tous les autres cas, il a été porté oralement soit par tel personnage nommément désigné [46], soit par un individu qui reste anonyme [47], soit par un ensemble de personnes, comme les habitants d'une ville ou d'une province [48], ou plus vaguement encore « des anciens tout à fait vénérables [49] », « des hommes religieux [50] », « quelques personnes qui sont encore en vie [51] », « nos anciens [52] ».

---

44. Avant de quitter celui-ci, il faut au moins mentionner les traces de lectures profanes qui se laissent deviner dans les Dialogues. A celles qu'ont relevées P. Courcelle et d'autres (voir notes sous *Dial.* II, 3, 5 ; 35, 5 ; 37, 3), on peut ajouter celles que nous signalons en note sous *Dial.* III, 32, 1-4 (Procope ?) et IV, 1, 3 (Platon, Aristote, Cicéron ?), toute réserve étant faite sur les unes et les autres.
45. III, 1, 9 (ci-dessus, n. 4).
46. C'est le cas normal. Sur la préférence donnée aux témoins qualifiés, voir ch. I, n. 72-73.
47. I, 9, 15 et 10, 11 ; III, 12, 2.
48. III, 7, 1 ; III, 26, 1. Cf. IV, 14, 1 et 5 (moniales du monastère de Galla).
49. I, *Prol.* 10.
50. III, 1, 10 et 5, 1 ; IV, 23, 1.
51. III, 24, 1.
52. III, *Prol.* et 2, 3. Cf. IV, 42, 1 (*maioribus*).

La liste de ces témoins ayant été dressée par Moricca [53], il suffit de noter ici que les cas où aucun témoignage n'est invoqué sont rares [54], et qu'il s'agit en général de faits tout proches, dont Grégoire laisse entendre qu'il est informé directement [55]. Il a donc un souci manifeste d'accréditer tous ses récits en les authentifiant autant qu'il le peut.

Remarquons toutefois que la garantie d'authenticité reste sommaire pour le Livre II. Au début de celui-ci, Grégoire se réfère au témoignage de quatre abbés, successeurs ou anciens disciples de Benoît, dont seul le dernier, Honorat, paraît être encore en vie [56]. Une fois seulement, au milieu du Livre, il cite un de ces témoins en particulier — il s'agit du même Honorat —, à propos d'une prophétie déterminée [57]. Ailleurs, la référence collective du début, reproduite vers la fin du Livre [58], couvre globalement, sans autre précision, l'ensemble des faits racontés.

Cependant deux épisodes du Livre II font exception [59]. Ces deux miracles consécutifs, Grégoire en a eu connaissance par deux narrateurs étrangers au groupe des quatre abbés : l'*illustris uir* Aptonius et un disciple de Benoît nommé Peregrinus. Dans le premier récit, le saint guérit un homme de la lèpre ; dans le second, il obtient par sa prière les douze sous dont il a besoin pour faire la charité à un solliciteur. Chose curieuse, ce couple de miracles relatés par des témoins extraordinaires est suivi de deux miracles fort semblables rapportés par les témoins ordinaires : un autre homme est guéri d'une sorte de lèpre, et Benoît obtient par la prière l'huile dont il a besoin pour nourrir sa commu-

---

53. Moricca, p. xxiii-xxxii. Voir nos remarques ci-dessus, ch. I, n. 72.
54. Voir par exemple IV, 24, 1 (mais les *religiosi uiri* cités en 23, 1 n'attestent-ils pas aussi cette histoire ?).
55. Voir IV, 17.19.38.49. Cf. III, 32-36 : quatre épisodes qui se rattachent à des souvenirs personnels de Grégoire (Constantinople et Rome).
56. II, *Prol.* 2. Cf. IV, 8 et 9, 1.
57. II, 15, 4. Cf. II, 13, 1 (le frère de Valentinien).
58. II, 27, 3.
59. II, 26 ; 27, 1-2. Cf. ci-dessus, ch. II, n. 48-49.

nauté en un temps de famine [60]. Le lecteur a l'impression
de doublets et ne peut s'empêcher de penser qu'une des
deux séquences a inspiré l'autre, ou l'a du moins attirée à
cet endroit [61].

**Les doublets
du récit grégorien**

Ce détail de la Vie de Benoît nous introduit dans la délicate question du rapport des récits grégoriens avec d'autres
narrations similaires qui se lisent soit dans les Dialogues
eux-mêmes, soit ailleurs. Pour commencer par les premières,
relevons d'abord dans les Dialogues une série de doublets.

A plusieurs reprises, nous l'avons déjà observé [62], les
miracles de Benoît se répètent, soit à proximité, soit à
distance [63]. Plus troublantes encore sont certaines rencontres entre la geste de Benoît et celle d'autres thaumaturges. Comme l'évêque Boniface, l'abbé du Mont-Cassin
obtient par la prière les deux sous nécessaires à sa charité [64] ;
comme Isaac de Spolète, il révèle à un messager infidèle
qu'un serpent s'est introduit dans le récipient caché au
bord de la route [65] ; comme Sabin de Canosa, son ami, il
démasque une supercherie du roi Totila et déjoue, par un
signe de croix tracé sur le vin, une tentative d'empoisonnement [66] ; comme l'abbé Spes, son compatriote, il meurt
à l'oratoire, en prière, après la communion, et ses disciples
voient son âme monter au ciel — au reste, Benoît avait vu
lui-même l'âme de sa sœur monter là-haut sous la forme
d'une colombe, précisément comme celle de ce même Spes [67].

60. II, 27, 3 ; 28-29.
61. Sur les indices suggérant que II, 27, 1-2 est une insertion
postérieure, voir les notes sous ces paragraphes.
62. Cf. ci-dessus, ch. II, n. 45, 47 et 50.
63. Aux faits déjà relevés, on peut ajouter la correspondance
de II, 11 et 30 (le diable annonce à Benoît qu'il va faire un mauvais
coup) ; II, 4 et 25 (yeux dessillés par l'oraison).
64. Comparer I, 9, 10-13 et II, 27, 1-2.
65. II, 18 et III, 14, 9. L'identité est quasi complète. Cf. ch. V,
n. 68.
66. II, 3, 4 et III, 5, 3-4 ; II, 14 et III, 5, 1-2. Sabin et Benoît
se sont d'ailleurs rencontrés et ont conféré sur Totila (II, 15, 3-4).
67. II, 34, 1 et IV, 11, 4 ; II, 37, 1-3 et IV, 11, 3-4. Les deux
saints ont, en outre, reçu l'annonce de leur mort prochaine.

Dans ce dernier cas, Grégoire semble avoir senti les doublets et cherché à les masquer. Au début du Livre IV, avant de raconter la mort et l'assomption de Spes, il ne mentionne ni celles de Benoît, ni celles de sa sœur, bien que la thèse qu'il veut démontrer eût gagné à ces rappels, tout comme à celui de l'apothéose de l'évêque Germain de Capoue [68].

Plus loin, le Livre IV présente encore plusieurs faits analogues à ceux des Livres précédents, de la Vie de Benoît en particulier [69]. Mais ce dernier Livre se distingue surtout, à cet égard, par un trait général qui commençait à se dessiner dans le Second et le Troisième : la tendance à réunir en séries les miracles similaires, destinés à illustrer la même thèse [70]. Ces similitudes sont parfois telles qu'on peut parler de répétition.

En outre, il arrive que deux récits du Livre IV, assez éloignés l'un de l'autre, se correspondent fort exactement [71]. Le cas le plus frappant est celui des apparitions d'âmes en purgatoire. A l'évêque Germain d'abord, puis à un prêtre de Centumcellae, tous deux de passage dans un établissement thermal, apparaît le fantôme d'un défunt qui expie ses péchés en faisant le service des bains ; sollicités l'un et l'autre par le malheureux, ils intercèdent pour lui et obtiennent sa délivrance : à la visite suivante qu'ils font aux thermes, ils ne le trouvent plus [72]. Les deux récits coïncident non seulement dans les grandes lignes, mais encore par des détails tels que le cadre balnéaire, la peine imposée au pénitent, la demande qu'il adresse à l'ecclésiastique en visite, le signe auquel celui-ci reconnaîtra qu'il est délivré.

68. II, 35, 3 et IV, 8.
69. Comparer IV, 27, 4 et I, 8, 2 (appel nominal de mourants) ; IV, 55, 2-3 et II, 23, 4 - 24, 1 (morts chassés) ; IV, 57, 1-7 et II, 23, 5 (délivrance d'âmes défuntes par la messe).
70. Voir ch. II, n. 89, 95-96, 98, etc. Au sujet du Livre II, voir *ibid.*, n. 45. Livre III, *ibid.*, n. 52-54.
71. Ainsi les deux voyages aux enfers de Reparatus (IV, 32, 2-4) et d'Étienne (IV, 37, 5-6).
72. IV, 42, 1-4 et 57, 3-7. Le second récit vient de l'évêque Félix de Porto, qui est encore vivant. Délivré par la prière dans le premier cas, le défunt l'est par la messe dans le second.

Un parallèle aussi exact et aussi suivi suggère irrésistiblement qu'un des récits a été copié sur l'autre, à moins qu'ils ne reproduisent tous deux le même modèle.

Analogies avec des précédents littéraires : quatre exemples On a la même impression quand on compare certains récits de Grégoire avec ceux de ses devanciers. Dès les premières pages, le lecteur reconnaît des histoires familières : comme Martin, Libertinus ressuscite un enfant au cours d'un voyage [73] ; comme le moine Ammon de l'*Historia monachorum*, le jardinier de Fondi requiert un serpent pour monter la garde dans son jardin [74] ; comme l'abbé Serenus chez Cassien, Equitius est délivré de tentations charnelles par un ange qui l'immunise à tout jamais en le mutilant [75].

Relevées en détail dans notre annotation, les correspondances de ce genre sont trop nombreuses et variées pour que nous tentions de les rassembler ici. Plutôt que de les énumérer toutes, essayons de préciser, d'après quelques cas typiques, la nature des relations du récit grégorien avec ses antécédents littéraires. Nous prendrons pour cela quatre exemples, un dans chaque Livre des Dialogues :

I. Au Livre Premier, Grégoire raconte que Libertinus, prieur du monastère de Fondi, fut un jour jeté à bas de sa monture par des cavaliers goths, qui s'emparèrent de celle-ci. Un peu plus loin, ces soldats durent s'arrêter, leurs propres chevaux refusant d'avancer. Battues jusqu'au sang, les bêtes restèrent immobiles jusqu'à ce que leurs maîtres, reconnaissant la faute commise, eussent restitué à Libertinus le cheval volé [76].

A peu de chose près, cette histoire reproduit un épisode des Dialogues de Sulpice Sévère. Comme Libertinus, Martin est malmené sur la route par des agents du fisc. Aussitôt les chevaux de ceux-ci se mettent en grève et demeurent

---

73. Comparer I, 2, 5-6 et SULPICE SÉVÈRE, *Dial.* 2, 4.
74. I, 3, 2-4 et *Hist. mon.* 8.
75. I, 4, 1 et CASSIEN, *Conl.* 7, 2.
76. I, 2, 2-3.

immobiles sous les coups. Ils ne se remettent en marche qu'après réparation de l'offense commise envers le serviteur de Dieu [77].

II. Au Livre Second, Benoît prédit au roi Totila ses succès prochains et sa mort. Il entrera à Rome, passera la mer, mais avant d'avoir régné dix ans, il périra [78].

Comme on l'a remarqué naguère [79], cette prophétie ressemble singulièrement à un autre épisode martinien. Dans la *Vita Martini*, Sulpice Sévère montre le grand moine-évêque prédisant à l'usurpateur Maxime ses victoires et sa mort au delà des Alpes [80]. A son tour, Sévère pourrait songer, en faisant ce récit, aux célèbres prophéties de Jean de Lyco à Théodose [81].

III. Au Livre suivant, Grégoire rapporte que l'évêque André de Fondi, ayant commencé de s'éprendre d'une religieuse qui habitait chez lui, fut préservé d'une chute complète par les avertissements d'un Juif de passage. S'étant arrêté dans un temple païen de Fondi, ce voyageur avait assisté à un conciliabule nocturne de démons, où le diable qui tentait l'évêque avait reçu les plus grands éloges. Le récit de cette vision convertit l'évêque, qui chasse la religieuse et transforme le temple en un oratoire dédié à saint André, tandis que le Juif, également converti, reçoit le baptême [82].

A part certains détails, l'histoire se lit déjà chez Cassien [83] et dans un apophtegme anonyme de la grande collection systématique traduite à Rome au VIe siècle [84]. Chaque auteur a un dessein particulier, mais tous trois rapportent

77. Sulpice Sévère, *Dial.* 2, 3. Après un épisode propre à Grégoire, le parallélisme se poursuit (voir ci-dessus, n. 73).

78. II, 15, 1-2.

79. P. A. Cusack, « Some Literary Antecedents of the Totila Encounter in the Second Dialogue of Pope Gregory I », dans *Studia Patristica* 12 (1975), p. 87-90.

80. Sulpice Sévère, *V. Mart.* 20, 8-9.

81. *Hist. mon.* 1, 391 c et 405 a ; Rufin, *Hist. eccl.* 2 (11), 19 et 32.

82. III, 7, 1-9.

83. Cassien, *Conl.* 8, 16.

84. *Vitae Patrum* 5, 5, 39, *PL* 73, 885-886. Cf. *VP* 5, 5, 24.

la même vision d'une assemblée de démons où ceux-ci
reçoivent blâmes et récompenses selon leur zèle à faire
pécher les humains.

IV. Dans le dernier Livre des Dialogues, Grégoire décrit
l'étrange phénomène des morts par erreur : un défunt
revient à la vie, tandis qu'un vivant portant le même nom
meurt au même moment ; le revenant de l'au-delà révèle
qu'on avait commis là-bas une confusion entre les deux
homonymes ; l'erreur reconnue, on a renvoyé l'un et fait
venir l'autre. C'est ce qui est arrivé de nos jours aux deux
Étienne, le *uir illustris* et le forgeron, trépassés coup sur
coup à Constantinople [85].

Avec une foule de circonstances additionnelles, ce thème
remplit déjà plusieurs pages du *De cura pro mortuis gerenda*
d'Augustin. Un pauvre curiale africain nommé Curma,
reprenant ses sens après plusieurs jours passés dans le coma,
envoie prendre des nouvelles de son homonyme, Curma le
forgeron. Celui-ci vient de mourir, comme le curiale l'avait
entendu ordonner avant son retour à la vie [86]. Peu importe
qu'Augustin s'intéresse, en cette affaire, à autre chose que
Grégoire [87]. Celui-ci paraît bien connaître le récit augusti-
nien, dont on trouve chez lui un premier écho quelques
chapitres auparavant [88]. A cette source, le diacre Pierre
fait même une allusion certaine dans l'interrogation qui
introduit le présent chapitre [89]. La dépendance de Grégoire
à l'égard d'Augustin est d'autant plus claire que le personnage condamné à une mort définitive se trouve être, selon
l'une et l'autre histoire, un forgeron (*ferrarius*).

**Examen critique
de chaque cas**   Dans ces quatre cas, comme dans
beaucoup d'autres, la ressemblance du
récit des Dialogues avec une narration
précédente est telle qu'on peut se demander si Grégoire n'a

85. IV, 37, 5-6.
86. Augustin, *Cura mort.* 12, 15.
87. La visée d'Augustin est spéculative, celle de Grégoire morale.
88. IV, 32, 2-4.
89. IV, 37, 1. Les *nonnulli* de cette phrase, calquée sur un passage d'Augustin, ne sont autres que Curma.

pas attribué à ses héros italiens du vie siècle ce que Sulpice
Sévère, Cassien, les *Vitae Patrum* et Augustin avaient
raconté au sujet de personnages gaulois, égyptiens ou africains antérieurs d'un siècle ou deux. Cependant chaque cas
appelle un examen particulier, qui tienne compte à la fois
des témoignages invoqués par Grégoire et des modèles littéraires dont il a pu s'inspirer. Essayons de le faire pour ces
quatre exemples :

I. Au début de son chapitre sur Libertinus de Fondi (I, 2),
Grégoire invoque deux témoignages, l'un global et anonyme
(*plurimorum narratio*), l'autre individuel et nominal : le
religiosus uir Laurent, actuellement en vie. Tout en donnant à entendre qu'il puise surtout à cette dernière source,
le pontife n'exclut pas un recours à la première [90]. Il serait
même naturel que l'un ou l'autre des quatre épisodes —
en particulier le premier, celui qui nous intéresse ici —
provienne de cette rumeur publique invoquée en premier
lieu.

D'autre part, le récit grégorien ne présente aucun point
de contact verbal notable avec le texte de Sulpice Sévère.
Tous les détails diffèrent. Plusieurs mentions précises —
le Samnium, Darida, le Vulturne — localisent et datent
l'épisode. L'ensemble de ces faits rend moins vraisemblable l'hypothèse d'un emprunt direct de Grégoire à l'écrivain gaulois. Plus probablement, le pape reproduit un récit
provenant de Laurent ou de la voix publique. Celle-ci peut
d'ailleurs faire écho à l'histoire si populaire de Martin. C'est
sans doute à ce niveau des « récits répandus dans le public [91] »
que s'est produite l'interférence entre la geste de Martin et
celle de Libertinus, si interférence il y a eu.

II. La prophétie de Benoît à Totila n'est rapportée en
particulier à aucun des quatre narrateurs cités au début du
Livre II, à la différence de la prédiction au sujet de Rome
relatée dans le même chapitre, que Grégoire tient, nous dit-il,

90. I, 2, 1 : le *pauca* final peut répondre à *uirtutes multas* (récits
de la voix publique) aussi bien qu'à *multa* (récits de Laurent),
sinon grammaticalement, au moins quant au sens.

91. *Dial.* I, 2, 1 : *de quo quamuis uirtutes multas plurimorum
narratio certa uulgauerit...*

de l'abbé Honorat, actuellement en vie [92]. Comme la plupart des récits du Livre Second, la rencontre de Benoît avec Totila n'est donc garantie que par une référence générale à un groupe de témoins dont trois sur quatre sont disparus. Dans ces conditions, rien n'empêche le biographe d'insérer, si bon lui semble, quelque épisode de son invention, imité d'une autre biographie prestigieuse.

Au plan de la formulation, les points de contact entre Grégoire et Sulpice, sans faire défaut comme précédemment, sont assez ténus [93], et l'on en trouve de semblables, ni plus ni moins significatifs, entre la prédiction de Benoît à Totila et celles de Jean de Lycopolis à Théodose rapportées par l'*Historia monachorum* et le Paradis d'Héraclide [94]. Cependant un trait des Dialogues grégoriens fait penser à un autre récit de Sulpice Sévère concernant Martin : comme le cruel comte Avitien, le cruel roi Totila s'adoucit après sa rencontre avec l'homme de Dieu [95].

Au total, la dépendance littéraire de Grégoire à l'égard de Sulpice n'est pas démontrée, mais les indices en ce sens sont un peu plus nets que dans le cas précédent. Ce qui paraît plausible, en tout cas, c'est l'influence exercée sur Grégoire ou sur ses informateurs par les représentations de saints moines — Martin ou Jean — prédisant à des rois leurs victoires et leur fin prochaines [96].

III. L'affaire d'André de Fondi est particulièrement troublante. D'une part, Grégoire fait appel au témoignage à peu près général de toute une cité [97]. D'autre part, son récit ressemble à celui de Cassien jusque dans le détail de

---

92. *Dial.* II, 15, 4.

93. *Dial.* II, 15, 1-2 : noter *quidem* (1) et *ad Siciliam perrexit* (2).

94. *Historia monachorum* 1, *PL* 21, 405 a ; *Heraclidis Paradisus* 22, *PL* 74, 301 b.

95. Comparer GRÉGOIRE, *Dial.* II, 15, 2 : *atque ex illo tempore minus crudelis fuit* ; SULPICE SÉVÈRE, *Dial.* 3, 8, *PL* 20, 216 b : *satisque constat ab illo die Avitianum mitiorem fuisse.*

96. Ces histoires monastiques sont plus proches des Dialogues que les précédents bibliques (2 R 1, 16-17 ; 3, 14-25 ; 8, 7-15 ; 13, 14-19).

97. *Dial.* III, 7, 1 (148, 8-9) : *nec res est dubia quam narro, quia paene tanti in ea testes sunt quanti et eius loci habitatores existunt.*

l'expression [98], et plusieurs traits par où il en diffère ont leur parallèle dans l'apophtegme des *Vitae Patrum* ou dans la source grecque de celui-ci [99]. Ce chapitre des Dialogues présente donc tout ensemble de forts indices d'emprunt littéraire et une référence à une foule de témoins auprès desquels les dires de Grégoire devraient être faciles à vérifier.

Pour concilier ces faits apparemment contradictoires, on peut supposer que les gens de Fondi se sont approprié la légende de Cassien et des *Vitae Patrum*, en substituant un de leurs évêques, André, au moine anonyme du récit oriental ; de son côté, Grégoire, qui connaît bien Cassien [100] et sans doute aussi la traduction des apophtegmes par ses prédécesseurs Pélage et Jean, n'aura pas oublié ces rédactions antérieures en mettant par écrit la légende de Fondi.

Une autre solution consisterait à entendre l'appel au témoignage des habitants de la ville en un sens restrictif : il aurait pour objet précis la transformation du temple d'Apollon en sanctuaire chrétien par l'évêque André, tandis que Grégoire porterait seul la responsabilité du récit concernant la chute et la correction du personnage. L'existence d'un lieu de culte dans une cité donnée, avec son patronage, le nom de son consécrateur et des particularités telles que son origine païenne, est bien de ces *realia* qu'atteste une tradition locale. Celle-ci ne peut qu'accueillir avec sympathie une belle histoire qui respecte ces données et les associe à un fait merveilleux [101].

Dans l'hypothèse que nous envisageons, Grégoire pourrait donc se référer sans crainte au témoignage des gens de Fondi, tout en enrichissant leur patrimoine historique d'un épisode tiré de ses lectures sur les moines d'Égypte. Le caractère édifiant de la narration, les services qu'elle rendra à

98. Le voyageur, arrivé *le soir*, assiste au conciliabule *à minuit*, etc.

99. En particulier le temple païen qui sert de cadre à la vision, et le caractère non chrétien du visionnaire (juif ou païen). Celui-ci se convertit même, d'après l'apophtegme grec (NAU 191).

100. Un exemple parmi d'autres : comparer GRÉGOIRE, *Mor.* 34, 48-56, et CASSIEN, *Inst.* 12, 2-3.8.27.29.

101. Ainsi sont nées, on le sait, les légendes romaines des *Gesta martyrum*.

une cause sacrée — celle de la sainteté de vie du clergé —
justifieraient d'ailleurs le jeu verbal auquel Grégoire se
livre en laissant entendre que l'histoire entière — et pas
seulement certains de ses éléments — lui vient des habitants du lieu.

Tout cela, bien évidemment, reste du domaine de la
conjecture. Mais que l'on préfère telle ou telle de nos hypothèses ou n'importe quelle autre [102], on devra en tout cas
tenir compte des deux références de ce chapitre des Dialogues : l'une, explicite, à une nuée de témoins en chair et
en os ; l'autre, inavouée mais assez patente, à un ou deux
écrits que Grégoire avait sous la main.

IV. Au sujet de la mort des deux Étienne, Grégoire ne
cite aucun témoin. C'est à lui-même, dit-il, que l'*illustris uir*
avait coutume de raconter son voyage dans l'au-delà.
Quant à l'existence même du personnage, il se contente de
faire appel au souvenir de Pierre [103]. La scène se passe d'ailleurs à Constantinople, fort loin de Rome, et à une date
indéterminée.

Ces circonstances vagues et cette absence de témoins
sont à rapprocher du fait que nous avons établi plus haut :
la dépendance certaine des Dialogues à l'égard du *De cura
pro mortuis gerenda* d'Augustin [104]. Cette fois, Grégoire ne

102. Suggérons-en une : l'appel au témoignage des gens de Fondi
tomberait dans le vide, en quelque sorte, étant donné que la ville
est alors déserte du fait des hostilités, comme nous l'apprend Grégoire lui même (*Reg.* 3, 13-14 = *Ep.* 3, 13-14 ; cf. *Reg.* 5, 57ᵃ et 9,
45 = *Ep.*, *App.* 5 et 9, 25 : l'évêque Agnellus a été transféré à
Terracine). Cependant il faut tenir compte du fait que les habitants,
comme leur évêque, ont dû se réfugier quelque part et peuvent
encore « témoigner », quoique plus malaisément.

103. IV, 37, 5 : *quem bene nosti.* Étienne figure aussi dans la
vision du soldat anonyme rapportée plus loin (37, 12). Survenue
trois ans plus tôt, elle aurait été communiquée à un bon nombre de
personnes (37, 7-8), mais il n'est pas dit que chaque détail, en particulier ce qui concerne Étienne, ait joui de cette publicité.

104. Voir plus haut, notes 86-89. Voici un indice supplémentaire :
les visions du soldat anonyme de Grégoire — il a vu dans l'au-delà
différents défunts traités selon leurs mérites — correspondent à un
trait de l'histoire de Curma chez Augustin. Ce que celui-ci indique
de façon générale, Grégoire le monnaye en une série de scènes pit-
toresques, chargées d'enseignements moraux.

s'est pas donné beaucoup de peine pour masquer son emprunt. Visiblement, son histoire des deux Étienne n'est qu'un remploi de celle des deux Curma.

L'examen de ces quatre cas fait donc apparaître, avec une évidence croissante, l'arrière-plan littéraire des Dialogues. Si parfois des miracles de saints étrangers ont pu être attribués par la voix publique à des héros italiens avant d'être recueillis de bonne foi par Grégoire, il n'est guère douteux que celui-ci, dans d'autres cas, a lui-même opéré le transfert des textes à la réalité, des narrations d'écrivains antécédents à l'existence de personnages vivant en Italie au VIᵉ siècle.

Assez souvent, quand on examine les remplois similaires dans le reste de l'œuvre, on ne peut guère discerner à qui incombe la responsabilité : au narrateur ou à ses informateurs. Mais en tout état de cause, l'influence de modèles hagiographiques paraît plus d'une fois certaine. Les Dialogues ne sont donc pas simplement, comme le voudrait Grégoire, un recueil de miracles récents et bien attestés. Ils contiennent aussi un nombre important de récits plus ou moins démarqués d'ouvrages antérieurs.

Les modèles bibliques   Cette conclusion se confirme quand on prend garde à une autre sorte de modèle manifeste, dont Grégoire s'inspire tantôt ouvertement, tantôt sans le dire. De toute évidence, bien des traits de ses récits correspondent à des données de la Bible.

En beaucoup de cas, Grégoire a pris soin de rapprocher lui-même le fait raconté de son prototype scripturaire. Le premier personnage du Livre I, Honorat de Fondi, lui rappelle Jean-Baptiste et Moïse. Le second, Libertinus, le fait penser à Élisée. Un peu plus loin, le premier miracle d'Equitius est « à l'exemple » d'une guérison accomplie par le Christ [105], tandis que l'un de ceux de Nonnosus « imite » de nouveau un prodige d'Élisée [106]. Mais le plus remarquable

105. I, 4, 6. Dans I, 9, 5, on retrouve *exemplum magistri*, mais au sens moral.
106. I, 7, 4-5. Cf. *supra*, n. 2.

de ces rapprochements est celui que Grégoire, par la voix de
Pierre, opère au Livre suivant, à la fin du séjour de Benoît à
Subiaco. Cinq épisodes de ce cycle sont mis en rapport avec
des faits analogues de l'Écriture, rangés selon un ordre
suggestif : en Benoît, on reconnaît successivement Moïse,
Élisée, Pierre, Élie, David [107].

Les références explicites de ce genre ne sont pas rares
dans la suite. Quelques personnages bibliques reviennent
fréquemment : dans les deux premiers Livres, le prophète
Élisée est évoqué cinq fois [108], et les apôtres Pierre et Paul
quatre fois chacun [109], tandis que Daniel figure à deux reprises au Livre suivant [110]. Mais c'est surtout le Christ qui
occupe la pensée de Grégoire, soit comme modèle visible
des saints et des thaumaturges — ce rôle, analogue à celui
des autres figures bibliques, lui est surtout dévolu aux
Livres I et III [111] —, soit comme source latente et transcen-
dante des merveilles accomplies par eux — fonction qui est
particulièrement mise en évidence, on s'en souvient, au
Livre Second [112].

La typologie scripturaire des Dialogues est donc pour une
part un fait déclaré, que Grégoire met au service de sa thèse
maîtresse : le Seigneur est avec nous. Plus il apparaîtra que
les thaumaturges italiens du vıe siècle ont ressemblé, par
leurs miracles et leurs vertus, aux saints de l'un et l'autre
Testament, plus le lecteur sera convaincu de la présence
et de l'action permanentes de Dieu parmi ses fidèles aujour-

---

107. II, 8, 8. En suivant l'ordre de la narration, Pierre, apôtre
du Christ, se trouve donc placé au centre, ayant de chaque côté
deux personnages de l'Ancien Testament ; les plus proches de lui
dans le récit le sont aussi selon la chonologie (Élisée et Élie) ; après
ces deux prophètes, on remonte à Moïse et à David, personnages
plus anciens. — Le miracle de Moïse sera rappelé en III, 16, 2.
108. I, 2, 7 et 7, 4. — II, 8, 8 ; 13, 4 ; 21, 3. Élisée disparaît au
Livre III.
109. Pierre : I, 12, 5 ; II, 7, 2 ; 23, 6 ; 30, 3. Paul : I, 12, 5 ; II,
3, 11 ; 17, 2 ; 33, 1. De nouveau, les deux apôtres disparaissent au
Livre III, du moins en tant que modèles de thaumaturges.
110. III, 18, 3 et 24, 3 (cf. II, 22, 4).
111. I, 4, 6 et 9, 5. — III, 1, 8 ; 21, 4 ; 31, 8 ; 37, 8 et 19.
112. Voir ci-dessus, ch. III, n. 107-111. Cf. Dial. I, 7, 6 et III,
17, 5.

d'hui encore. En outre, de tels rapprochements donnent naissance à d'utiles leçons d'exégèse et de théologie. Aussi comprend-on sans peine que Grégoire les affectionne. Si certains d'entre eux — non pas tous [113] — signalent probablement de véritables imitations littéraires de modèles bibliques, leur caractère ouvert et avoué les rend moins inquiétants que d'autres analogies qui restent implicites.

Il n'est pas rare, en effet, qu'un récit des Dialogues ressemble étrangement à un fait de la Bible, sans qu'aucune mention soit faite de celui-ci. Ainsi, quand Equitius reçoit mission de prêcher, il voit un jeune homme qui place sur sa langue une lancette et lui dit : « Voici que j'ai placé mes paroles dans ta bouche... [114]. » Manifestement calquée sur des passages d'Isaïe et de Jérémie [115], la scène vient-elle de l'imaginaire d'Equitius ou de l'imagination de Grégoire ? D'après ce dernier, elle a été rapportée par un confident d'Equitius, Félix de Nursie, père d'un certain Castor qui vit à Rome au moment où il écrit. Il semble donc que le récit des Dialogues ne soit pas inventé de toute pièce. Sa couleur biblique viendrait, en première ligne, de l'emprise exercée par les textes sacrés sur le saint lui-même, encore que des réminiscences scripturaires aient pu aussi se mêler aux souvenirs de Grégoire et de ses informateurs.

Plus troublant est un autre cas du Livre Premier : la résurrection de Marcel par l'évêque Fortunat de Todi [116]. Ce récit, que Grégoire tient, dit-il, d'un vieillard pauvre dont il tait le nom, est étrangement semblable à celui de la résurrection de Lazare. Comme ce dernier, Marcel a deux sœurs ; comme Marie et Marthe, celles-ci font appel à l'homme de Dieu ; comme Jésus, Fortunat pleure sur son ami, puis l'appelle par son nom et le ressuscite. Pour comble, la scène se passe un matin de Pâques... Tout suggère une imitation

---

113. Plusieurs ne portent que sur une leçon morale qui se dégage du fait, non sur le fait lui-même, qui est tout différent.

114. I, 4, 8.

115. Is 51, 16 ; Jr 1, 9. — En parlant de l' « imaginaire » d'Equitius, nous ne voulons pas préjuger de l'authenticité de sa vision, mais en situer le lieu.

116. I, 10, 17-18 (cf. Jn 11, 1-44).

de l'Évangile, et celle-ci est d'autant plus suspecte qu'elle
reste tacite. Si Grégoire ne souffle mot du modèle évangélique, n'est-ce pas parce qu'il a conscience de le démarquer ?

Le même soupçon vient à l'esprit quand on constate
d'autres reproductions, à la fois patentes et inavouées, de
types scripturaires. Benoît, on l'a noté avant nous [117], refait
trop souvent des miracles du prophète Élisée. Ces analogies
en série donnent l'impression d'une exploitation systématique du récit sacré. Comme la littérature hagiographique,
la Bible semble avoir fourni à l'auteur des Dialogues ou à
ses informateurs des schèmes tout faits, sur lesquels ont été
bâties un bon nombre de leurs narrations.

Vrais et faux miracles.   De tels constats mettent en
Foi et légende   question le contenu historique des
                            Dialogues. On peut se demander
si celui-ci ne se réduit pas à quelques données sommaires
concernant les personnages : nom, lieu, époque, profession
de chacun, et pour les plus favorisés, les principales étapes
de leur curriculum. Quant aux faits racontés, qu'il s'agisse
de miracles ou de traits de vertu héroïque, on ne pourrait
y ajouter aucune foi. Fruits de l'imagination populaire
ou créations d'un pédagogue avisé, ils proviendraient en
dernière analyse du vieux fonds de légende et de folklore
qui fournit aux arétalogues de tous les temps, chrétiens ou
non, l'inépuisable matière de leurs variations.

Ce scepticisme généralisé, que professe entre autres le
dernier éditeur des Dialogues [118], n'outrepasse-t-il pas les
limites du questionnement légitime auquel conduisent les
observations faites plus haut ? Si nombre de récits des Dialogues semblent plus ou moins calqués sur des modèles pré-
existants, on ne saurait en dire autant de tous ni oublier

117. Voir O. Rousseau, « Saint Benoît et le prophète Élisée »,
dans *Revue monastique* (Maredsous), nº 144 (1956-III), p. 103-114.
Les neuf rapprochements indiqués ne sont pas tous également nets.
Trois d'entre eux sont faits explicitement par Grégoire (ci-dessus,
note 111).

118. Moricca p. xiv-xv et xxxiii-xxxiv. Cf. p. lxxviii :
« ingenua semplicità ».

que des faits étonnants — pour ne pas dire des miracles — ont coutume de se produire dans les milieux intensément religieux, que ce soit autour des lieux sacrés ou dans le sillage des serviteurs de Dieu.

Quand Moricca pose en principe que le contenu miraculeux des Dialogues ne saurait provoquer, chez un moderne tant soit peu éclairé, qu'un « sourire d'incrédulité et de compassion [119] », ce rejet a priori nous paraît simpliste. En réalité, l'enquête scientifique sur les documents de ce genre doit tenir compte de deux faits bien établis : la foi obtient des miracles, et la légende en invente. Dans les récits merveilleux qui lui sont soumis, l'historien n'a parfois aucun moyen de discerner s'il s'agit de l'un ou de l'autre de ces phénomènes. Parfois, au contraire, le texte présente des indices, dont aucun ne doit être négligé.

Témoignages personnels et modèles littéraires   Le premier fait à considérer est le témoignage des personnes : le témoin est-il désigné nommément ou anonyme, vivant ou défunt ? S'agit-il d'un individu ou d'un groupe, et dans ce dernier cas la garantie porte-elle sur un événement particulier ou sur un ensemble de faits plus ou moins clairement délimité ? Suivant la réponse à ces questions, l'auteur des Dialogues apparaît dans des situations différentes, qui lui laissent plus ou moins de latitude pour introduire des traits de son invention.

A cet examen des témoignages doivent se joindre les observations sur l'arrière-plan littéraire du texte. Un récit de miracle qui ressemble beaucoup, jusque par certains détails secondaires et certaines expressions caractéristiques, à quelque prodige consigné dans un écrit plus ancien, a bien des chances d'avoir été inventé par la légende populaire ou par l'auteur lui-même.

Certes, ce critère doit être manié avec prudence. Il se peut, en effet, que le même fait miraculeux se reproduise dans des circonstances à peine différentes. D'autre part, un miracle authentique peut être raconté par des narrateurs

119. Moricca, p. lxiv.

qui ont en mémoire des faits analogues et accentuent cette
analogie en prêtant au premier des traits des seconds. Ce pro-
cessus peut expliquer en particulier certaines similitudes entre
récits hagiographiques et récits bibliques, car ces derniers
sont présents à tous les esprits et déteignent facilement sur
les autres, sans même que les narrateurs s'en aperçoivent.

Sous ces réserves et moyennant les précautions requises,
le critique a le droit et le devoir de prendre en considération
les points de contact des récits qu'il étudie avec des narrations antérieures. Avec certitude ou probabilité, ce critère
d'analogie permet de déceler en bien des cas les traits d'emprunt, et par là aide notablement à ventiler l'énorme masse
de faits merveilleux recueillis dans les ouvrages hagiographiques. Joint à la critique des témoignages, il fournit plus
d'une fois un appoint décisif à l'appréciation du caractère
historique des faits consignés dans nos Dialogues.

Entre vérité et fiction   En définitive, cet ouvrage contient probablement un mélange d'histoire et de
légende, de faits réels et imaginaires. Déjà
les quelque vingt-cinq miracles racontés par Augustin à la
fin de la Cité de Dieu donnent l'impression d'un tel alliage :
au premier récit, criant de vérité, font suite des épisodes
plus ou moins assurés ou franchement douteux ; de la guérison d'Innocent de Carthage, observée par Augustin lui-
même en des circonstances qui ne laissent pas place au
doute, on passe au thème folklorique de la découverte d'un
anneau d'or dans le ventre d'un poisson [120].

Moins encore que le grand africain, son maître, Grégoire
n'était porté à examiner de près les informations qu'on lui
fournissait. De plus, il éprouvait apparemment peu de scru-
pules à enrichir l'histoire de ses héros de traits empruntés à
la Bible ou à d'autres gestes. Quand tout est dit, cependant, il
reste vraisemblable que nombre de ses récits merveilleux ont
un fondement dans la réalité, et que les thaumaturges auxquels il attribue des faits imaginaires se sont attiré ces attri-
butions en accomplissant effectivement des faits étonnants.

120. AUGUSTIN, *Ciu.* 22, 8, 3 (Innocent) et 10 (Florent).

CHAPITRE V

LES DIALOGUES ET LA POSTÉRITÉ

I. Diffusion médiévale de l'œuvre

Le succès des Dialogues a été rapide et considérable, si l'on en juge par le nombre de manuscrits, d'extraits et de citations qu'on trouve de tous côtés. La première trace littéraire de cette diffusion se rencontre chez Jean Moschus, dont le *Pré spirituel* reproduit, sous une forme passablement altérée, l'histoire du moine en purgatoire racontée par Grégoire à la fin de l'ouvrage [1].

Les deux premiers siècles   Dans le siècle qui suit, l'influence des Dialogues s'affirme en plusieurs régions. En Gaule, Jonas de Bobbio semble se souvenir du Quatrième Livre dans les récits de morts édifiantes de sa *Vita Burgundofarae* [2]. En Espagne, la Vie des Pères de Mérida s'ouvre par un éclatant éloge de l'œuvre grégorienne, dont l'auteur défend la véracité et veut prolonger les récits miraculeux jusqu'à son propre temps [3]. De plus, une dizaine de passages de cette *Vita* reproduisent des

---

1. JEAN MOSCHUS, *Pré spir.* 192 = *Dial.* IV, 57, 8-16. Autres récits sur Grégoire dans *Pré spir.* 147 (il raconte à Euloge l'histoire de la lettre de Léon à Flavien) et 151 (son humilité). Moschus a séjourné à Rome vers 415-420.

2. JONAS DE BOBBIO, *V. Burg.*, PL 87, 1070. Cette douzaine de morts saintes, avec deux contreparties sinistres (11 et 15-17), rappelle *Dial.* IV, 12-20. Comparer en particulier *V.* 7 et *Dial.* IV, 16, 5-7 ; *V.* 10 et *Dial.* IV, 14, 4-5 (cf. I, 8, 4) ; *V.* 12 et *Dial.* IV, 13, 3 (cf. 15, 4 et 16, 7) ; *V.* 13 avec *Dial.* IV, 12, 4 (cf. 14, 4) et 18, 1-3 ; *V.* 16 avec *Dial.* IV, 19, 3-4 ; *V.* 17 avec *Dial.* IV, 32, 3 et 56, 1-3.

3. « PAUL DE MÉRIDA », *V. Patr. Emer.*, *Praef.*, PL 80, 115.

phrases des *Dialogues* [4] ; visiblement, l'influence de ceux-ci, dépassant celle de Sulpice Sévère [5], est à tous égards dominante. En milieu irlandais, la *Vita Columbae* d'Adamnan, abbé d'Iona, renferme plusieurs réminiscences indubitables des *Dialogues* [6]. En Angleterre, Bède les a présents à l'esprit dans beaucoup d'endroits de sa grande Histoire, tandis que sa Vie de Cuthbert en porte des traces évidentes — quand ce ne sont pas des mentions explicites — presque à chaque page [7].

Au milieu du VIIIe siècle, l'Orient s'ouvre à l'influence des *Dialogues* par la version grecque qu'en donne le pape Zacharie [8]. Cette traduction vaudra à Grégoire le surnom de *Dialogos*, qu'il porte notamment dans la *Sunagôgè* de Paul Evergètinos [9]. La place considérable qui revient aux

4. Comparer *V. Patr. Emer.*, 1, 121 b avec *Dial.* I, 10, 12 ; *V.* 3, 126 c - 127 a avec *Dial.* III, 16, 5 ; *V.* 6, 133 c avec *Dial.* I, 5, 2 et II, 24, 2 ; *V.* 7, 135 a avec *Dial.* I, 9, 5 ; *V.* 10, 140 d - 141 a avec *Dial.* III, 31, 2-3 ; *V.* 10, 141 a avec *Dial.* III, 32, 1 ; *V.* 12, 147 a avec *Dial.* III, 2, 2 ; *V.* 16, 152 a avec *Dial.* III, 33, 1 ; *V.* 20, 160-161 avec *Dial.* III, 5, 3-4 et II, 37, 2 ; *V.* 21, 162 a avec *Dial.* III, 15, 16 et 33, 1.

5. Comparer *V. Patr. Emer.* 12, 144 bc avec SULPICE SÉVÈRE, *Ep.* 3, 10-11.

6. Comparer ADAMNAN, *V. Col.* I, 1, 10 a (*praesentibus absentia nuntiare*, etc.) avec *Dial.* II, 11, 3 ; *V.* I, 1, 10 b et I, 43 (cf. déjà CUMMIAN, *V. Col.* 25) avec *Dial.* II, 35 (cf. IV, 8) ; *V.* II, 39 et 45 (*Placetne tibi sancte... ut... ?*) avec *Dial.* I, 4, 21. Le début de la seconde Préface (*Vir erat uitae uenerabilis et benedictae memoriae*, etc.) rappelle évidemment *Dial.* I, *Prol.* 1.

7. Comparer entre autres BÈDE, *Hist. Eccl.* 2, 7, PL 95, 92 c avec *Dial.* I, 6 ; *H. E.* 3, 6, 125 b avec *Dial.* III, 5, 2 ; *H. E.* 3, 8, 131 a avec *Dial.* IV, 16, 5-7 ; *H. E.* 4, 3, 179 a avec *Dial.* II, 38 ; *H. E.* 4, 9, 187 a avec *Dial.* IV, 37, 16 ; *H. E.* 4, 12, 4 ; *H. E.* 4, 22 avec *Dial.* IV, 59, 1 ; *H. E.* 4, 23, 211 c avec *Dial.* II, 37 ; *H. E.* 4, 25, 216 c avec *Dial.* III, 34 ; *H. E.* 5, 12, 248 a et 250 a avec *Dial.* IV, 37, 4 et 8 ; *H. E.* 5, 13 (citation) avec *Dial.* IV, 32, 5 et 40, 1.9.12 ; *H. E.* 5, 19, 262 b avec *Dial.* II, *Prol.* 1. De plus, BÈDE, *V. Cuthb.* 13-14 reproduit et cite *Dial.* II, 10 et I, 6 ; *V.* 18-19 reproduit et cite *Dial.* II, 5 ; *V.* 43 cite *Dial.* II, 38, etc.

8. Voir plus loin, ch. VI, n. 4 et 34.

9. PAULOS EUERGÈTINOS, *Sunagôgè tôn theophthoggôn rhèmatôn kai didaskaliôn tôn theophorôn kai hagiôn Paterôn*[5-6], t. I-IV, éd. B. MATTHAIOU, Athènes 1957-1966.

extraits des Dialogues dans ce florilège marque de façon impressionnante l'estime dont jouissait l'ouvrage en milieu byzantin.

Le Moyen Age   Les versions et adaptations en diverses langues se sont échelonnées à travers le Moyen Age [10]. Dans ce vaste courant d'intérêt, le monachisme « bénédictin » a évidemment tenu une place importante [11]. Des œuvres telles que la Vie de saint Maur par Odon de Glanfeuil, la Vie de saint Placide par Pierre du Mont-Cassin, la Vie de saint Romain par Gilbert d'Auxerre, tirent du Second Livre des Dialogues toute leur information historique concernant la vie du héros, non sans la délayer dans d'abondantes fictions [12] ou la prolonger par des récits de miracles posthumes et de translations [13]. Ayant fait à Benoît et à son œuvre une publicité retentissante, les Dialogues ont bénéficié à leur tour de la diffusion de la Règle bénédictine : tout monastère où celle-ci prenait pied avait besoin d'une Vie de Benoît, sinon de l'ouvrage entier[14].

10. A celles que signale MORICCA, p. LXXIX, on peut ajouter la traduction française du XIIe s. (*Li quatre livre des dialoges Gregoire...*), éd. W. FOERSTER, Halle-Paris 1876, signalée par E. AUERBACH, *Literatursprache*, p. 72, n. 6. Voir aussi G. DUFNER, *Die Dialoge Gregors des Grossen im Wandel der Zeiten und Sprachen*, Padoue 1968 (*Miscellanea Erudita* 19), p. 38-45 (traductions non italiennes) et 46 suiv. (Italie).

11. Cf. R. GRÉGOIRE, « Enquête sur les citations de la Règle de S. Benoît », dans *Studi Medievali*, 3e série, XVI-II (1975), p. 742-767, en particulier p. 751-753.

12. PSEUDO-FAUSTE, *V. Mauri*, dans MABILLON, *ASOSB*, t. I, Venise 1733, p. 260 ; PSEUDO-GORDIEN, *V. Placidi, ibid.*, p. 42. La première est du IXe s., la seconde du XIIe.

13. GILBERT D'AUXERRE, *V. Romani*, dans *ASOSB*, t. I, p. 77 (XIe s.).

14. Certains mss unissent la Règle bénédictine au Livre II des Dialogues. Cf. A. MUNDÓ, « L'authenticité de la *Regula Sancti Benedicti* », dans *Commentationes in Regulam S. Benedicti cura* B. STEIDLE, Rome 1957 (*Studia Anselmiana* 42), p. 138-141. Cf. *La Règle de Saint Benoît*, t. I (*SC* 181), p. 150, n. 2.

II. Points de vue modernes sur l'apport des Dialogues

A l'âge de l'imprimerie, éditions et traductions des Dialogues se sont de nouveau multipliées. Sans anticiper sur le prochain chapitre, où nous dirons un mot des unes et des autres, nous voudrions esquisser ici un bilan des appréciations portées sur les Dialogues, des recherches dont ils sont l'objet, de leur apport à la théologie, à la spiritualité, à l'histoire.

L'authenticité de l'œuvre   Par plus d'un trait, l'ouvrage était bien fait pour indisposer Humanistes et Réformateurs. Tandis que les premiers n'apprécieraient guère le merveilleux qui s'y déploie, les seconds seraient choqués par la vénération des saints, les spéculations sur le purgatoire, la confiance mise en l'efficacité de la messe pour libérer vivants et défunts. La gêne de certains Protestants est même allée jusqu'à les faire douter de l'authenticité des Dialogues [15]. Mainte fois réfutée [16], cette contestation ne résiste pas longtemps à l'examen. S'il en était besoin, notre annotation achèverait de la ruiner, en montrant la correspondance intime et incessante des Dialogues avec les autres ouvrages de Grégoire.

Les miracles   Plus récemment, le malaise n'a pas été moindre du côté rationaliste et positiviste. Le merveilleux des Dialogues, la naïveté et la futilité de leurs récits ont paru intolérables, à moins qu'on ne les expliquât par la condescendance pastorale de l'auteur et son dessein de s'adapter aux esprits simples. Que ces interprétations, qui font des Dialogues un ouvrage « populaire », ne correspondent guère à la réalité, nous l'avons dit plus haut [17].

15. Voir Moricca, p. ix-x, citant H. Coccius et G. Cave. Cf. ci-dessus, ch. I, n. 21.
16. Liste de ces réfutations chez Moricca, p. x.
17. Ch. I, n. 22-85 (cf. ch. IV, n. 25). Outre les trois auteurs italiens déjà cités (ch. I, n. 22), qui contestent le caractère populaire des Dialogues, d'autres chercheurs constatent plus généralement

Mais leur faillite ne fait qu'aggraver le problème posé à nos mentalités modernes par le merveilleux des Dialogues. Si Grégoire lui-même et l'élite pour laquelle il écrit trouvent une réelle satisfaction à s'entretenir de miracles, la distance de ces esprits aux nôtres n'en devient que plus patente et plus inquiétante.

Le miracle n'est guère apprécié aujourd'hui, même parmi les chrétiens. « Je crois *malgré* les miracles », aurait dit Teilhard de Chardin. A les rencontrer dans l'Écriture, et spécialement dans les Évangiles, beaucoup, comme l'illustre jésuite, en sont moins aidés dans leur foi que gênés. A cet égard, les Dialogues sont au plus haut point une œuvre embarrassante, intempestive, importune. N'ayant pas d'autre objet que de raconter des miracles, ils mettent cruellement à nu le contraste entre cet âge du christianisme et le nôtre.

Sans vouloir atténuer cette dissonance, qui appelle les réflexions les plus sérieuses [18], il faut se souvenir sans cesse, en lisant les Dialogues, de ce que Grégoire affirme çà et là : la finalité morale et spirituelle des récits, l'ordination du miracle à la vertu [19]. Cette perspective, à laquelle Grégoire attache tant d'importance, peut sinon nous réconcilier avec ses histoires merveilleuses, au moins nous les rendre plus supportables.

que l'hagiographie chrétienne et son merveilleux ne s'expliquent pas adéquatement par l'irruption de la mentalité primitive et populaire dans le domaine littéraire. Voir en particulier E. PATLAGEAN, « Ancienne hagiographie byzantine et histoire sociale », dans *Annales* 23 (1968), p. 106-126 (reproduit dans l'utile recueil de S. BOESCH GAJANO, *Agiografia altomedioevale*, Bologne 1976, p. 191-213) ; P. BROWN, « The Rise and Function of the Holy Man in Late Antiquity », dans *Journal of Roman Studies* 61 (1971), p. 80-101.

18. Nous en avons touché un mot dans « Le procès des moines d'autrefois », dans *Christus* 12 (1965), p. 113-128 (voir p. 122). S'il est vrai que l'engouement des anciens pour le miracle relève d'une mentalité pré-scientifique, on peut se demander si l'exclusion de celui-ci ne va pas de pair avec une mutilation de la théologie et un amenuisement de la foi. — Sur cette question, voir P. BOGLIONI, « Miracle et merveilleux religieux chez Grégoire le Grand : théorie et thèmes », dans *Cahiers d'études médiévales, I : Épopées, légendes et miracles*, Montréal-Paris 1974, p. 11-102.

19. Voir plus haut, ch. III, n. 6-31 ; 98-105 ; 117 et 120.

Les figures de saints   Une autre pierre d'achoppement est pour certains l'exaltation des saints et de leurs pouvoirs. Ces figures de thaumaturges ne se revêtent-elles pas d'un prestige malsain, qui tend à éclipser l'unique médiation du Christ ? Les Dialogues ne sont-ils pas responsables pour leur part de l'hypertrophie du culte des saints qui se produira dans la chrétienté médiévale ?

A cet égard aussi, une appréciation équitable doit tenir compte des efforts de Grégoire pour conduire la vénération du lecteur jusqu'à son objet ultime et sa fin véritable. Dans nombre d'excursus, au Livre II en particulier, il veille à maintenir les étoiles de la sainteté sur leur orbite christo-centrique. Sa méditation sur les miracles de Benoît et de ses pareils, continuateurs des saints de la Bible, le ramène habituellement à l'unique Verbe et Seigneur, de qui procèdent tous les charismes [20].

En face de cette « plénitude dont nous avons tous reçu », le saint n'apparaît pas seulement comme le bénéficiaire de dons limités [21], intransmissibles [22] et entièrement gratuits [23]. Il est aussi représenté dans sa faiblesse innée, comme sujet à la tentation, exposé au péché, maintenu dans l'effort et l'humilité par d'insurmontables imperfections [24]. Si l'on ajoute à ces traits la réserve de Grégoire à l'égard des reliques et du rayonnement posthume des saints [25], il devient clair que son hagiographie reste contenue dans des limites théoriques et pratiques qui s'opposent à certains débordements. Ceux-ci ne peuvent lui être imputés, même si son œuvre, agissant plus par ses récits que par ses considérations, a pu contribuer malgré lui à les déchaîner.

Parmi les notations des Dialogues qui équilibrent la dévotion aux saints, une des plus remarquables est sans

20. Voir ch. III, n. 107-111 ; ch. IV, n. 112.
21. *Dial.* II, 16, 4-8 ; 21, 3-4 ; 32, 4 et 33, 1. Cf. ch. III, n. 112-116.
22. *Dial.* II, 8, 9.
23. *Dial.* I, 4, 9.
24. *Dial.* III, 14, 10-14. Cf. ch. III, n. 81-85.
25. Voir ch. III, n. 50-52.

doute l'aperçu terminal sur le Christ rayonnant dans l'eucharistie. Cette note finale donne la tonique de tout l'ouvrage.
Dominant infiniment les saints et leur patronage, en particulier celui qu'ils sont censés exercer sur les défunts ensevelis dans leurs sanctuaires [26], la « victime du salut » apparaît comme l'ultime et unique espoir des chrétiens.

La pratique sacramentelle   Cependant cette conclusion elle-même
ne va pas sans difficultés. Car ce que Gré-
goire y célèbre, c'est le pouvoir rédempteur
du Christ, certes, mais exercé par le moyen d'un sacrement.
Autant que le Fils unique et son œuvre salvifique, ces pages
exaltent le « sacrifice » qui « imite » quotidiennement sa
passion [27]. La confiance du chrétien se reporte et se fixe
sur cet acte liturgique. L'effet libérateur de l'immolation sur
la croix est comme matérialisé dans la messe.

Grégoire préconise donc la célébration quotidienne de la
messe, afin d'obtenir le pardon des péchés tant pour soi-
même que pour les autres, vivants ou morts. Cette pratique,
il la recommande à l'aide d'exemples impressionnants,
bien faits pour persuader le lecteur de l'efficace immman-
quable du sacrement. Le plus saisissant de ceux-ci est l'histoire du moine Justus, délivré du purgatoire par trente
messes célébrées coup sur coup [28]. Ce récit a tellement frappé
l'imagination du peuple chrétien qu'il a engendré une pratique encore courante en milieu catholique : le « trentain
grégorien », série de messes pour un défunt célébrées trente
jours de suite.

Volontairement ou non [29], avec d'autres ou seul, Grégoire

---

26. *Dial.* IV, 54-56. A la suite d'Augustin, Grégoire limite le
bienfait de ces sépultures dans les églises à l'effet qu'elles produisent sur les vivants : ceux-ci, en voyant les tombeaux des leurs,
sont incités à prier pour eux. L'intercession des saints n'entre pas
en ligne de compte.

27. IV, 60, 3 : *sacrificium quod pro absolutione nostra passionem
Vnigeniti Filii semper imitatur.* On songe à l' « imitation » des
miracles de l'Écriture par Nonnosus et d'autres (ci-dessus, ch. IV,
n. 105-111).

28. IV, 57, 8-16.

29. Grégoire pousse ouvertement à la messe quotidienne. En

est donc à l'origine de pratiques sacramentelles qui ont profondément marqué le catholicisme. Dans le sillage ouvert
par ces dernières pages des Dialogues, on entrevoit le meil-
leur et le pire, depuis la foi et la piété profondes qu'éveillera
la vibrante évocation du chapitre 60, jusqu'aux abus qui
provoqueront la Réforme et au « sacramentarisme quanti-
tatif » dont se plaignait naguère encore le Père Teilhard de
Chardin [30].

Dans une large mesure, cependant, de tels inconvénients
auraient pu être évités, si la parole de Grégoire avait été
entendue complètement. Car la conclusion des Dialogues
ne contient pas seulement des miracles eucharistiques et un
hymne à la messe. Aussitôt après celui-ci, Grégoire a deux
chapitres d'exhortations morales qui donnent à l'éloge du
sacrement sa véritable portée. Le premier prescrit de
« s'immoler soi-même à Dieu dans la contrition du cœur,
car tandis que nous célébrons le mystère de la passion du
Seigneur, nous devons imiter ce que nous faisons. Cet acte
ne sera pour nous une véritable hostie offerte à Dieu que s'il
fait de nous-mêmes une hostie [31]. »

Et après avoir recommandé de demeurer le reste du jour
dans ces sentiments, Grégoire ajoute un dernier avis : à
l'offrande liturgique, il faut joindre le pardon accordé au
prochain. La messe ne produit ses fruits de grâce qu'à cette
condition. Pour obtenir de Dieu la remise de ses propres
dettes, l'offrant doit remettre celles de ses frères.

Ce double appel à la componction et à la miséricorde
est le dernier mot des Dialogues. Comme le miracle, le rite
est ordonné à la conversion ; la liturgie doit être source
d'intériorité et de bonté. Cette exigence spirituelle tient

revanche, il ne recommande nullement le « trentain » dans sa
matérialité.

30. P. Teilhard de Chardin, Lettre à Auguste Valensin, en
date du 25 février 1929, dans *Lettres intimes de Teilhard de Chardin
à A. Valensin, B. de Solages, H. de Lubac, A. Ravier* (1919-1955),
Paris 1974, p. 184.

31. IV, 61, 1. Le sujet des verbes de la dernière phrase (*Tunc
ergo uere pro nobis Deo hostia erit, cum nos ipsos hostiam fecerit*)
reste indéterminé (est-ce le *quod agimus* de la phrase précédente
ou la *passio dominica* ?).

tellement au cœur de Grégoire qu'il en oublie de mentionner, dans sa dernière phrase, la célébration quotidienne de la messe, point de départ et centre de ses exhortations. « Amollissons dans les larmes la dureté de notre esprit, façonnons en nous une généreuse disposition de bienveillance envers le prochain » : on dirait que ce double effort suffit à faire de nous dès ici-bas une « hostie à Dieu » et à rendre inutile l'offrande de l'« hostie salutaire » pour nous, après notre mort [32]. Si l'on ne connaissait par ce qui précède le rôle que joue la messe dans une telle consécration spirituelle de l'homme, on pourrait croire qu'il s'agit seulement de cette dernière. Loin de sauver comme par magie, le sacrement ne fait que susciter la conduite salutaire, faite d'actes personnels qui incombent à notre liberté.

La doctrine des fins dernières — Même replacée dans ce contexte moral et spirituel, la pratique de la messe prônée par Grégoire garde un trait qui ne va pas de soi pour nous : son but semble être de préserver des peines de l'au-delà ou d'en délivrer. On touche ici à l'un des points sur lesquels l'apport des Dialogues est le plus considérable et, aux yeux de certains, contestable : l'enseignement sur les fins dernières. Survie de l'âme après la mort, entrée au ciel ou en enfer dès avant le jugement dernier et la résurrection, perpétuité du feu de l'enfer — un vrai feu corporel — aussi bien que des joies du ciel, localisation probable de l'enfer sous la terre que nous habitons, existence d'un « feu purificateur » par lequel les âmes défuntes doivent passer si elles ont quelque faute légère à expier, possibilité qu'ont les vivants de secourir ces âmes en purgatoire au moyen de la prière et de la célébration de messes : sur tous ces points et d'autres de moindre importance, le Quatrième Livre des Dialogues propose une doctrine ferme, raisonnée, fondée sur des textes scripturaires dont elle détermine l'interprétation de façon précise.

Cette doctrine découle de la pensée d'Augustin, mais la déborde sur plusieurs points. Le souci primordial de Grégoire

---

32. IV, 62, 3.

est d'établir que l'âme vit après la mort et qu'elle entre
dans la damnation ou la béatitude — compte tenu des
délais du purgatoire — dès qu'elle a été séparée du corps.
A cette fin, il utilise un argument — les miracles des martyrs
— dont Augustin se servait pour soutenir la croyance en la
résurrection [33]. De celle-ci, dont la défense laborieuse rem-
plissait le dernier Livre de la Cité de Dieu, Grégoire n'a
presque rien à dire [34]. Encore préoccupé de la promouvoir
dans les Morales et les Homélies sur les Évangiles [35], il ne
s'en soucie plus guère dans les Dialogues, tout son intérêt
se portant désormais sur le sort des âmes aussitôt après la
mort, quand ce n'est pas sur les circonstances de la mort
elle-même. L'eschatologie des Dialogues tend à se rapprocher le plus possible de la vie présente. A l'homme qui vit
ici-bas, elle offre la vision d'un au-delà imminent [36], dont la
proximité immédiate le presse de se convertir.

Les joies du ciel ne sont que peu célébrées par Grégoire.
Quelques images les font entrevoir [37], mais aucun effort n'est
fait pour les analyser ou les suggérer à la manière des derniers chapitres de la Cité de Dieu [38]. L'enfer est évoqué avec
plus d'insistance, soit au moyen d'autres images, dont Grégoire souligne avec force le caractère figuré [39], soit dans des

33. IV, 6, 1. Cf. Augustin, *Ciu.* 22, 8-9.

34. Voir IV, 26, 3-4 (les deux « robes »).

35. Voir en particulier *Mor.* 14, 68-79 (controverse avec Eutychius) ; *Hom. Eu.* 26, 12 (doutes que Grégoire avoue avoir partagés).

36. Voix, parfums, visions de saints, d'anges, de revenants, de
corps brûlés : Grégoire explique cette irruption de l'au-delà dans
le présent par la proximité de la fin du monde (IV, 43, 1-2 ; cf. III,
38, 2-4 et IV, 36, 12).

37. IV, 37, 8-9 et 15-16 ; 38, 1.

38. Augustin, *Ciu.* 22, 29-30.

39. IV, 32, 5 (cf. 33, 4) ; 36, 11 ; 38, 3-5 (de même pour le ciel :
37, 15-16). En revanche, il tient que l'enfer est localisé sous notre
terre (44, 1-3) et laisse entendre que les volcans de Sicile pourraient
bien être ce lieu (36, 12 ; cf. 31, 3-4). Quant à la peine du service
des bains infligée à des âmes en purgatoire (IV, 42, 3-4 et 57, 3-7),
son caractère, réel ou figuratif, reste indécis. On peut aussi se
demander si la vapeur nauséabonde qui atteint certains habitants
du paradis (37, 9 et 38, 4-5) n'est pas une sorte de purgatoire,
empreint d'une certaine réalité matérielle (cf. 39). Voir note
suivante.

exposés spéculatifs au sujet du « feu éternel » et de sa perpétuité. Ces considérations transposent plus d'une fois les
éléments de doctrine augustinienne qu'elles mettent en
œuvre. L'argument par lequel Augustin établissait que le
feu corporel de l'enfer tourmente les démons, qu'ils soient
corporels ou non, est repris par Grégoire pour prouver qu'il
afflige les âmes humaines dès avant la résurrection [40]. Tel
raisonnement a fortiori, qu'Augustin attribuait aux « misé-
ricordieux » combattus par lui, se retourne chez Grégoire
contre ces mêmes adversaires [41].

On retrouve la même liberté, au sein d'une dépendance
assez étroite, dans la manière dont Grégoire traite de questions connexes, comme les rapports entre morts et vivants [42]
ou les voyages aux enfers suivis de retours à la vie [43]. Cependant ces transpositions et réinterprétations diverses sont
moins significatives qu'une certaine tendance de Grégoire à
simplifier les recherches d'Augustin, en présentant l'une ou
l'autre de ses hypothèses sous une forme plus affirmative.

De telles simplifications se rencontrent non seulement à
propos de l'enfer [44], mais aussi et surtout dans la question
du purgatoire. Pour Augustin, l'existence de peines purifi-
catrices après la mort ne faisait pas de doute, mais celle d'un
feu purificateur, dans la ligne suggérée par 1 Co 3, 11-15,
restait une simple conjecture. En effet, quand saint Paul
parle du feu qui éprouvera les constructions édifiées par un
chacun sur le « fondement » du Christ, ce texte vise avant
tout les épreuves de la vie chrétienne ici-bas ; quant à l'entendre de peines à subir dans l'au-delà, Augustin connaît
cette interprétation et ne la rejette pas, mais il conserve à
son égard une réserve prudente [45].

---

40. IV, 29-30. L'essai d'explication assez obscur que propose IV,
30, 2, paraît neuf. Si ce feu corporel de l'enfer afflige des âmes
humaines séparées du corps, on ne voit pas pourquoi les peines du
purgatoire ne seraient pas corporelles, elles aussi (note précédente).
41. Comparer IV, 46, 9 et AUGUSTIN, *Ciu.* 21, 18, 1.
42. IV, 34, 3. Cf. AUGUSTIN, *Cura mort.* 14, 17. Voir note *in loco*.
43. IV, 37, 6-7. Cf. AUGUSTIN, *Cura mort.* 12, 15.
44. IV, 30, 4. Cf. AUGUSTIN, *Ciu.* 21, 10, 1-2.
45. AUGUSTIN, *Ciu.* 21, 26, 4. Plus haut (*Ciu.* 21, 24, 2), les
peines des défunts ne sont pas mises en rapport avec le feu.

Pour Grégoire, au contraire, « on doit croire qu'il existe avant le jugement un feu purificateur [46]. » Les réserves d'Augustin ont disparu. Tout en reconnaissant que l'image paulinienne peut viser le feu de l'épreuve ici-bas [47], les Dialogues supposent, d'entrée de jeu et sans discussion, qu'elle se rapporte à un feu purifiant dans l'au-delà. Le « progrès » de la théologie, si c'en est un, apparaît ici clairement. Cependant Grégoire ne peut être tenu pour son auteur unique ou même premier : plus d'un demi-siècle avant lui, Césaire d'Arles parlait déjà avec la même assurance de l'*ignis purgatorius* après la mort [48].

Quant aux suffrages des vivants pour les défunts par le moyen de la messe et des bonnes œuvres, Grégoire n'ajoute rien à ce qu'Augustin professait déjà en toute clarté [49]. Comme son maître, il tient que cette intercession est efficace, mais seulement dans la mesure où les défunts eux-mêmes l'ont mérité par leur conduite ici-bas. Pas plus que la messe en général, son application aux défunts et les autres suffrages pour ceux-ci ne sont doués d'une efficacité automatique. L'acte religieux n'est pas séparable des conditions morales dans lesquelles il opère.

La théologie spirituelle   Non moins importante et plus facilement acceptée est la contribution des Dialogues en matière de spiritualité. Ce que Grégoire a noté dans son Prologue reste vrai : les exemples parlent plus que la théorie. Ceux des Dialogues ont peut-être plus fait pour diffuser l'enseignement spirituel de l'auteur que les énormes traités où il l'expose.

46. IV, 41, 3.
47. IV, 41, 5.
48. CÉSAIRE, *Serm.* 179, 4-5 et 8. Cf. *Serm.* 147, 6-7 et 206, 3, où Césaire, recopiant Fauste, trouve la même doctrine dans Dn 7, 10 (le fleuve de feu).
49. IV, 42, 3-5 et 57, 12-16 (prières et messes). Cf. AUGUSTIN, *Cura mort.* 18, 22 (messes, prières, aumônes) ; *Ench.* 110 (messes et aumônes). Grégoire ne parle pas d'aumônes faites par les vivants pour le soulagement des défunts, mais seulement d'aumônes faites avant la mort qui valent aux défunts de pouvoir être soulagés dans l'au-delà (IV, 41, 6 et 42, 5 ; cf. AUGUSTIN, *Ciu.* 21, 27, 5 et les passages déjà cités).

Au reste, les Dialogues ont aussi des réflexions doctrinales, dont certaines comptent parmi les plus belles de l'œuvre grégorienne. L'excursus du Livre III sur les deux sortes de componction méritait bien l'honneur qui lui a été fait d'être offert, comme un morceau d'anthologie, à une illustre dame de la cour impériale [50]. Les Prologues des Livres I et IV sont d'admirables méditations sur la grandeur et la chute de l'homme, considérées ici dans le sort malheureux d'un individu — Grégoire lui-même —, là dans celui d'Adam et de l'espèce entière [51].

Mais les plus importants aperçus de théologie mystique sont sans doute ceux qui ouvrent et ferment le Livre II. « Revenir à soi » et « habiter avec soi-même sous le regard de Dieu [52] », puis « s'élever au-dessus de soi-même » dans le ravissement de la lumière divine jusqu'à voir le Créateur et saisir d'un regard l'exiguïté de tout le créé [53], ces expériences décrites au début et à la fin de la Vie de Benoît illustrent un idéal de conversion et de contemplation que Grégoire expose ailleurs, de façon théorique, à la suite d'Augustin [54]. Néoplatonicien d'origine, chrétien par adoption, cet itinéraire de l'âme qui rentre en elle-même pour s'élever de là vers Dieu sert d'axe principal à toute la spiritualité grégorienne, comme à une grande partie de la littérature mystique du christianisme. Que la figure de Benoît ait été choisie pour représenter cet enseignement capital, c'est là une preuve de

---

50. III, 34, 2-5. Cf. *Reg.* 7, 23 = *Ep.* 7, 26.

51. I, *Prol.* 3-6 : du malheur de Grégoire à la félicité des saints hors du monde ; IV, 1, 1-5 : de l'aveuglement du genre humain à la foi des croyants illuminés par l'Esprit.

52. II, 3, 5-9.

53. II, 35, 6-7. Déjà le morceau précédent parlait d' « être soulevé au-dessus de soi-même par la grâce de la contemplation », d' « être ravi sur les sommets par l'ardeur de la contemplation », de « se laisser sous soi » (II, 3, 9).

54. Voir surtout *Mor.* 5, 57-62 ; cf. *Mor.* 8, 34-35 et 23, 40-43. Autres indications chez M. Doucet, « Pédagogie et théologie dans la *Vie de saint Benoît* par saint Grégoire le Grand », dans *Col. Cis.* 38 (1976), p. 158-173 (voir p. 161-166 et 170-172). Voir aussi C. Dagens, *Saint Grégoire le Grand. Culture et expérience chrétiennes*, Paris 1977, IIe Partie, ch. II.

plus que le Livre Second remplit, entre ses voisins, une fonction d'importance majeure.

L'histoire   Ce n'est pas seulement à l'histoire de la théologie et de la spiritualité, mais encore à l'histoire tout court que les Dialogues fournissent une contribution. Celle-ci porte d'abord sur Grégoire lui-même, sur ses épreuves de santé antérieures et ses sentiments en 593-594, ses relations passées et présentes, son séjour à Constantinople et ses contacts avec le monastère de Saint-André, comme sur tant d'autres traits autobiographiques qui se glissent dans sa narration.

Au plan de l'histoire générale, l'ouvrage n'apporte pas beaucoup de renseignements originaux, importants et sûrs. Parfois erroné [55], voire tendancieux [56], il lui arrive cependant de confirmer utilement les allégations incertaines d'autres historiens [57].

---

55. II, 15, 2 : Totila n'est pas mort la dixième année de son règne, mais la onzième (mais que veut dire au juste *anno decimo* ?) ; III, 1, 1 : Paulin de Nole n'a pas vécu jusqu'à l'époque des razzias vandales en Italie ; III, 13, 1 : le siège de Pérouse n'a pas duré sept ans, mais seulement trois ; III, 19, 2 et IV, 13, 3 : les saints Zénon et Juvénal ne sont pas des martyrs (cf. IV, 55, 2 : saint Syrus « martyr », selon presque tous les mss) ; III, 32, 1 : les évêques africains ne furent pas mutilés sous Justinien (527-565), mais sous Huneric (477-484).

56. Herménégilde (III, 31) est présenté comme un pur martyr de l'orthodoxie, sans la moindre allusion à sa révolte armée et aux aspects politiques de son cas. Grégoire de Tours, qui note aussi le rôle de l'élément religieux dans cette affaire, ne néglige pas l'autre pour autant. Il est d'ailleurs remarquable que « PAUL DE MÉRIDA », *V. Patr. Emer.* 16, quand il rapporte la mort de Léovigilde et l'avènement de Récarède, n'ait pas un mot sur Herménégilde. Bien plus, en reproduisant (col. 152 a) une phrase de *Dial.* III, 31, 7, il remplace *fratrem martyrem* par *Christum Dominum*. Comme les autres auteurs espagnols, l'historien de Mérida refuse donc de considérer Herménégilde comme un martyr et ne craint pas de corriger Grégoire sur ce point. Celui-ci, toutefois, a peut-être ignoré de bonne foi une partie des griefs de Léovigilde contre son fils.

57. Ainsi pour les motifs religieux du conflit qui opposa Léovigilde et Herménégilde, les Dialogues soutiennent Grégoire de Tours (note précédente). Au chapitre suivant, Grégoire recoupe Énée de

Mais c'est surtout en matière d'histoire régionale et locale que les Dialogues sont précieux. Non seulement, comme l'a relevé Moricca, ils présentent un tableau très vivant de la société italienne au VIᵉ siècle, avec beaucoup de détails concrets, de scènes familières et de traits de mœurs [58], mais la prosopographie et la topographie y trouvent aussi une documentation abondante. Bien des personnages, des monuments et des sites italiens de cette époque nous apparaissent uniquement ou pour la première fois dans les Dialogues. Pour d'autres, l'ouvrage fournit des renseignements qui recoupent ou complètent ce que nous savons par ailleurs, par la correspondance de Grégoire notamment.

Ces indications sont particulièrement importantes pour l'histoire des diocèses d'Italie. Entre les conciles symmachiens du début du siècle et celui que tint Grégoire en 595, les Dialogues fournissent plus d'une fois la seule attestation qui nous soit parvenue de l'existence d'une Église et du nom de son évêque. L'histoire des monastères leur doit aussi beaucoup. Sans eux nous ne saurions rien d'Honorat et de Fondi, d'Equitius et de ses fondations valériennes, d'Anastase et de Suppentoma, comme de tant d'autres institutions cénobitiques destinées à durer ou à disparaître.

La Vie de Benoît   Entre tous ces éléments d'histoire monastique, une mention spéciale est due à ceux qu'apporte le Livre Second. L'existence et la carrière de Benoît, son activité à Subiaco, au Mont-Cassin et à Terracine ne nous sont pas connues autrement que par les Dialogues, et ceux-ci se trouvent être également l'unique source contemporaine qui signale la *regula monachorum* rédigée par le grand abbé.

Cette mention de la Règle de Benoît à la fin du Second Livre des Dialogues pose actuellement, on le sait, un problème historique, que nous traiterons en peu de mots pour terminer. La *regula monachorum* que connaissait Grégoire

Gaza en parlant d' « évêques » africains (III, 32, 1), et Procope en mentionnant la faute charnelle d'un de ceux-ci (32, 4).

58. Moricca, p. LXIV-LXXVIII.

est-elle bien celle que les moines, depuis le VIIe siècle au moins jusqu'à nos jours, ont attribuée à Benoît ? La fameuse Règle bénédictine qui a traversé les âges est-elle l'œuvre authentique du saint abbé ? On l'a nié il y a une vingtaine d'années : l'ouvrage de Benoît mentionné par Grégoire serait en réalité ce que nous appelons la Règle du Maître, tandis que notre « Règle de saint Benoît » n'en serait qu'un abrégé fait en Gaule au siècle suivant [59].

Pour notre part, tout en tenant pour certain que la Règle du Maître est la source de la Règle bénédictine, nous ne voyons aucune raison de refuser la paternité de celle-ci au Benoît des Dialogues. Ni sa langue, qui est bien celle de l'Italie du VIe siècle [60], ni le témoignage des manuscrits, qui l'attribuent unanimement à Benoît [61], ni les traits d'observance concordants ou divergents que rapporte le Second Livre des Dialogues [62] n'autorisent à la détacher de celui qu'on a toujours tenu à bon droit pour son auteur.

De façon positive, la citation élogieuse qui est faite de son chapitre 58 dans le Commentaire de Grégoire sur le

59. Voir J. Froger, « La Règle du Maître et les sources du monachisme bénédictin », dans *RAM* 30 (1954), p. 285-288. De cette mise en question de l'authenticité de la Règle bénédictine, on trouve un écho chez J. Leclercq, « Epilogo », dans *Il monachesimo nell'alto medioevo et la formazione della civiltà occidentale*, Spolète 1957, p. 609 ; « *Regula Magistri* et Règle de S. Benoît », dans *RAM* 33 (1957), p. 101-105 ; « Monasticism and St. Benedict », dans *Monastic Studies* 1 (1963), p. 9-23.

60. Voir A. Mundó, « L'authenticité de la *Regula Sancti Benedicti* », dans *Commentationes in Regulam S. Benedicti*, Rome 1957 (*Studia Anselmiana* 42), p. 105-158, en particulier p. 114-126, ainsi que l'étude de C. Mohrmann sur laquelle il s'appuie.

61. A. Mundó, *art. cit.*, p. 138-144 ; A. de Vogüé, *La Règle de saint Benoît*, t. I, Paris 1972 (*SC* 181), p. 149-150.

62. A. de Vogüé, « La Règle du Maître et les Dialogues de S. Grégoire », dans *RHE* 61 (1966), p. 44-76, surtout p. 44-46 et 66-74 ; *La Règle de saint Benoît*, t. I, p. 155-157 et 159-160. Ces traits du récit grégorien sont sujets à caution, car il est habituellement impossible de discerner si Grégoire, à ce niveau des détails, reproduit le témoignage de ses informateurs ou imagine pour donner vie et vraisemblance à ses narrations. Dans ce dernier cas, il peut s'inspirer soit de ce qu'il a lu dans la *Regula* de Benoît, soit des usages monastiques en vigueur autour de lui.

Livre des Rois montre que le saint pape — ou, ce qui revient presque au même, le rédacteur de son commentaire oral, l'abbé Claude, qui fut son disciple et mourut avant lui — la connaissait et l'appréciait [63]. Il n'est donc pas douteux qu'en rapportant que Benoît « a écrit une règle pour les moines », Grégoire a en vue notre « Règle de saint Benoît » et non une autre.

Cependant un doute encore plus radical s'est élevé naguère au sujet de l'existence même de Benoît. Quelle valeur historique peut-on reconnaître à sa Vie écrite par Grégoire [64] ? Celui-ci n'a-t-il pas créé de toutes pièces cette figure idéale d'un *Benedictus uir* dont le nom même serait symbolique [65] ?

Cette mise en question de l'histoire du saint ne nous paraît pas plus fondée que celle de l'authenticité de sa Règle. Certes, on l'a vu, nul n'est plus enclin [que nous à scruter l'arrière-plan littéraire des Dialogues. Comme le reste de l'ouvrage, la Vie de Benoît contient sans doute plus d'un trait emprunté à des Vies de saints antérieures. Mais cette influence de modèles littéraires, si forte qu'on la suppose, laisse intactes à tout le moins les données biographiques essentielles, ce qu'on pourrait appeler le curriculum du personnage.

Que celui-ci ait, au temps des Goths, dirigé des monastères dans la vallée de Subiaco, fondé un autre sur la cime du Mont-Cassin, envoyé de là un essaim à Terracine, ce sont là des faits trop bien localisés pour que Grégoire ait pu les inventer. Trop de gens, dans la vallée de l'Anio, aux bords du Liri, sur le rivage de la mer Tyrrhénienne, voire à Rome même [66], étaient prêts à secouer la tête si on leur

63. A. DE VOGÜÉ, *La Règle de saint Benoît*, t. I, p. 150-152 ; « *Discretione praecipuam*. A quoi Grégoire pensait-il ? », dans *Benedictina* 22 (1975), p. 325-327.

64. Question souvent posée par J. LECLERCQ. Voir les articles cités ci-dessus, note 59.

65. Comme le suggère, en ce qui concerne le nom seulement, J. H. WANSBROUGH (article cité plus bas, note 75). Voir à ce sujet notre article « La rencontre de Benoît et de Scholastique » (cité ci-dessous, note 80).

66. Affile et le Mont-Cassin avaient été dévastés par les Lom-

contait des fables de ce genre. L'existence d'une communauté monastique en tel lieu, sous tel supérieur, à une
époque récente, n'est pas de ces faits qui passent inaperçus
ou qu'un auteur imaginatif puisse inventer sans crainte
d'être contredit.

Pour que Grégoire puisse l'affirmer dans les Dialogues, il
faut qu'il ait réellement existé à Subiaco une *cella* fondée
plusieurs décennies plus tôt par un certain Benoît et encore
gouvernée actuellement par un certain Honorat [67]. Il faut
aussi qu'un autre monastère se soit dressé sur le Mont-Cassin, qui, après avoir été installé là par Benoît au milieu
d'édifices païens et avant d'être détruit par les Lombards,
avait eu des abbés du nom de Constantin et de Simplicius.
Il faut enfin que Terracine ait reçu une colonie monastique
originaire du Cassin, et le monastère romain du Latran un
supérieur, nommé Valentinien, de même provenance.

D'autres objets mineurs se joignent à ces *realia* qui soutiennent le récit des Dialogues : le *capisterium* naguère sus-
pendu à la porte de l'église d'Affile, la sépulture du saint
dans l'oratoire cassinien de Saint-Jean-Baptiste, la grotte
de Subiaco où l'on peut se faire guérir, la *regula monachorum* que Grégoire suggère de lire. Située en des lieux précis

---

bards (*Dial.* II, 1 et 17). Peut-être ne restait-il plus beaucoup de
monde sur les lieux. Mais les réfugiés de ces régions ne manquaient
sans doute pas dans la zone sous contrôle byzantin (voir ci-dessus,
ch. IV, note 102), à Rome en particulier, où maint passage des Dialogues suppose que des provinciaux sont venus se mettre en sécurité
dans la capitale. Au reste, Rome avait abrité « pendant bien des
années » Valentinien, abbé du monastère du Latran. Terracine
était également, au temps de Grégoire, une place tenue par les
« Romains » (ci-dessus, ch. IV, note 100).

67. Il est vrai que A. Pantoni, « Un quesito su Onorato, disce-
polo e testimone di San Benedetto », dans *Benedictina* 17 (1970),
p. 327-338, a proposé d'entendre la Préface du Second Livre des
Dialogues en ce sens que Honorat gouvernait, au temps de Grégoire,
le monastère *du Mont-Cassin*, non celui de Subiaco. Mais cette interprétation nous paraît moins fondée que l'autre, comme nous le
montrerons ailleurs. Au reste, elle n'aurait pour effet que de trans-
férer au second monastère de Benoît l'importante attestation qu'on
entendait jusqu'ici du premier. Notre argument ne s'en trouverait
pas modifié sensiblement.

et en des édifices déterminés, liée à des choses concrètes et à des personnages connus [68], la geste de Benoît ne se présente pas comme une légende flottante, mais comme une histoire ancrée dans le réel et assurée dans ses grands traits. Si Grégoire avait eu besoin d'inventer une figure idéale, il se serait sans doute contenté de la situer vaguement, comme il le fait parfois, « en Valérie » ou « dans le Samnium [69] ». Il ne l'aurait pas campée en des sites bien définis, où une partie des faits allégués pouvait être vérifiée.

Benoît, abbé de Subiaco et du Mont-Cassin dans la première moitié du VIᵉ siècle, est donc un personnage historique dont il n'y a pas lieu de douter. Sa réputation de saint et de thaumaturge est également un fait sans lequel Grégoire n'aurait pu écrire le Second Livre des Dialogues. Non que chacun des quarante exploits à lui attribués doive être tenu pour authentique [70]. Il est au contraire possible, pro-

68. A ceux que nous avons relevés, on peut ajouter Florent, le curé de Subiaco (*Dial.* II, 8), grand-père d'un sous-diacre de l'Église romaine qui semble bien être celui dont Grégoire a déploré, en décembre 592, le refus de l'évêché de Naples (*Reg.* 3, 15 = *Ep.* 3, 15). Même si le pape avait quelque raison d'en vouloir à ce sous-diacre timoré, imagine-t-on qu'il lui ait attribué calomnieusement un grand-père aussi peu honorable ? L'existence de ce mauvais prêtre de Subiaco paraît hors de doute, ainsi que ses démêlés avec Benoît, dont l'historicité s'en trouve confirmée. — Le cas d'*Exhilaratus noster quem ipse conuersum nosti* (*Dial.* II, 18) est apparemment plus suspect, s'agissant d'un miracle dont on trouve un doublet dans *Dial.* III, 14 (voir ci-dessus, ch. IV, note 65). Mais cet Exhilaratus est probablement celui dont Grégoire parle dans ses Lettres (*Reg.* 5, 6 = *Ep.* 4, 47 ; *Reg.* 7, 29 = *Ep.* 7, 32 ; cf. *Reg.* 14, 4 = *Ep.* 14, 4), tandis que son pendant du Livre III n'est ni nommé, ni situé d'aucune manière. S'il y a eu création légendaire, c'est sans doute au Livre III. L'épisode du Livre II, attestant les relations de Benoît avec un personnage encore vivant en 593, serait donc à verser au dossier des témoignages en faveur de l'existence du saint, d'autant qu'Exhilaratus y joue un rôle peu glorieux, que Grégoire ne pouvait guère attribuer gratuitement à une personne de son entourage.

69. Voir par exemple *Dial.* I, 11 : *in eadem prouincia* (*Valeria*) ; III, 18 : *in Campaniae partibus intra quadragesimum Romanae urbis miliarium* ; III, 26 : *in Samniae prouincia* ; IV, 10 : *in Samnio* ; IV, 12 : *in eadem prouincia Nursiae.*

70. J. CHAPMAN, *St. Benedict and the Sixth Century*, p. 4-13, nous

bable même, qu'une partie de ces merveilles sort de l'imagination de ses admirateurs ou des lectures de son biographe.
Mais on ne prête qu'aux riches. La légende elle-même suppose une *uirtus* expérimentée par les contemporains. La
série des miracles racontés à Grégoire par ses informateurs
renferme vraisemblablement plus d'un trait sérieux.

A ce lot d'informations reçues, l'auteur des Dialogues
peut avoir ajouté de lui-même sans heurter de front la
vérité. Une référence initiale aux quatre disciples du saint
couvre globalement le Livre entier, très peu de récits étant
nommément attribués à telle ou telle source [71]. Dans ces
conditions, rien n'empêche l'auteur d'insérer çà et là quelque
histoire tirée de son propre fonds. Quelle que soit la mesure,
difficile à déterminer, dans laquelle Grégoire a usé de cette
faculté, l'historicité substantielle du Second Livre des Dialogues demeure en tout cas, répétons-le, à l'abri de toute
contestation.

Les recherches contemporaines sur les Dialogues   Que d'ailleurs Grégoire ait donné de ce personnage de Benoît une image fortement stylisée, conforme aux modèles de la Bible et de l'hagiographie comme à ses
propres vues et aspirations spirituelles, on n'en peut douter.
Trop de contacts avec l'Écriture et les Vies de saints, comme
avec le reste de l'œuvre grégorienne, sont là pour le prouver.

Ces points de contact, qui rendent assez vaines les tentatives faites naguère pour tracer, d'après les Dialogues, un
Charakterbild du saint [72], attirent de plus en plus l'attention

---

paraît trop crédule à cet égard, faute de prêter attention à l'arrière-
plan littéraire des Dialogues. Il en est de même pour I. Schuster,
S. Benoît et son temps, trad. fr., Paris 1950.

71. Ainsi *Dial.* II, 15[b] (ci-dessus, ch. IV, note 57) ; 26-27[a] (*ibid.*,
notes 59-61).

72. Cf. I. Herwegen, *Der heilige Benedikt. Ein Charakterbild*,
Dusseldorf 1917 ; 4[e] éd. posthume, 1951 ; trad. fr. : *Saint Benoît*,
Paris, s. d. — Voir à ce sujet H. Schrörs, « Das Charakterbild des
hl. Benedikt von Nursia und seine Quellen », dans *ZKT* 45 (1921),
p. 169-207 ; S. Hilpisch, « Die Quellen zum Charakterbild des hl.
Benedikt », dans *ZKT* 49 (1925), p. 358-386. La discussion porte
sur la Règle autant que sur les Dialogues.

des commentateurs. L'Écriture Sainte d'abord, comme il
se doit [73], mais aussi Augustin et les Pères de l'Église [74], la
littérature païenne [75], les rites magiques [76], l'hagiographie
chrétienne [77], les autres écrits de Grégoire [78], tout cela fait

73. O. Rousseau, « Saint Benoît et le prophète Élisée », dans
Revue monastique (Maredsous), n° 144 (1956), p. 103-114 ; B. de
Gaiffier, « Miracles bibliques et Vies de Saints », dans *NRT* 88
(1966), p. 376-385 ; M. Mähler, « Évocations bibliques et hagiographiques dans la Vie de saint Benoît par saint Grégoire », dans *Rev.
Bén.* 83 (1973), p. 398-429 ; A. de Vogüé, « La rencontre de Benoît
et de Scholastique. Essai d'interprétation », dans *RAM* 48 (1972),
p. 257-273. Sur un sujet voisin, cf. M. van Uytfanghe, « La Bible
dans la Vie de saint Séverin d'Eugippius », dans *Latomus* 33 (1974),
p. 324-352.

74. P. Courcelle, « Saint Benoît, le merle et le buisson d'épines »,
dans *Journal des Savants*, juill.-sept. 1967, p. 154-161, et les autres
articles du même cités dans la note suivante ; B. Steidle, « Die
kosmische Vision des Gottesmannes Benedikt », dans *Erbe und
Auftrag* 47 (1971), p. 187-196, 298-315, 409-414 ; K. Gross, « Der
Tod des hl. Benedictus. Ein Beitrag zu Gregor d. Gr., Dial. 2, 37 »,
dans *Rev. Bén.* 85 (1975), p. 164-176.

75. Outre les articles cités dans la note précédente, voir P. Courcelle, « La vision cosmique de saint Benoît », dans *REAug* 13
(1967), p. 97-117 (avec références aux études antérieures) ; « *Habitare secum* selon Perse et selon Grégoire le Grand », dans *REA* 89
(1967), p. 268-279 ; *Connais-toi toi-même, de Socrate à saint Bernard*,
t. I, Paris 1974, p. 217-229. Voir aussi J. H. Wansbrough, « St Gregory's Intention in the Stories of St Scholastica and St Benedict »,
dans *Rev. Bén.* 75 (1965), p. 145-151 ; A. de Vogüé, « Un avatar
du mythe de la caverne dans les Dialogues de Grégoire le Grand »,
dans *Homenaje a Fray Justo Pérez de Urbel*, t. II, Silos 1977 (*Studia Silensia* 4), p. 19-24.

76. J. Laporte, *S. Benoît et le paganisme*, S. Wandrille 1963,
reproduit avec des modifications dans *Études Ligériennes d'histoire
et d'archéologie médiévales*, *Mémoires de la Semaine de Saint-Benoît-
sur-Loire* (juillet 1969), éd. R. Louis, Auxerre 1975, p. 233-246.

77. A l'article de M. Mähler (n. 73), ajouter P. A. Cusack,
« St Scholastica : Myth or Real Person », dans *Downside Review* 92
(1974), p. 145-159 ; « Some Literary Antecedents of the Totila
Encounter in the Second Dialogue of Pope Gregory I », dans *Studia
Patristica* 12 (1975), p. 87-90 ; « The Temptation of St. Benedict :
An Essay at Interpretation through the Literary Sources », dans
American Benedictine Review 27 (1976), p. 143-163.

78. C. Dagens, « Grégoire le Grand et la culture : de la *sapientia
huius mundi* à la *docta ignorantia* », dans *REAug* 89 (1967), p. 17-
26 ; « La conversion de saint Benoît selon saint Grégoire le Grand »,

l'objet de recherches comparatives qui révèlent peu à peu
la profondeur de l'arrière-plan des Dialogues. Presque toutes
consacrées au Livre Second, ces enquêtes pourraient s'étendre
avec profit à l'ensemble de l'œuvre. Une telle extension ne
serait pas sans utilité pour l'interprétation du Livre II lui-
même, qu'on a trop tendance à considérer isolément.

L'intérêt que suscite aujourd'hui l'arrière-plan littéraire
des Dialogues compense heureusement l'indifférence dont
faisait preuve un Moricca [79]. Ces investigations doivent
seulement se garder d'un danger : celui de passer la mesure.
Déjà certains rapprochements pèchent par excès de subti-
lité [80]. Un tour aussi complet que possible de la littérature
ancienne, surtout dans le domaine hagiographique, devrait
permettre d'aller droit aux sources importantes et certaines,
sans s'attarder à des comparaisons trop recherchées.

De plus, il faudrait toujours considérer avec soin la portée
exacte de chaque détail des Dialogues auquel on prétend
trouver un correspondant chez Grégoire ou d'autres auteurs.
A quoi bon, par exemple, accumuler autour de la tentation
de Benoît les textes parlant des « épines » et de leur symbolisme, quand les épines où Benoît se roule ne sont, dans le
récit de Grégoire, qu'un détail concret, dépourvu de portée
symbolique ? Simple moyen de procurer la souffrance, celles-
ci n'ont rien à voir avec les « épines de la tentation » et autres
allégories inventées par Grégoire lui-même ou ses prédécesseurs. Les en rapprocher, ce n'est pas éclairer le texte,
mais l'obscurcir.

---

dans *Riv. di storia e letteratura religiosa* 5 (1969), p. 384-391. Voir
aussi M. Doucet, « La tentation de saint Benoît : relation ou création par S. Grégoire le Grand ? », dans *Col. Cis.* 37 (1975), p. 63-
71 ; « Pédagogie et théologie dans la *Vie de saint Benoît* par saint
Grégoire le Grand », dans *Col. Cis.* 38 (1976), p. 158-173. Cf.
P. A. Cusack, « Number Games and the Second Dialogue of St Gregory », à paraître dans *Studia Patristica* (Conférence d'Oxford 1975).

79. Voir notre article « Un cinquantenaire : l'édition des Dialogues
de saint Grégoire par U. Moricca », dans *BISI* (1977).

80. Parmi bien des excès de ce genre, voir ceux que nous avons
relevés dans *La Règle de S. Benoît*, t. I (*SC* 181), p. 153, n. 8 ; « La
rencontre de Benoît et de Scholastique » (cité n. 73), p. 257-264 ;
« Un cinquantenaire » (cité n. 79), n. 69.

**Les notes
de la présente édition** Évitant ces rapprochements fallacieux, notre propre annotation voudrait se borner à ceux qui présentent une véritable utilité. De plus, elle éliminera délibérément les références à la légende, assez fréquentes dans le commentaire de Moricca, pour ne retenir en principe que les données de caractère historique. Celles-ci sont trop nombreuses et trop difficiles à faire tenir dans des notes brèves pour qu'on leur ajoute des éléments légendaires, qui risquent en outre d'être confondus avec elles.

Ces deux sortes d'éclaircissements, les uns littéraires et doctrinaux, les autres historiques, forment ensemble une matière extrêmement abondante. Pour ne pas allonger le commentaire outre mesure, nous en avons parfois renvoyé certains éléments à des « notes complémentaires », rangées en fin de volume, qui sont signalées dans le commentaire lui-même par des astérisques placés à la fin des notes correspondantes. Avec tout cet appareil, nous sommes encore loin d'éclairer les Dialogues autant que le demanderait la richesse singulière de ce texte, où affluent les valeurs diverses : fragments d'histoire et créations édifiantes, réminiscences de la Bible et de la tradition littéraire, remarques exégétiques et avis moraux, réflexions d'un théologien et intuitions mystiques d'un grand cœur.

CHAPITRE VI

ÉTABLISSEMENT DU TEXTE
PRÉSENTATION DE L'ÉDITION

La tradition manuscrite Le succès qu'ont eu les Dialogues et leur énorme diffusion ne facilitent pas la tâche de l'éditeur. Non seulement, en effet, les manuscrits sont en très grand nombre, mais en outre la contamination a joué entre eux de façon intense. Le Père Jean Mallet, de l'Abbaye de Saint-Jérôme à Rome, qui en a collationné une cinquantaine, a bien voulu nous faire part des résultats de son enquête. Ils sont décevants : plus encore que la Vulgate hiéronymienne, les Dialogues sont un texte « surveillé », continuellement révisé et corrigé, de sorte que les familles de mss, s'il y en eut, ont mêlé leurs caractéristiques dans une sorte de texte reçu et ne peuvent être reconstituées. Tout au plus peut-on tenter des groupements par aires géographiques, elles-mêmes assez floues. Seuls quelques mss très anciens, encore peu atteints par la contamination, sont intéressants.

L'édition bénédictine et la Patrologie de Migne La répartition des témoins par aires géographiques, constatée de nos jours par J. Mallet, se trouve être au principe des deux grandes éditions des Dialogues réalisées dans le passé : celles des Bénédictins de Saint-Maur (1705) et d'Umberto Moricca (1924).

La première, qui fut l'œuvre de dom Denys de Sainte-Marthe [1], repose sur une vingtaine de mss français, dont la

---

1. *Sancti Gregorii Papae I cognomento Magni Opera omnia, ad manuscriptos codices Romanos, Gallicanos, Anglicanos emendata, aucta et illustrata notis, studio et labore Monachorum Ordinis Sancti Benedicti e Congregatione Sancti Mauri, Tomus Secundus, Parisiis*

désignation est malheureusement trop vague pour qu'on
puisse les retrouver sans peine [2]. Le sérieux de l'éditeur se
reconnaît à son souci de garder le texte des *mss potiores*,
même quand il va contre les « lois de la grammaire [3] ». Les
variantes indiquées en notes ne sont pas aussi nombreuses
et aussi précisément attribuées aux mss que nous le souhai-
terions aujourd'hui, mais elles n'en constituent pas moins
un appoint appréciable. La version grecque du pape Zacharie, placée en regard du texte, est encore plus utile —
compte tenu des grandes libertés qu'elle prend parfois —,
puisqu'elle a été faite au milieu du viiie siècle, époque de
nos plus anciens mss [4].

C'est cette édition bénédictine que Migne a reproduite
dans sa Patrologie Latine [5]. Plus accessible et plus maniable
que son modèle, celle-ci a toutefois quelques inconvénients,
dont l'utilisateur doit être averti. Le plus évident est de
détacher de l'œuvre grégorienne le Livre Second, anticipé
comme « Vie de saint Benoît » dans un autre tome [6]. De
plus, Migne a légèrement retouché l'orthographe des Mauristes [7], et surtout omis sans le dire, au début de l'ouvrage,

MDCCV, p. 103-476. Sur dom Denys de Sainte-Marthe (1650-
1725), voir [DOM J. FRANÇOIS], *Bibliothèque générale des écrivains
de l'Ordre de S. Benoît*, t. III, Bouillon 1778, p. 7-24.

2. Voir la liste de ces 21 mss, *loc. cit.*, p. 117. Elle est reproduite,
avec des précisions et des lacunes, dans G. COLOMBÁS - L. SANSE-
GUNDO - M. CUNILL, *San Benito, Su Vida y su Regla*, Madrid 1954
(*BAC* 115), p. 153-154 (aux 16 mss énumérés, ajouter deux *San-
germanenses*, un *Carnotensis*, un *Audoensis* et le *Regius* mentionné
p. 154, n. 27). D'aucun de ces mss, D. de Sainte-Marthe ne dit qu'il
soit antérieur au ixe siècle. La plupart semblent être beaucoup plus
récents.

3. Ainsi col. 332, n. *d* (*Dial.* III, 23, 1). La leçon *positus*, coura-
geusement préférée par l'éditeur mauriste, se retrouve en fait dans
GH, tandis que *A* et *M* ont le correct *positum*. Serait-ce donc une
leçon « transalpine » ?

4. La traduction des Dialogues est le dernier fait signalé par le
Liber Pontificalis (I, p. 435, 17-19) dans sa notice sur Zacharie
(741-752).

5. *PL* 77, 127-432.

6. *PL* 66, 125-204.

7. Ainsi Migne écrit *Joannes* pour *Johannes*, *Redemptus* pour
Redemtus, *Visigothi* et *Vandali* pour *Wisigothi* et *Wandali*.

leurs *Capita* — omission d'autant plus regrettable que ceux-ci ne concordent pas toujours avec les titres placés en tête des chapitres et présentent plus d'une fois des leçons meilleures. Enfin la Patrologie s'écarte du texte bénédictin par un certain nombre de variantes, qu'on peut considérer comme de simples *errata* [8].

L'édition de Moricca   L'autre édition majeure des Dialogues est celle d'U. Moricca [9]. Son cinquantenaire nous a naguère donné l'occasion d'en marquer les richesses et les limites [10]. Sans revenir sur cet examen d'ensemble, il faut ici s'arrêter à ses traits proprement philologiques. Moricca s'est servi de dix mss actuellement conservés dans des bibliothèques d'Italie et dont l'origine italienne est assurée pour la plupart. Son texte peut donc être dit « italien », comme celui des Mauristes était « français ». Voici, par ordre alphabétique, un signalement sommaire de ces manuscrits :

A   Milan, *Ambros. B.* 159 *Sup.*, VIIIe s.
C   Mont-Cassin, *Archiv.* 85, XIe s.
M   Vérone, *Capit. XLVI* (44), VIIIe s.
O¹   Rome, *Vallicell. C.* 9, fos 174-181 et 186-275, IXe s.
O²   Rome, *Vallicell. C.* 9, fos 1-137, XIe s.
S   Rome, *Sessor.* 40 (1258), IXe s.
V¹   Rome, *Vatic. Palat.* 260, Xe s.

8. En voici la liste (références aux Livres, chapitres, colonnes et lignes de *PL* 77 et 66) : I, 1, 153 D 3 : *illa* pour *illo* ; II, 35, 198 C 2 : *exiguum* pour *exiguam* ; III, 20, 272 A 6 : *iam* pour *tam* ; III, 21, 273 B 2 : *eum* pour *cum* ; III, 23, 276 D 3 : *nos* pour *vos* ; III, 23, 277 A 10 : *magnopore* pour *magnopere* ; III, 34, 300 D 2 : *oportet oportet* pour *oportet* ; IV, 23, 356 A 11 : *pedes* pour *pedes eius* ; IV, 25, 357 A 14 : *negant* pour *negat* ; *germinata* pour *geminata* ; IV, 36, 384 C 1 : *in* pour *e* ; IV, 37, 389 B 8 : *mortis* pour *morti* ; IV, 55, 417 A 6 : *Taurania* pour *Tauriana* ; IV, 59, 428 B 5 : *proposcerat* pour *poposcerat*. En I, 12, 213 B 9, au contraire, *inuenio* est une correction justifiée de *uenio*, simple lapsus des Mauristes (205, 1).
9. *Gregorii Magni Dialogi Libri IV, a cura di* U. MORICCA, Rome 1924 (*Fonti per la storia d'Italia* 57).
10. A. DE VOGÜÉ, « Un cinquantenaire : l'édition des Dialogues de saint Grégoire par Umberto Moricca », dans *BISI* (1977).

V^2 Rome, *Vatic. Palat.* 261, ixe-xe s.
V^3 Rome, *Vatic. Palat.* 262, xe s.
V^4 Rome, *Vatic. Lat.* 5753, ixe s.

Dans cette liste, deux mss se signalent par leur ancienneté :
A et *M*. Avec raison, Moricca les a pris pour bases. De façon
plus discutable, l'éditeur italien réunit ACO^2SV^{3-4} sous un
archétype commun, écrit au Mont-Cassin. Son seul argument
— la présence dans ces divers mss du même *Incipit* développé, mentionnant l'*Arx* cassinienne, au début du Livre II
— ne paraît pas suffisant pour fonder ce groupement, étant
donné le phénomène de contamination dont nous avons
parlé. D'autres groupes mineurs ont plus de consistance : *A*
et V^4, tous deux provenant de Bobbio, sont nettement
apparentés ; *C* et O^2 se rencontrent souvent, ainsi que *M* et
O^1. Le moins bon de ces mss est certainement V^3, rempli de
variantes fantaisistes.

Fondé sur les deux mss du viiie siècle et principalement
sur *A*, le texte de Moricca est en général assez sûr. Cependant il accorde une préférence contestable à certaines leçons
particulières par lesquelles les deux mss de Bobbio (*A* et V^4)
s'opposent à tous les autres témoins. En outre, les erreurs et
lacunes de ses collations, reflétées dans son apparat, affectent
assez souvent son texte lui-même. Tel est le cas, en particulier, des leçons que Moricca attribue faussement au ms.
de Milan (*A*), qui est sa principale autorité. Même en ce qui
concerne ce témoin privilégié, de multiples contrôles nous
ont montré que l'apparat de l'édition romaine, en dépit —
ou peut-être en raison même — de son effort pour enregistrer les moindres détails, était loin de mériter confiance. Un
article que nous publions dans la *Festschrift R. Hanslik*
rend compte spécialement des vérifications que nous avons
effectuées sur le ms. *A*[11]. Quant au ms. de Vérone (*M*), qui
est à peine moins important, nos sondages prouvent aussi

---

11. A. DE VOGÜÉ, « Sur le texte des Dialogues de saint Grégoire
le Grand. L'utilisation du manuscrit de Milan par les éditeurs »,
dans *Latinität und alte Kirche, Festschrift R. Hanslik*, Vienne 1977,
p. 326-335.

que les collations de Moricca sont fort défectueuses [12]. On trouvera plus loin une liste générale des lapsus de Moricca qui ont quelque incidence sur la constitution de son texte et du nôtre.

Enfin cette édition de 1924 a un point faible sur lequel il n'est guère nécessaire d'insister, tant on l'a déjà critiqué : son orthographe. Comme les mss les plus anciens sont les moins atteints par la normalisation, Moricca croit se rapprocher autant que possible des graphies originelles en reproduisant celles de A et de M, du second surtout, auquel il accorde la préférence en cette matière. Le résultat est doublement décevant, d'abord parce qu'on impute à un auteur du VIe siècle les tendances et les incohérences de scribes du VIIIe, ensuite parce que certaines formes en deviennent ambiguës et leur identification incertaine.

De plus, cette orthographe donne au texte de Moricca

---

12. Outre les indications données plus bas (p. 179-187 : « Leçons omises par Moricca » et « Notes critiques »), voici, à titre d'échantillon, quelques *errata* relevés dans l'apparat de Moricca (page et ligne de celui-ci entre parenthèses ; la première leçon est celle qu'il attribue, explicitement ou implicitement, au ms. *M*, la seconde, celle qu'on y trouve en fait) : I, 2, 8 (24, 1) *eo* : *eum* ; 9, 11 (55, 6) *vivunt* : *uibunt.* - II, Prol. 2 (72, 7) *scilicit* : *et* ajouté ; 3, 1 (80, 4) *III* : devant *Non* (80, 7) ; 3, 5 (81, 20) *dissimiles* : *-lis* ; 8, 9 (94, 1) *omnes* : *omnis* ; 11, 1 (98, 5) *omnes* : *omnis* ; 15, 1 (102, 1) *XV* : devant *praeterea* (102, 15) ; (102, 3) *dei* : *domini* ; (102, 4) *erigi de terra* : *de terra eregi* ; (102, 5) *Ihesu* : *domini I.* ; 32, 4 (125, 9) *asseris* : *adseris* ; 35, 2 (128, 17) *eius* : *eis* ; (128, 18) *quo* : *qui* ; (128, 18) *in* : om. ; (128, 19) *superioribus* : *superibus* ; 35, 6 (130, 26) : *humiliata... vir* : *humilita... uiri.* - III, 1, 1 (136, 3) *hunc* : *hanc* ; 9, 2 (154, 4) *rursus via* : *cursusui* ; 17, 1 (180, 6) *Baxentinae* : *-ne* ; 17, 8 (182, 22) *Saulum* : *saluum* ; 17, 13 (183, 18) *forte cum* : *cum forte* ; 38, 1 (225, 13) *cognitum* : *-to.* - IV, 4, 7 (235, 2) *nil* : *nihil* ; 10 (241, 9) *esset* : *essit* ; 16, 7 (254, 9) *coepit* : *cepit* ; 19, 2 (257, 8) *quod* : *quo* ; 19, 4 (257, 24) *animam* : *-ma* ; 20, 1 (258, 5) *Deo* : *Deum* ; 30, 3 (273, 2) *Veritatis... mortuus* : *ueritas... mortuum* ; 37, 4 (286, 9) *cui* : *ei* ; 37, 9 (287, 23) *foetor* : *foeto a* (?); 39 (291, 19) *cognoscunt... aeternae* : *cognuscerent... aeterne* ; (291, 20) *delectatione* : *dil.* ; 42, 5 (300, 6) *nil* : *nihil* ; 43, 2 (300, 11) *Ita est* : om. ; 43, 4 (301, 13) *bona eius opera* : *opera eius bona* ; 47, 3 (306, 19) *quid* : *quod* ; 57, 6 (316, 21) *cognusces cum* : *cognusce ua* (?) ; 57, 17 (320, 5) *quae* : *quod* ; 58, 1 (320, 7) *LVIII* : devant *Mira* (320, 5) ; (320, 7) *quae* : *quod* ; 59, 6 (322, 17-18) *agitur - nescientibus²* : om.

un aspect si bizarre et si bigarré que la correction typo-graphique a dû en devenir difficile : quand aucune norme n'est suivie, aucune faute ne frappe plus le regard. De là sans doute les coquilles assez nombreuses qui se sont glis-sées dans cette édition, comme le révèle un examen même partiel de sa base manuscrite. Chaque fois qu'un certain nombre de mss divergent du texte imprimé sans que l'ap-parat, en dépit de sa prétention à être complet, enregistre leurs variantes, on peut être à peu près sûr, même sans avoir contrôlé tous les témoins, qu'il s'agit d'un simple lap-sus typographique. Mais nous reviendrons plus loin sur ces problèmes d'interprétation, en parlant de l'usage que nous faisons du travail de notre devancier dans la présente édi-tion.

Autres éditions Comparées à l'œuvre des Bénédictins et de Moricca, les autres éditions, complètes ou partielles, des Dialogues n'ont qu'une importance secon-daire. Avant les premiers, on trouve la longue série des *Opera omnia* du saint pape, qui jalonnent les xvie et xviie siècles [13], tandis que le Livre II, sous le titre de *Vita sancti Benedicti*, est reproduit mainte fois de son côté [14]. Une de ces éditions des Œuvres complètes que D. de Sainte-Marthe a le plus sou-vent citées et critiquées est celle de son prédécesseur immé-diat, Pierre Goussainville [15]. Le Mauriste mentionne aussi parfois les *Vindiciae Gregorianae* de Th. James [16], recueil de variantes textuelles glanées dans quatre mss anglais [17]. Quant aux Vies de Benoît, il faut au moins signaler pour cette période les œuvres monumentales du Flamand B. Haef-

---

13. Moricca, *op. cit.*, p. lxxx, en recense 15 au xvie s. et 6 au xviie, faisant suite aux huit éditions des Dialogues imprimées à la fin du xve.

14. Les indications de Moricca, p. lxxx-lxxxi, peuvent être complétées tant soit peu avec A. Albareda, *Bibliografia de la Regla Benedictina*, Montserrat 1933, p. 46-47.

15. Paris 1675.

16. Th. James, *Vindiciae Gregorianae seu Restitutus innumeris paene locis Gregorius Magnus ex variis manuscriptis*, Genève 1625.

17. Sous les numéros 505-542, p. 86-90, sont recensés une qua-rantaine de lieux des Dialogues.

ten [18] et du Cassinien A. della Noce [19], qui accumulent, le premier dans ses *Disquisitiones* et le second dans ses notes, une information philologique, historique et topographique considérable.

Les deux séries d'éditions — intégrales ou réduites au Livre II — se continuent après les Mauristes. Le premier quart du XVIIIe siècle voit paraître notamment la *Vita latino-graeca S. P. Benedicti* de A. Quirini, enrichie de leçons prises à deux mss de Subiaco [20], et le dernier quart du siècle les Œuvres complètes publiées à Venise par J. B. Galicciolli, qui a collationné pour les Dialogues trois mss vénitiens [21]. Les deux ouvrages dépendent pareillement de l'édition bénédictine, dont ils reproduisent le texte latin, la version grecque et les notes, en saupoudrant celles-ci de trop rares variantes tirées de mss locaux.

La fin du XIXe siècle a été marquée par un renouveau d'activité scientifique qui prépare l'œuvre de Moricca. En 1878, G. Waitz éditait dans les *Monumenta Germaniae* des extraits des Dialogues intéressant l'histoire du VIe siècle [22]. Parmi les sept témoins de diverses régions qu'il utilise, Waitz a eu le mérite de donner la première place à l'*Ambrosianus B. 159 Sup.*, dont Moricca fera lui aussi son

18. B. Haeften, *Disquisitionum monasticarum Libri XII*, Anvers 1644. Les douze Livres, qui étudient la Règle bénédictine sous autant d'aspects divers, sont précédés d'un Commentaire sur la Vie de Benoît.

19. A. de Nuce, *Chronica sacri monasterii Casinensis*, Paris 1668, rééditée par L. Muratori, *Rerum Italicarum Scriptores*, t. IV, Milan 1723, p. 151-629. La Chronique proprement dite, œuvre de Léon d'Ostie et de Pierre Diacre, est précédée d'une Vie de Benoît copieusement annotée (p. 152-240).

20. L'œuvre est anonyme. Parue à Venise en 1723, elle appartient au bénédictin et futur cardinal-évêque de Brescia Quirini (ou Querini). Sur ce personnage (1680-1755), voir M. Armellini, *Bibliotheca Benedictino-Casinensis*, t. I, Assise 1731, p. 44-46. Les deux mss de Subiaco dont il s'est servi ne semblent pas être ceux que conserve actuellement la Bibliothèque de l'Abbaye, c'est-à-dire les cod. 76 (74) et 130 (127), tous deux du XIIIe s.

21. *S. Gregorii Opera omnia*, ed. J. Galliciolli, t. VI, Venise 1779.

22. *MGH, Scriptores rerum Langobardicarum et Italicarum saec. VI-IX*, ed. G. Waitz, Hanovre 1878, p. 524-540.

ms. principal (*A*). Deux autres mss collationnés par Waitz (n°s 2 et 5) seront repris par l'éditeur italien (*V*[4] et *C*).

Deux ans plus tard, c'est à nouveau l'*Ambrosianus* que J. Cozza-Luzzi prend pour base de sa Vie de Benoît [23]. Avec diligence, sinon avec exactitude, il relève les moindres détails graphiques de ce témoin privilégié. La version grecque, placée en regard du texte, reçoit aussi les soins assidus qu'on pouvait attendre d'un moine de Grotta Ferrata. Un très ancien ms. de ce monastère, le *Vaticanus graecus* 1666, lui sert à corriger le texte de Zacharie.

La même année 1880, centenaire présumé de la naissance de saint Benoît, paraissait en Allemagne l'édition du Livre II due à R. Mittermüller [24]. Celui-ci a suivi un ms. de Munich, le *Clm* 22038, provenant de Wessobrunn, et donné en note les variantes de trois autres mss munichois, mêlées à celles des éditions mauriste et cassinienne. Après Moricca, il ne reste guère à signaler que deux publications : d'abord les fragments du Livre III édités, d'après deux folios du VIIe siècle, par A. Dold [25], puis la Vie de saint Benoît publiée en 1953

23. *Historia S. P. N. Benedicti a SS. Pontificibus Romanis Gregorio I descripta et Zacharia graece reddita*, ed. J. Cozza-Luzzi, Tusculum 1880.

24. *S. Gregorii Magni Dialogorum Liber Secundus de Vita et miraculis S. Benedicti*, ed. R. Mittermüller, Ratisbonne 1880. Les trois mss secondaires sont les *Clm* 6293, 3748 et 12617.

25. A. Dold, *Zwei Doppelblätter in Unziale des 7. Jahrhunderts mit Text aus den Dialogen Gregors d. Gr.*, dans *Zentralblatt für Bibliothekswesen* 55 (1938), p. 253-258. Trouvés dans la reliure d'un incunable de Stuttgart, ces feuillets auraient été écrits, d'après l'éditeur, à Bobbio vers le milieu du VIIe s., soit un siècle avant l'*Ambrosianus* et dans le même scriptorium, mais d'après E. A. Lowe, *C. L. A.*, IX, 1356, vers 700 et peut-être en milieu anglosaxon (*Stuttgart, Landesbibl., Theol. et Philos. Qu.* 628). — Un spécialiste de la vieille version anglo-saxonne des Dialogues vient de découvrir dans sept témoins anglais du texte latin, dont le très ancien fragment *Wroclaw, Bibl. Univ. Akc.* 1955/2 + 1969/430 (Northumbrie, vers 700 ; a servi de modèle au ms. complet *Wurzbourg, Bibl. Univ. MS M. P. Th. F.* 19, vers 800, peut-être Lorsch), un court passage qui manque chez les Mauristes et Moricca, mais figure dans trois éditions incunables ainsi que dans celle de Venise 1514. Voir D. Yerkes, « An Unnoticed Omission in the Modern Critical Editions of Gregory's Dialogues », dans *Rev.*

par les Bénédictins de Montserrat [26], avec un choix de variantes comprenant celles d'un ms. espagnol du Xe siècle,
l'*Urgellensis*.

**Genèse et normes
de notre édition**   En attendant le texte critique préparé pour le *Corpus Christianorum*
par J. Mallet, nous avons eu recours,
sur le conseil de celui-ci, aux deux grandes éditions exis-
tantes, celles des Bénédictins de Saint-Maur et de Moricca.
Notre premier soin a été de comparer ces deux textes, l'un
« français », l'autre « italien ». Très souvent les variantes de
l'édition bénédictine se retrouvent dans le texte ou l'apparat de Moricca et vice versa. Cependant le texte mauriste
se distingue par un grand nombre d'inversions qu'on ne
rencontre pas ailleurs.

Chaque fois que les deux éditions principales s'oppo-
saient, nous avons consulté le grec de Zacharie et tenté de
le situer par rapport à ces textes divergents. Au Livre II,
en outre, nous avons noté les leçons de Mittermüller, ainsi
que celles de ses variantes qui proviennent de mss alle-
mands. Enfin nous avons collationné tous les fragments
édités par Waitz. Quant aux autres éditions mentionnées
plus haut, leur appareil critique nous a paru trop imprécis
ou trop clairsemé pour être utilisé avec profit.

A travers les travaux que nous avons mis à contribution,
on obtient déjà une vue assez large et sûre de la tradition
manuscrite, surtout du côté italien. Cependant les Mauristes
ne donnent pas assez de lumière sur l'âge, la valeur et le

Bén. 87 (1977), p. 178-179. Ce texte, placé à la fin de *Dial.* III, 4,
3 (après *abscessit*) est le suivant : Petrus. *Eundem uirum hoc facere
sola fide credimus an sanctitate posse ?* Gregorivs. *Ut ex multis eius
aliis actibus agnosco, sola hunc fide contra malignum spiritum praeua-
luisse considero.* Absent de nos mss *G* et *H* aussi bien que de ceux
de Moricca et des Mauristes (y compris Zacharie), ce passage est
sûrement une interpolation, comme le montrent son style (en particulier *posse* au lieu de *potuisse*) et surtout son contenu : la distinction entre foi et sainteté est étrangère à la pensée de Grégoire et
n'a d'ailleurs aucun sens.

26. Référence ci-dessus, n. 2. L'édition du Livre II des Dialogues
est due à C. Batlle.

contenu des mss utilisés. Afin de suppléer à cette insuffisance et d'atteindre des spécimens transalpins de même qualité que les meilleurs témoins de Moricca, nous avons collationné deux codex du VIIIe siècle [27], les mss *Saint-Gall* 213 (sigle : *G*), déjà consulté par Waitz (c'est son n° 3), et *Autun* 20 (sigle : *H*). Leur accord habituel avec le texte de Moricca est une sérieuse garantie de la supériorité de celui-ci sur le texte mauriste, tandis que leur accord avec ce dernier dans un certain nombre de cas permet de corriger plus sûrement bien des erreurs ou des choix discutables de l'éditeur italien.

Cependant, pour rester fidèle à notre propos, nous n'avons pas recueilli toutes les leçons de *G* et de *H*, mais seulement, en règle générale, celles qui se rapportent à des lieux variants où nos deux éditions de base sont en désaccord. En limitant ainsi la consultation de *G* et de *H*, nous avons évité deux inconvénients : surcharger l'apparat de variantes qui, vu l'âge de ces codex, sont innombrables et le plus souvent sans intérêt, ainsi que Waitz en avait déjà fait la remarque à propos de *G* ; le déséquilibrer en donnant au témoignage de deux mss particuliers une importance démesurée par rapport aux ensembles représentés par les éditions.

27. Des photographies nous ont été procurées par l'*IRHT*. Sur le *SG* 213, voir A. Bruckner, *Scriptoria medii aevi helvetica*, t. II, Genève 1936, p. 70 (le copiste serait le moine Liutfrit, qui écrivit des documents entre 754 et 757) ; E. A. Lowe, *Codices latini antiquiores*, VII, Oxford 1956, n° 922. Le texte des Dialogues, copié en minuscule serrée, tient en 146 pages (p. 5-150). — Sur l'*Augustodunensis 20 (21 S)*, voir *Voyage littéraire de deux religieux bénédictins*, t. I, Paris 1717, p. 151, qui attribue à cette écriture, qualifiée de mérovingienne, « au moins mille ans », d'où sans doute la datation « du début du VIIIe s. » qu'on trouve dans le *Catalogue général des mss des Bibliothèques publiques des départements*, t. I, Paris 1849, p. 15, où est reproduit l'*Incipit liber de allegorū Gregorii papae*, illisible sur notre photo (il rappelle l'*Incipit Liber primus de aliquorum S. Gregorii pape* de *G*) ; E. A. Lowe, *C. L. A.*, VI, 1953, n° 719, qui le rapproche du *Regin.* 316 et le date de la seconde moitié du VIIIe s. (N. É. de la France). Les Dialogues occupent les 150 premiers folios.

**Rédaction
de l'apparat critique** Celles-ci, en effet, ne peuvent être citées que de façon globale, sans désigner précisément les mss qui attestent telle ou telle leçon. Trop peu précise chez les Bénédictins, cette désignation est trop peu sûre chez Moricca. Lorsque celui-ci indique une variante, on peut en général se fier à lui quant à la présence de cette leçon dans un ou plusieurs mss, mais non point quant à la spécification de ces témoins. Si l'on ne veut pas refaire son travail entièrement, la seule façon d'en profiter est d'enregistrer ses données de façon sommaire, en faisant suivre les variantes de la mention générique m^v (variante de Moricca), analogue à celle qui représente les variantes de l'édition bénédictine (b^v). Il en va de même pour les variantes de Waitz, si souvent en désaccord avec Moricca au sujet des trois mss qu'ils utilisent l'un et l'autre [28], ainsi que pour celles de Mittermüller, dont les notations sporadiques et parfois imprécises rappellent celles des Mauristes : nous les désignerons par des sigles du même genre (w^v, r^v).

Notre collation des mss *GH* demeure donc partielle, subordonnée qu'elle est à la comparaison des éditions qui constitue la base de notre travail. Cette méthode a pour conséquence l'aspect un peu insolite de l'apparat, où les sigles des éditions précèdent ceux des mss.

Notre apparat présente une autre particularité : il est presque toujours rédigé de façon positive. Si pesante que soit cette présentation, elle s'impose dès lors qu'on fait intervenir le grec de Zacharie(z). Le témoignage de cette version étant discontinu, tant à cause des libertés prises par le traducteur que de l'écart irréductible entre les deux langues, on est habituellement obligé de préciser si elle appuie ou non la leçon du texte dans le cas considéré. Au reste, les variantes des éditions (m^v, etc.) viennent parfois soutenir la leçon du texte, et leurs interventions intermittentes obligent aussi à mentionner explicitement tous les témoins du lemme.

---

28. Dans la majorité des cas, c'est Moricca qui a raison contre Waitz (et aussi contre Cozza-Luzzi). Voir l'article « Sur le texte des Dialogues... », cité plus haut (n. 11), p. 327.

En ce qui concerne l'orthographe, on notera que celle des mss et des éditions n'est pas, d'ordinaire, prise en considération dans notre apparat. Cela veut dire non seulement que nous n'enregistrons point quantité de détails orthographiques par lesquels les textes collationnés — en particulier celui de Moricca — diffèrent du nôtre, mais encore que chaque unité critique ne porte en général que sur une variante textuelle de quelque importance, en fonction de laquelle les témoins sont réunis entre eux et opposés les uns aux autres sans qu'il soit tenu compte d'autres différences mineures qui les séparent.

Cette exclusion habituelle des détails d'orthographe ne nous empêche ni de noter entre crochets droits, quand nous le jugeons utile, certaines variantes secondaires, ni de consacrer çà et là quelques unités critiques, aisément reconnaissables, à des questions de graphie [29]. Ces indications occasionnelles permettent d'entrevoir les rapports de notre orthographe avec celle de nos prédécesseurs et des mss.

Au reste, le domaine de la pure orthographe ne se laisse pas toujours circonscrire avec précision, et les principes de Moricca ne sont pas de nature à faciliter cette délimitation. Nous en avons fait la remarque plus haut : certaines de ses graphies sont ambiguës et mettent en cause le texte lui-même. Chaque fois que l'édition italienne prête ainsi à équivoque, nous traitons comme une variante textuelle ce qui n'est au fond qu'une question d'orthographe, et nous notons le mot ambigu dans notre apparat [30]. Quand,

29. Quelques différences d'orthographe comme *hi/hii* et *idem/isdem* sont notées partout. D'autres le sont aux premières apparitions du mot (*flagrantia/fragrantia, homelia/omelia*, etc.). Quelques-unes comme *saltem-saltim* (cette dernière forme est constante dans nos mss anciens) ne le sont jamais.

30. A l'exception du très courant *orbis* (pour *urbis*). — Un cas fréquent et embarrassant est celui de *uellem/uelim*. Les plus anciens mss portent d'ordinaire *uellim*, qui peut représenter l'un ou l'autre. Comme le note M. BONNET, *Le Latin de Grégoire de Tours*, Paris 1890, p. 435, « il y a confusion complète entre le présent et l'imparfait du subjonctif dans le verbe *uelle*... et le plus souvent *uellim, uellit, uellint,* etc., font l'office indifféremment de l'un et l'autre temps. » Sur les 17 fois où Grégoire emploie la première personne, le plus souvent dans des demandes de Pierre, nous écrivons 4 fois

au contraire, une graphie aberrante ne peut être interprétée de plusieurs façons, nous la négligeons [31].

Quelques précisions, pour finir, sur les variantes que nous tirons des notes et apparats de nos prédécesseurs (b^v, m^v, etc.). De l'édition bénédictine, nous retenons toutes les variantes qu'elle attribue à des mss, leur nombre réduit nous ayant engagé à les enregistrer complètement, malgré le faible intérêt de certaines d'entre elles. Au contraire, nous ne notons pas les leçons que D. de Sainte-Marthe prend aux éditeurs précédents, à moins que celles-ci ne se retrouvent chez un autre témoin que nous collationnons.

De Moricca et de Waitz, nous retenons même certaines variantes que nous avons reconnues absentes des mss auxquels ces éditeurs les attribuent. En effet, on peut présumer — et l'expérience nous l'a souvent confirmé — que l'erreur porte seulement sur l'identité du témoin en cause, non sur l'existence de la variante dans quelqu'un des mss utilisés.

Comme trois des codex de Waitz (n°s 1, 2, 5) se retrouvent dans la base manuscrite de Moricca (A, V^4, C) et qu'un autre (n° 3) est le *Sangallensis* 213, c'est-à-dire notre ms. G, il arrive que le sigle w^v désigne un témoin déjà représenté dans notre apparat par le sigle m^v ou G. Le léger inconvénient de ces doublets nous a paru moindre que celui des complications où l'on entrerait en voulant l'éviter.

L'apparat de Moricca n'est pas toujours facile à interpréter. Mêlant constamment les variantes textuelles à de multiples et minimes détails d'orthographe, il se contente parfois d'accrocher à la leçon du texte une mention telle

uellem (I, *Prol.* 9 ; I, 4, 9 ; I, 12, 7 ; III, 1, 5) avec *b*, plus ou moins soutenu par *GH* (en particulier III, 1, 5) ou par le sens (I, 12, 7), et partout ailleurs *uelim* (avec *m* lui-même en II, 30, 2 ; IV, 25, 2 ; d'ordinaire *m* écrit *uellim*). La distinction entre potentiel et irréel est si incertaine, même à l'époque classique, que Grégoire peut avoir hésité entre les deux formes. Nous avons relevé 26 autres cas de confusion entre *uelit* et *uellet*, *possit* et *posset* ; parfois le présent paraît certain (I, 2, 8 ; II, 36), parfois l'imparfait (I, 4, 14 ; II, 1, 6 ; II, 25, 2 ; III, 14, 2 ; III, 31, 8 et 33, 7 ; IV, 16, 6 ; IV, 18, 2 et 53, 2, etc.).

31. Ainsi pour les finales verbales en -*rit*/-*ret*, quand le parfait et l'imparfait du subjonctif se distinguent par leur radical.

que *Così AM*, sans dire sur quel point litigieux — il y en a souvent plus d'un possible — les autres mss s'opposent à cette leçon. Dans ces cas douteux, nous avons tranché d'après ce que nous lisions dans un ou plusieurs des mss concernés, mais sans mentionner explicitement ce recours à la base manuscrite et cette élucidation : comme les autres, la variante en question est signalée dans l'apparat par un simple *m*^{v}.

Il n'en va pas de même pour les erreurs proprement dites de l'éditeur italien. Il fallait que l'apparat critique les relève de quelque façon, en renvoyant à la présente Introduction pour une correction plus approfondie.

Leçons omises par Moricca   Assez souvent en effet, nous l'avons dit, l'apparat critique de Moricca est en défaut, soit qu'il attribue à tort telle leçon à tel manuscrit, soit qu'il omette de signaler quelque variante qui s'écarte de son texte. Dans ce dernier cas, la faute vient parfois du texte lui-même, qui porte manifestement une coquille. Ces erreurs de tout genre ne pouvaient être relevées en détail dans notre apparat, puisque celui-ci n'enregistre les données de Moricca, comme celles des autres éditeurs, que de façon générique (*m* ou *m*^{v}), sans spécifier quels sont les mss en cause. Dans l'apparat, nous nous sommes donc contenté de signaler sommairement les erreurs en question au moyen du sigle *m*^{o}, qui signifie « leçon omise par Moricca ». C'est ici que le lecteur trouvera des précisions sur les mss concernés dans chaque cas.

Le tableau qui suit indique d'abord le lemme du texte de Moricca, puis la variante des mss omise ou déformée dans son apparat. L'astérisque signale les leçons déjà relevées par Moricca, pour lesquelles nos notations viennent compléter les siennes. Quand ce signe manque, il s'agit d'une leçon entièrement absente de l'édition Moricca. Dans quelques cas, à commencer par le premier, le lemme est immédiatement suivi du sigle d'un ms., pour signifier que ce ms. présente bien la leçon du texte, et non point la variante que lui attribue l'apparat.

Nous n'avons pu contrôler intégralement que les deux mss principaux, ceux de Milan (*A*) et de Vérone (*M*). Celui

du Mont-Cassin (*C*) a été consulté pour nous par Don Faustino Avagliano, que nous remercions de son obligeance. Quant
aux sept mss romains ($O^{1.2}SV^{1.2.3.4}$), certaines questions qui
se sont posées à nous quand nous n'étions plus à Rome
ont dû rester sans réponse [32]. Aussi, en ce qui concerne ces
mss de Rome et du Mont-Cassin, les listes de témoins qui
suivent chaque variante ne sont-elles jamais limitatives.
Nous pouvons affirmer que la variante en question se lit dans
les mss indiqués, mais sans garantir qu'elle ne se trouve pas
ailleurs. On voudra bien s'en souvenir et ne tirer aucune
conclusion de nos silences.

Dans certains cas, nous indiquons entre parenthèses à la
suite du lemme ou de la variante, les mss où nous avons
effectivement trouvé la leçon donnée par Moricca. D'autres
indications subsidiaires sont pareillement fournies entre
parenthèses à la fin de certaines lignes.

Ces corrections apportées à l'édition de Moricca sont, on
le verra, d'importance très inégale. Elles vont des plus
sérieuses erreurs concernant le texte lui-même — mots omis
ou déformés — jusqu'à des variantes regardant un ou deux
mss secondaires, voire à de simples détails d'orthographe.
Il va sans dire que ces derniers ne sont signalés qu'à titre
d'échantillons ; on pourrait en relever des centaines d'autres.
Comme dans l'apparat critique, il nous a semblé utile de
confronter çà et là l'orthographe de Moricca avec celle de
ses mss, et d'en faire apparaitre ainsi certaines simplifications inavouées [33].

---

32. Dans plusieurs cas, cependant, nous avons pu nous ren-
seigner à distance grâce aux bons offices de Mgr Sauget ($V^{1.2.3.4}$) et
du Père Alban Toucas ($O^{1.2}S$).

33. C'est le cas, par exemple, pour *nihil* et *nil*. Le plus souvent il
s'agit de normalisations à rebours, l'éditeur présentant comme générale une graphie plus ou moins aberrante. Au reste, Moricca ne
s'explique pas, dans sa Préface, sur ses principes et sa pratique en
cette matière. Son apparat donne l'impression de ne négliger aucun
détail (ainsi la variante *aecclesia/ecclesia* est enregistrée constamment), mais en fait, pour certains mots très courants comme *atque*
ou *nihil* et certaines formes très fréquentes comme les finales verbales en -*et*, l'apparat n'indique pas, d'ordinaire, les variantes des
mss. Sur les cas de *atque* et de *minime*, voir notre article « Sur le
texte des Dialogues... », p. 328-329.

RÉFÉRENCE A L'ÉDITION *SC*	PAGE ET LIGNE DE MORICCA	
I Cap. I-II	3, 3–4	Fundensis (*bis*) *A*
Cap. VIII	3, 12	qui : quod *AV*[1.3.4] (*CMO²SV²* desunt)
Prol. 4	14, 14	ut : et *ACO²SV*[1.3.4]
Prol. 7	15, 22	fuisse : fulsisse* *ACSV²*
2, 1	20, 8	Libertinus (*ASV*[3.4]) : qui add. *CO²V*[1.2]
2, 8	24, 1	in eum (*A*pc*CM*) : eum *A*ac
4, 9	32, 16	hoc : hac *A*
4, 18	37, 1	quid : quia *ACMO²SV*[1.4] (qua *V²* qui *V³*)
7, 1	43, 7	uir (*S*pc) : uiro *ACMO²S*ac*V*[1.2.3.4]
9, 10	54, 12	Constantinus : Constantius *ACMO²SV*[1.2.3.4]
9, 11	55, 5	omnis (*M*) : omnes *ASV³* (oms̃ *CO²V*[1.2.4])
9, 18	57, 16	hic : haec* *A*ac
10, 14	64, 3	dumque : cumque *ACMO²SV*[1.2.3.4]
10, 17	65, 17	corpusculum (*A*) : corpus* *M*
12, 4	69, 23	talis (*A*ac*M*) : tales *A*pc*CO²SV*[1.2.3.4]
12, 6	70, 17	quae : qua *ACMO²SV*[1.2.3.4]
II Prol. 1	71, 11	dum : cum *ACMO²SV*[1.2.3.4]
Prol. 1	72, 4	conuersionis : conuersationis *ACMO²SV*[1.2.3.4]
Prol. 2	72, 7	reuerentissimo (*S*) : ualde add.* *AM*
2, 4	79, 21	mentis (*M*) : mentes *ACO²SV*[1.2.3.4]
2, 5	80, 2	claustra (*CMO²SV³*) : clausa* *AV*[1ac.2] (causam *V*[1pc])
3, 4	81, 11	quid : numquid* *ACMO²SV*[2.3.4]
3, 5	81, 20	conuersationis (*V*[4ac]) : conuersationi *ACMO²SV*[1.2pc.3.4pc] (-ne *V*[2ac])
3, 5	81, 20	coactus (*M*) : coactos* *A*
3, 9	82, 19	etiam : om.* *AM*
3, 10	83, 5	placet (*CO²SV*[1.2.3]) : patet* *AS* (*V⁴*) (patit *M*)
3, 12	84, 2	uiros : uiuos *ACSV*[1.2ac.3.4] (uiuus* *M* ut uid. *V*[2pc])
3, 13	85, 3	erudiri : erudire* *A* (*M*)
4, 2	87, 13	foras (*M*pc) : foris* *AM*ac
5, 2	88, 12	admisit : dimisit *ACMO²SV*[1.2.3.4]
7, 2	90, 11	terra (*M*) : terram *A*
8, 1	91, 2	leui (*V*[2pc]) : leni *ACO²SV*[1.2.3.4] lene *M*
8, 2	91, 8	se iam (*ASV*[1.4]) : iam se *CMO²V*[2.3]
8, 7	93, 2	uir (*M*ac *ut uid.*) : uiri* *ACM*pc
8, 9	93, 20	non : nos* *AM*
9	96, 22	medio (*M*) : medium* *A*
10, 1	97, 9	quo : quod* *A* (*M*)
10, 2	97, 12	iacendo (*M*pc) : iaciendo* *A* iacindo *M*ac

RÉFÉRENCE A L'ÉDITION *SC*	PAGE ET LIGNE DE MORICCA	
10, 2	97, 19	infinxerat : fin(c)xerat★ *A* fincxerant *M*
11, 1	98, 5	et : ac★ *AM*
14, 1	101, 9	qui : cui *AMO²SV*[1.2.3.4]
15, 1	102, 3	dum : cum *CM*
15, 1	102, 6	dignatus est accedere : dign. ac. est *ACMV*[3]
15, 3	103, 7	et² (*A*) : ac★ *CM*
17, 2	108, 10	uides : uideo *ACMO²SV*[1.2.3.4]
21, 1	110, 20	rursus (*M*) : rursum *AC*
21, 2	110, 23	foris (*M*) : fores *ACO²SV*[1.2.3.4]
21, 4	111, 19	disposuit : disponit *ACMO²SV*[1.2.3.4]
22, 1	112, 4	Alio (*V²*) : Gregorius *praem. ACMO²SV*[1.3.4]
24, 2	116, 23	factus : factum★ *AM*
25, 1	117, 10	iussit : ut *add.*★ *ACSV*[1.2.3.4] (*M*)
27, 3	118, 25	tamen : cutis *praem. ACMO*[1.2]*SV*[1.3.4]
28, 1	119, 12	reseruarit (*M*) : seruaret★ *A*
28, 1	119, 12	parum (*M*) : paruum★ *A*
28, 2	119, 18	parum (*M*) : paruum★ *A*
31, 2	122, 22	Zallae★ *ACO²V*[1.2.3.4] Tzallae *O¹S* (Thalla *M*)
31, 3	123, 16	Domini : dei★ *A* (*M*)
32, 3	125, 1	resuscitari *A* (*M*)
32, 4	125, 9	Si (*AMO¹V*[2ac.3.4]) : sic *CO²SV*[1.2pc]
32, 4	125, 10	ut (*MO¹*) : *om.*★*ASV*[1.3]
33, 2	126, 7	ne ista nocte me (*M*) : ut ista nocte me non★ *A*
33, 2	126, 9	hoc (*O¹*) : *om.*★ *AMV²*
33, 5	127, 13	hoc (*M*) : *om.*★ *A*
35, 2	128, 17	sese : se★ *A* (*om. M*)
35, 2	128, 18	inferiore : inferiora *ACMO*[1.2]*SV*[1.2.3.4]
38, 4	134, 11	uenit : ueniet *A* (*tot. sent. om. M*)
III Prol.	135, 2	Prol. (*cf. S*) : *om.*★ *AMV*[1.4]
1, 1	135, 12	Dum (*ACMO*[1.2]*SV*[2.3.4]) : cum *V¹*
1, 1	135, 18	captiuitate : captiuitatem★ *C* (*M*)
1, 1	136, 3	concedere (*M*) : concederet *ACSV*[1.2.3.4]
1, 2	136, 3	Dei : Domini *C om. M*
1, 5	137, 15	cum : dum★ *A* (*M*)
5, 1	144, 24	etenim *C*
5, 2	145, 7	uoluit : noluit *ACMO*[1.2]*SV*[1.2.3.4]
6, 1	147, 4	consparsionis (*M*) : sparsionis★ *A*
11, 4	158, 12	cum (*AV⁴*) : *om.*★ *O²* (*M*)
11, 6	158, 24	Grimarit : Gumari *AMV⁴*
12, 4	160, 15	humilis (*M*) : humiles *ACSV*[1.2.3.4]
13, 1	161, 2	deductus (*A*[ac] *ut uid. CMO*[1.2]*SV*[1.2.3]) : deuotus *A*[pc]*V⁴*

RÉFÉRENCE À L'ÉDITION SC	PAGE ET LIGNE DE MORICCA	
14, 8	167, 8	missus : iussus $ACMO^{1.2}SV^{1.2.3.4}$
14, 13	169, 3	miro modo ut : ut miro modo* $CMO^2V^{1.3}$
15, 7	172, 10	nil $(AMV^{1.4})$: nihil V^2 nichil CV^3
17, 1	180, 6	Baxentinae $(AV^4$ -ne $M)$: Buxentinae* $CO^2SV^{1ac.3}$
17, 8	182, 23	suscitauit : res(s)uscitauit* A (M)
17, 13	183, 17	redit (AV^4) : rediit* $O^2V^{1.2.3}$ (M)
19, 1	185, 8	Pronulfus $(CSV^{1.2.3})$: Pronuulfus AMV^4
19, 3	186, 11	aecclesiam : ecclesia A (aecclesia M ut uid.)
20, 2	188, 4	recessit : et add. V^{3pc}
23, 1	191, 17	orbis (M) : urbis* $V^{2ac.4}$ (A) urbi $CO^{1.2}S$ $V^{1.2pc.3}$
31, 5	206, 5	iuste (C) : iure* A
31, 8	207, 4	Wisigotharum : Wisigothorum* A
33, 3	210, 1	sanctaemoniales $(AV^{2.4})$: sanctimoniales $CV^{1.3}$
33, 3	210, 3	se : ipse V^3
35, 1	214, 6	Ferentinae (AV^4) : Tiferne Tyberinae [-ne C]* CO^2 (Tifernae Tyberianae urbis V^1)
35, 6	216, 1	mira $(ACO^{1.2}SV^{1.2.4})$: tam mira V^3
36, 1	216, 9	illic $(AO^{1.2}SV^{1.2.4})$: illuc CV^3
37, 1	218, 4	familiaritas $(ACO^{1.2}SV^{1.2ac})$: familiaritatis $V^{3.4}$ familiaritatisque V^{2pc}
37, 16	223, 2	tendendo $(ACMO^{1.2}SV^{1.2.3})$: tenendo V^4
38, 1	225, 13	dilectio tua : tua dilectio* $AMSV^4$
IV 4, 8	235, 14	nil (AO^1V^4) : nihil MSV^2 nichil $CO^2V^{1.3}$
7	239, 21	corporis : corporeis $ACMO^{1.2}SV^{1.2.3.4}$
7	239, 23	oratione (M) : ratione* A (cf. not. crit. p. 186)
13, 3	246, 7	qui V^3
16, 7	254, 9	leuius $(V^3$ in mg.) : lenius $ACMO^{1.2}SV^{1.2.3.4}$
19, 2	257, 7	isdem $(AV^{1.2})$: eisdem M idem V^{3pc} ut uid.
19, 4	257, 19	reato : reatu $AMO^{1.2}SV^{1.2.3.4}$
19, 4	257, 24	paruuli (paruoli M) : filii add. $AO^{1.2}SV^{1.2.3.4}$
20, 1	258, 5	solum : solam $AO^{1.2}SV^{1.2.3.4}$ sola M
20, 2	258, 16	quod (AO^1S) : quid* O^2V^1 (quo M)
20, 4	259, 5	omnis (M) : omnes AV^2 omš $CV^{1.3}$
20, 4	259, 7	omnis (M) : omnes AV^2 omš $CV^{1.3}$
22, 2	260, 8	uocis (M) : uoces $ACSV^{1.2.3}$ (deest V^4)
23, 1	261, 7	Soranus (AS) : Suranus* $CO^2V^{1.2.3}$ (M)
26, 4	264, 14	hunc : hinc $AMO^{1.2}SV^{1.2.3.4}$
27, 1	265, 4	fit $(ACMO^{1.2}SV^{1.3})$: sit V^2
27, 13	270, 3	e $(AV^{1.2.4})$: a V^3 (ex M ut uid.)
29, 2	272, 10	Ex $(V^{3.4})$: et $ACMO^{1.2}SV^{1.2}$

RÉFÉRENCE A L'ÉDITION *SC*	PAGE ET LIGNE DE MORICCA	
30, 2	272, 21	uidit (*M*) : uidet *ACSV*[1.2.3.4]
30, 3	273, 2	infernum (*AM*) : inferno* *V*[1.2.3.4]
34, 4	280, 3	cum *CO*[2] : cui *AMO*[1]*SV*[1.2.3.4]
34, 4	280,8	et ut (*ASV*[2]) : ut et* *CMO*[2]*V*[1] ut *V*[3.4]
36, 6	282, 17	a : e *ACMSV*[1.2.3.4]
36, 7	282, 21	contingit : contigit *ACM*[pc]*O*[1.2]*SV*[1.2.3.4] contegit *M*[ac]
36, 9	283, 7	eis : ei *AMO*[1.2]*SV*[1.2.3.4]
36, 9	283, 10	missum : missus *A M*
37, 2	285, 10	suprema : superna *ACMO*[1.2]*SV*[1.2.3.4]
37, 2	285, 12	inferi : inferni* *O*[2]
37, 4	286, 9	quippe loqueretur (*A*) : loq. quippe* *CMO*[2]*V*[1.2.3.4]
37, 9	287, 22	aliud : alia *ACMO*[1.2]*SV*[1.2.3.4]
37, 9	287, 23	foetor : a *add. ACM ut uid. O*[1.2]*SV*[1.2.3.4]
39	291, 19	sui : sua* *ACMO*[2]*V*[3]
40, 2	292, 11	qui : quis *ACSV*[1.3.4] quis ei *V*[2] quid *M*
40, 4	292, 23	recedite (*ACMO*[1.2]*V*[2.4]) : recedite *add. SV*[1.3]
40, 5	293, 13	expulsus : est *add.* * *A*
42, 1	298, 5	sit : est *ACMO*[1.2]*SV*[1.2.3.4]
42, 5	300, 6	possit (*AMS*[ac]) : posset *CO*[1.2]*S*[pc]*V*[1.2.3.4]
43, 1	300, 7	quaeso te est : est quaeso te* *M ut uid. V*[3.4]
43, 2	300, 19	luce : lucem* *V*[1]
43, 2	301, 2	solem : ante *praem. ACMO*[1.2]*SV*[1.2.3.4]
44, 1	301, 24	nunc : hunc *AMO*[1.2]*SV*[1.2.3.4]
45, 2	303, 2	omnis : omnes *AM ut uid. O*[1]*SV*[2] oms̄ *CO*[2]*V*[1.3] os̄ *V*[4]
47, 2	306, 9	mortalis : et *praem.* * *AMV*[1]
47, 3	306, 19	et si : iam *add. ACMO*[1.2.]*SV*[1.2.3.4]
50, 2	309, 5	Gregorius : L *praem.* * *A*
57, 4	316, 1	cum : dum *ACMO*[1.2]*SV*[1.2.3.4]
57, 4	316, 1	quadam : quodam* *V*[1.2]
57, 6	316, 21	cognusces : cognosces *A*[ac] cognosce *A*[pc]*CO*[1.2]*SV*[1.2.3.4] cognusce *M*
57, 10	317, 18	mali (*AMS*) : malum* *CV*[1.2.3.4]
57, 11	318, 13	quod (*M*) : quos *ACO*[1.2.]*SV*[1.2.3.4]
58, 1	320, 7	LVIII : LVI *V*[3]
59, 6	322, 17	scientibus quam : uiuentibus ac* *CO*[2]*V*[2]
60, 2	323, 7	autem : namque* *CO*[2]*V*[1.2.3.4] (*M*)
60, 2	323, 12	ubi : ibi *ACMO*[1.2]*SV*[1.2.3.4]
60, 3	323, 15	sacrificium : hoc *praem.* * *CO*[2]*V*[1.2.3.4]
61, 2	324, 11	quae : quia* *V*[4]
61, 2	324, 11	quia : quod *V*[3]
62, 3	325, 11	conuersationem (*C*[ac]) : conuersionem *AC*[pc]*MO*[1.2]*SV*[1.2.3.4]

**Principes
pour la constitution
du texte**
Quant aux corrections qui ont un impact sur la constitution même du texte — et c'est le plus grand nombre —, elles rendent compte pour une part de l'amélioration que la présente édition apporte à celle de 1924.

D'autres divergences entre Moricca et nous-même viennent de l'élargissement de sa base manuscrite, à laquelle nous ajoutons un bon nombre de témoins. Trois de ceux-ci, *G*, *H* et *z*, sont du même âge que ses deux meilleurs codex, *A* et *M*. Dès lors, nous pouvons traiter le texte de ces deux mss italiens avec plus de liberté que n'osait s'en accorder Moricca, surtout quand il s'agissait du premier. Nous leur reconnaissons toutefois une certaine supériorité par rapport à *G*, *H* et *z*, de sorte que leur accord nous dicte en général notre choix. Quand au contraire *A* et *M* divergent, l'accord de l'un d'eux avec *GH*, qui concordent fréquemment, peut servir de guide. Si les quatre mss du VIIIe siècle s'opposent deux à deux — un italien et un transalpin dans chaque camp —, le témoignage de *z* aide parfois à dirimer le débat [34].

Il arrive enfin, mais rarement, que le contexte impose la leçon de *b* ou des mss plus tardifs de Moricca, contre l'ensemble des témoins anciens. Dans la majorité des cas, nous avons eu la satisfaction de trouver *G* et *H* en accord avec le texte de Moricca et ses meilleurs mss, comme l'indique le groupe de sigles *m GH* qui suit si souvent le lemme dans notre apparat.

Notes critiques
Une douzaine de passages nous ont paru requérir des explications qui justifient ou éclairent nos choix. Pour en faciliter le repérage, nous indiquons non seulement la référence à cette édition, mais aussi (entre parenthèses) la page et la ligne de Moricca,

---

34. Il faut évidemment rester très prudent à l'égard de ce témoignage, dont l'interprétation est souvent incertaine. Quand il demeure particulièrement douteux ou incomplet, nous plaçons le sigle *z* entre parenthèses.

dont les erreurs ou les choix opposés font souvent l'objet
de ces remarques, ainsi que l'unité correspondante de
notre apparat critique.

I, 3, 4 (26, 21) hinc *mz* : hic *m*^{v} *GH* huc *bm*^{v}

Hinc... ingredere surprend. On attendrait *huc* ici comme plus
haut (2 : *huc ingredi*). Cependant Grégoire peut songer à la porte
du jardin (*horti aditum*), théâtre de cette dernière scène : le jardinier
invite le voleur à entrer désormais *par là*, plutôt que par une
brèche dans la haie. *Hinc* serait alors l'équivalent de *hac*, tout
comme *unde* équivalait plus haut à *qua* (2 : *iter unde fur uenire
consueuerat*).

I, 10, 17 (65, 17) corpus *bm*^{v}*m*^{o} *GH* : corpusculum *m*

Une fois corrigée l'erreur de Moricca concernant *M*, le diminutif
corpusculum paraît n'être attesté que par *SV*^{2} et *AV*^{4}. Encore ces
derniers mss omettent-ile ensuite *cum*. On peut donc se demander
si le suffixe *-culum* ne vient pas, dans ces mss et ailleurs, de la pré-
position *cum* placée à la suite de *corpus*. Grégoire emploie bien *corpusculum* en I, 2, 5 et II, 32, 3, mais il s'agit là d'enfants, ce qui
n'est pas le cas ici. D'ordinaire il appelle le corps des défunts
corpus (I, 10, 18 et 12, 2 ; III, 17, 2-3 ; IV, 28, 4), même en parlant des enfants (I, 2, 6 ; II, 32, 1-2).

I, 12, 2 (69, 9) aliis *bm*^{v}*z* *GH* : alis *m*

Bien attesté, *cum aliis* (*A*) paraît préférable à *cum alis* : le défunt
et les démons qui l'entraînent s'avancent en compagnie d'autres
damnés. D'anges ailés, il n'est pas question ailleurs dans les Dialogues, à notre connaissance.

II, 3, 5 (81, 20) coactos *bm*^{v} (*z*) : -tus *mr GH*

Si *coactus* est mieux attesté, *coactos* paraît donner un sens meil-
leur. L'échange *u/o* est si fréquent dans les mss anciens qu'on ne
peut guère se fier à eux en l'occurrence.

II, 8, 1 (91, 2) leni *bm*^{o} : lene *m*^{o} *G* leui *mr H*

Contredite par l'ensemble des mss de Moricca, qui portent *leni* ou
lene sans qu'il le mentionne, la leçon *leui* de son texte imprimé est
confirmée à première vue par l'allusion probable à Mt 11, 30 :
iugum meum suaue est et onus meum leue (Vulg.). Mais dans ce mot

de l'Évangile, que Grégoire paraît citer toujours ainsi (*Mor.* 30, 50 ; *Hom. Ez.* II, 5, 13 ; *In I Reg.* 5, 31), *leue* s'applique à *onus*, non à *iugum*. L'attribut qualifiant ce dernier (grec *chrèston*) est habituellement traduit par *suaue*, mais aussi parfois par *lene*, notamment chez Augustin (*De op. mon.* 29, 37, etc. ; voir SABA-TIER, t. III, p. 67). Grégoire peut se souvenir ici d'un de ces textes de la *Vetus Latina*.

II, 35, 6 (130, 26) intueri [-re *H*] b^v *mr GH* : intuerit r^v in turri b^v intuens $br^v z$

On se trouve ici devant un *locus desperatus* ou peu s'en faut. Tous les mss italiens que nous avons pu contrôler ($AMO^{1.2}SV^{1.2.3.4}$) s'accordent avec *GH* sur cet infinitif *intueri*, dont l'intégration grammaticale à la phrase fait problème. Les seules particularités à noter sont la variante *intuiri* de *A1m*, et le fait que V^2 ajoute le mot (difficile à lire) au dessus de la ligne, avec une finale corrigée, peut-être à partir de *intuens*. Ce participe, que donnent br^v et que z semble supposer, résout le problème grammatical, mais paraît être une correction *ad sensum*, dont le sens est d'ailleurs peu satisfaisant : la vue du globe de feu semble précéder ainsi celle des anges, alors que les deux objets sont apparus à Benoît simultanément (cf. 3, où c'est la contemplation de la lumière céleste qui précède la vision de l'âme, du globe et des anges). L'autre variante, qui opposerait le lieu matériel de la vision (*in turri*) à son medium surnaturel (*in Dei lumine*), ne manque pas d'attrait, mais elle est mal attestée (b^v).

Nous préférons donc garder *intueri*. Le texte intraduisible qui en résulte peut s'expliquer soit par un lapsus (omission d'un verbe tel que *ualebat* qui devait accompagner cet infinitif ?), soit par une interpolation très ancienne. La phrase se tient si l'on supprime le mot.

Notons enfin que le passage parallèle de IV, 7 a bien le participe *intuens*, mais lui donne pour objet l'ascension de l'âme (*qui eandem quoque ascendentem animam intuens*), contrastée (par un *quoque* qui rappelle encore notre texte) avec la vision du monde rassemblé comme sous un rayon de soleil. Là comme ici, la pensée de Grégoire va de la seconde vision (montée de l'âme) à la première (le monde rassemblé sous la lumière de Dieu).

III, 9, 2 (154, 5) et[1] *m GH* : ut *b*

Le *ut* de *b* explique au mieux le subjonctif *euerteret*. Celui-ci fait problème si on lit *et* avec *m GH*, car il se trouve alors coordonné à l'indicatif *consueuerat*. Nous gardons cependant ce *et*, à cause de

sa forte attestation, en supposant qu'*euerteret* a été attiré par le
reperiret qui le précède.

III, 11, 4 (158, 12) autem $m^v m^o w^v$ G : ut *add.* $bm^v w^v$ H cum *add.*
mw

Avec MG et d'autres mss secondaires, nous laissons *mox* seul au
sens de *mox ut* (« dès que ») qu'il a plus d'une fois dans les Dialogues
et ailleurs (*Dial.* I, 10, 9 ; *RB* 43, 1, etc.). *Mox ut* ($CV^{1.2.3}$) et *mox
cum* (AV^4 seulement) peuvent être des corrections. La seconde
expression, qui ne se rencontre pas dans les Dialogues, est la moins
plausible.

III, 14, 11 (168, 8) hoc bz G : quid hoc m^v quidnam hoc m^v quid
H quidnam m

Bien que *quidnam* soit mieux attesté (AM), nous écartons cette
leçon préférée par Moricca, parce qu'on ne trouve jamais, dans les
questions de Pierre, *quidnam* ou *quid* répété, ni *quidnam* ou *quid*
seul, c'est-à-dire sans que le verbe *est* ou *esse* ait un sujet tel que
hoc (I, 2, 7 ; cf. IV, 24, 2) ou une proposition commençant par *quod*
(I, 12, 4 ; II, 3, 8 et 38, 2 ; III, 15, 13 et 37, 21 ; IV, 37, 1.15 et 38,
2 ; cf. IV, 24, 2) ou par *ut* (I, 10, 7). La phrase interrogative qui
suit ici (*Sponte... laxabat, an... trahebatur ?*) ne peut guère jouer ce
rôle de sujet. *Quidnam* répété deviendrait donc, à défaut de *hoc*,
le sujet de *esse*, qui ne serait plus copule, comme d'ordinaire dans
ces questions, mais verbe d'existence.

IV, 5, 5 (237, 19) apparentum m G : apparentium b H

Le texte de Moricca porte *aparentum*, leçon qu'il attribue à AM
et qu'on trouve effectivement dans ceux-ci. Les autres mss
divergent-ils, et comment ? Par le radical *appar-* ou par la finale
-tium (cf. b H) ? Comme souvent chez Moricca, la chose n'est pas
claire. — En fait, la finale *-tum* se retrouve dans $O^{1.2}SV^{1.2.3.4}$. Par
suite, si ces mss s'opposent à AM, ce ne peut être que par la graphie *appar-*.

IV, 7 (239, 23) uberi m^v GH : -re b uberiore m ; oratione [-nem G]
bm GH : ratione $m^v m^o$

Ratione, que Moricca attribue à V^4, se lit aussi dans A. Manifestement erronée, cette leçon s'explique sans doute par une mauvaise
coupure, qui aura fait rattacher, moyennant une dittographie du r,
la syllabe initiale de *oratione* au mot précédent. Celui-ci, qui devait

être *uberi* (cf. *CMO¹V¹·²* et *GH*), s'est ainsi changé en comparatif (*uberior*), qu'on a accordé avec le nom à l'ablatif (*A uberiore* ; *V³ uberiori*). Une haplographie à partir de *uberior(e) oratione*, qui expliquerait à la fois *uberi* et *ratione*, est encore possible, mais elle nous semble moins probable du fait de la voyelle finale du premier mot, ainsi que de la présence simultanée de *uberiore* et de *ratione* dans *AV⁴*, qui oriente vers la première explication.

IV, 10 (241, 9) an ita esset acta *bmᵛz G* : agnita esset acta *H* agnita esset *mᵛ* ita esse actam *m*

En écrivant *ita esse actam*, Moricca suit *A*, mais sans noter que ce ms. présente, entre *esse* et *actam* (dernière consonne marquée par un simple tilde), un espace anormal, où semble s'être trouvé un *-t* final qu'on aura ensuite gratté. Ce fait affaiblit le témoignage de *A*, qui ne saurait en tout cas prévaloir contre la leçon meilleure de *M* et de *G* (cf. *H*).

IV, 26, 2 (264, 3) de solutione *m* : de dissolutione *bmᵛz H* dissolutionem *bᵛmᵛ G*.

L'apparat de Moricca est trompeur. En réalité, *de* se lit devant *dissolutione* dans *V¹·²*, tandis qu'il manque dans *A2m* et *M*. D'autre part, *O²* a *dissolutionem* (cf. *S3mV³*). La leçon *de dissolutione* de *bz H* ne manque donc pas d'appuis dans la tradition italienne. Cependant il n'y aurait de raison décisive de la préférer à *de solutione* (*O¹V⁴* ; cf. *A1m*) que si *M* la soutenait de son côté, ce qui n'est pas le cas.

Divisions du texte et capitulation   Outre la division classique en Livres et chapitres, notre édition subdivise ces derniers en paragraphes numérotés. Toutes les citations se réfèrent à cette triple division, encore que le numéro du Livre, voire du chapitre, soit habituellement omis dans nos notes quand il est identique à celui du passage annoté.

Quant au nombre et à la délimitation des chapitres, dont il a déjà été question, il faut noter que mss et éditions s'accordent généralement à découper les trois premiers Livres en 12, 38 et 38 chapitres, tandis que le Livre IV donne lieu à des variations. A la suite de plusieurs décalages, ce dernier Livre n'a que 60 chapitres dans l'édition bénédictine, contre 62 chez Moricca. Confirmée par la version de Zacharie, la capitulation de celui-ci se recommande encore du fait qu'elle donne pour l'ensemble des quatre Livres la somme de 150 chapitres, qui paraît intentionnelle [35].

Des deux mss nouveaux que nous utilisons, *G* et *H*, le second n'a aucune capitulation au Livre I ni au début du Livre II. Un numéro apparaît pour la première fois chez lui en II, 17, et il est conforme à la numérotation habituelle. Le copiste continue ensuite à numéroter jusqu'en III, 13, non sans lacunes et erreurs [36]. Enfin, après une longue interruption, il se remet aux chiffres en IV, 2, 3, c'est-à-dire au milieu d'un chapitre, et poursuit avec la même irrégularité que précédemment à travers presque tout le Livre IV. Ses deux derniers numéros (IV, 51-52) coïncident comme le premier avec la capitulation des mss italiens et de Zacharie. On a donc l'impression, en définitive, que le scribe de *H* a connu la division des quatre Livres en 150 chapitres et que ses écarts par rapport à ce système sont simplement dus à beaucoup de négligence de sa part ou de celle de ses prédécesseurs.

Dans *G*, c'est seulement au Livre IV qu'on trouve des chapitres numérotés. Comme dans *H*, la capitulation est lacuneuse et aberrante, l'avance par rapport aux systèmes de *b* et de *m* s'élevant progressivement jusqu'à un écart d'une dizaine de numéros [37]. Mais comme dans *H* aussi, la fin de la série (IV, 55-57) coïncide exactement avec la numérotation de *mz*. Il est donc possible que la capitulation « normale » soit au principe de celle de *G* aussi bien que de celle de *H*. Elle aura seulement souffert davantage dans la tradition qui aboutit à *G*.

Titres des chapitres Quant aux titres des chapitres ou *capitula*, *G* et *H* n'en ont aucun. Cependant huit sur dix des mss de Moricca, et parmi eux les deux plus anciens, nous ont gardé des résumés de cha-

---

35. Voir ci-dessus, p. 54-55.
36. La capitulation de *H* n'est correcte qu'en II, 17-25 et 34-37 ; III, 3-5.
37. Le chapitre 51 de *G* correspond au 44 de *m* et au 42 de *b*.

pitres, qu'ils rangent en série soit au début de l'ouvrage entier (AV^4), soit en tête des Livres auxquels ils appartiennent (M etc.). L'édition bénédictine adopte la première disposition, mais elle reproduit en outre ces *capitula*, sous une forme légèrement différente parfois, en tête des chapitres, auxquels ils servent de titres[38]. Pour notre part, nous avons suivi le modèle de M et de la majorité des mss italiens en plaçant les *capitula* au début de chaque Livre.

Ces *capitula* sont-ils l'œuvre de Grégoire lui-même ? On peut en douter[39]. Mais leur origine est certainement fort ancienne. En effet, si l'on met à part le Livre II, dont l'extraordinaire popularité explique sans doute des différences de rédaction assez considérables, le libellé de ces titres est le même en substance chez les divers témoins. Quant à leur absence de G et de H, elle va de pair avec le flottement que nous avons noté dans la capitulation de ces mss, et comme celui-ci peut être due à la négligence. En tout cas, il est remarquable que les plus anciens vestiges des Dialogues qui nous soient parvenus, ces deux feuillets de Stuttgart en onciales du VIIe siècle qu'a publiés A. Dold[40], présentent déjà des numéros et des titres de chapitres, et que les uns et les autres correspondent à ce que nous connaissons par le reste de la tradition.

38. Ces titres en plein texte ou en marge se retrouvent non seulement dans quelques mss italiens qui ne sont pas des meilleurs ($SV^{1.2.3}$), mais aussi, chose curieuse, dans le ms. du VIIe s. dont les fragments ont été édités par A. Dold (ci-dessus, n. 25). — Quand ils placent les *Capitula* au début de chaque Livre, le ms. M et ses semblables ont en leur faveur le précédent du Pastoral, où les thèses développées dans chaque chapitre sont énoncées globalement au début des Livres II et III.

39. En IV, Cap. 53, l'église où se produit le miracle est mise sous le patronage de saint Laurent, sans que le texte mentionne celui-ci.

40. Voir ci-dessus, n. 25 et 38. Sont présents les titres de III, 24-25 et 28-29. Le second est incomplet (manque *ecclesiae suprascriptae* comme dans V^3), ainsi que le troisième (manque *occisorum*, sans doute par accident). — Il a existé des capitulations différentes. Une communication de D. Yerkes, en date du 19 février 1977, nous signale qu'une douzaine au moins de mss anglais, dont le plus ancien est *Clare College, Cambridge 30* (Worcester, deuxième moitié du XIe s.), ont 35 titres de chapitres au Livre I.

Les traductions antérieures et la nôtre

Un mot, pour finir, sur notre traduction. Elle vient après beaucoup d'autres, dont il faut au moins mentionner quelques-unes. Sans parler des multiples Vies de Benoît [41], signalons les traductions complètes faites au XVIIe siècle par L. Bulteau [42] et au XIXe par E. Cartier [43], ainsi que les versions plus récentes en allemand [44] et en anglais [45].

Sous leur apparente limpidité, les Dialogues sont moins faciles à traduire qu'il ne semble. Un de leurs pièges est le mot *uirtus*, si fréquent et si ambigu, dont il est souvent difficile de dire s'il signifie « vertu » ou « prodige », « acte miraculeux » ou « capacité de faire des miracles ». Parfois on est tenté d'imiter le dernier traducteur de la Vie de Martin [46], en écrivant simplement « vertu » entre guillemets. Si la présente traduction ne se contente pas de ce décalque, son auteur n'en est pas moins conscient des difficultés de l'interprétation en maint passage.

Un autre choix délicat est celui qu'imposent les nombreux noms de personnes et de lieux. Une fois reconnue l'impossibilité de les mettre tous pareillement en latin ou en langue moderne, leur répartition entre ces deux sortes de formes est dans une large mesure affaire de prudence et de goût. Pour les termes géographiques, on a généralement préféré les noms français, chaque fois qu'ils existaient ou qu'ils

---

41. Une des plus récentes est celle de E. DE SOLMS, dans *La Vie et la Règle de saint Benoît*, Paris 1965.

42. *Dialogues de S. Grégoire le Grand, Pape. Traduction nouvelle... par *** de la Congrégation de S. Maur*, Paris 1689. La longue Préface (p. III-CXI) et les notes ne sont pas sans intérêt. Sur la traduction française antérieure, signée T. B. D., imprimée en 1601, 1616 et 1624, voir p. CX.

43. *Dialogues de S. Grégoire le Grand, traduits par* E. CARTIER, Paris 1875.

44. *Gregor des Grossen Vier Bücher Dialoge, übers. von* J. FUNK, Munich 1933 (*BKV*, Zweite Reihe, III/II).

45. *Saint Gregory the Great, Dialogues, translated by* O. J. ZIMMERMANN, New York 1959 (*The Fathers of the Church* 39).

46. SULPICE SÉVÈRE, *Vie de saint Martin*, éd. J. FONTAINE, t. I, Paris 1967 (*SC* 133), p. 253 (1, 7), p. 277 (11, 1), p. 283 (13, 9 et 14, 1-2), etc.

étaient faciles à déduire [47], et à leur défaut les noms italiens, à condition que les uns et les autres ne fussent ni tout différents, ni trompeurs [48]. Quant aux noms de personnes, ils n'ont été modernisés que quand l'équivalent français paraissait convenable. On trouvera ainsi Venance, Honorat, Boniface, Fortunat, Benoît, mais aussi Speciosus, Probus, Pretiosus, Ursus, Merulus, voire Musa, Renatus et Justus.

Plus généralement, le style de la présente version relève lui aussi d'un choix. Dans l'éventail des partis qui s'offrent à tout traducteur, dom Antin a décidément opté pour une manière plaisante et alerte, agréable au lecteur français. Il s'ensuit que la syntaxe est souvent abandonnée au profit de la parataxe, des mots de liaison omis, certaines répétitions supprimées, et que le présent narratif se substitue habituellement aux temps passés. Ce que la traduction perd ainsi en stricte conformité à l'original, elle le gagne en légèreté et en lisibilité. Cet avantage littéraire nous a paru justifier la dérogation aux canons académiques qui en est la conséquence inévitable.

---

47. Ainsi « Mont Marsique » (*monte Marsico*) en III, Cap. 16 ; 16, 1.
48. Ainsi Civitavecchia est un autre nom que *Centumcellae*. Toscane correspond bien à *Tuscia*, mais la limite méridionale de la province s'est déplacée vers le nord, de sorte qu'elle ne renferme plus une localité comme Ferentis (Viterbe), qui y était comprise au temps de Grégoire.

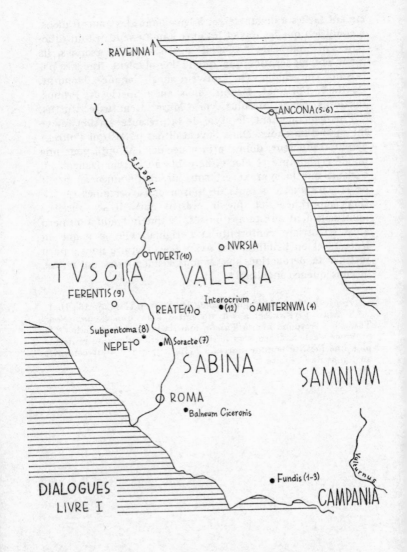

RAVENNA

ANCONA (5-6)

Tiberis

NVRSIA

TVDERT (10)

TVSCIA   VALERIA

FERENTIS (9)

Interocrium
REATE (4)   (12)   AMITERNVM (4)

Subpentoma (8)
NEPET   M. Soracte (7)

SABINA   SAMNIVM

ROMA
Balneum Ciceronis

Vulturnus

Fundis (1-3)

DIALOGUES   CAMPANIA
LIVRE I

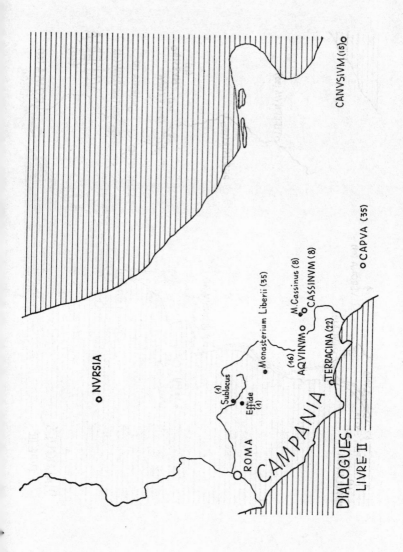

CANVSIVM (15) o

CAPVA (35) o

Monasterium Liberii (35) •
M. Cassinus (8) •
CASSINVM (8) O
AQVINVM O
(16)
TERRACINA (22) O

NVRSIA o

Sublacus •
(4)
Effide •
(4)

ROMA O

CAMPANIA

DIALOGUES
LIVRE II

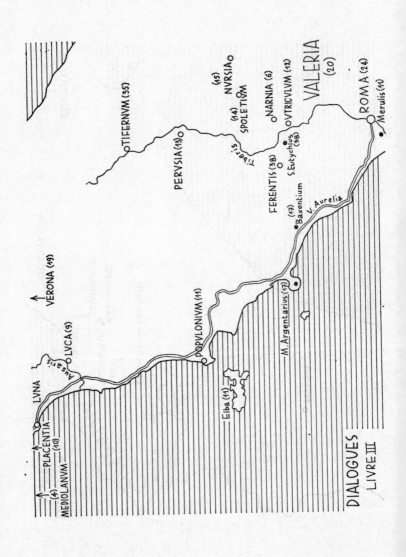

DIALOGUES
LIVRE III

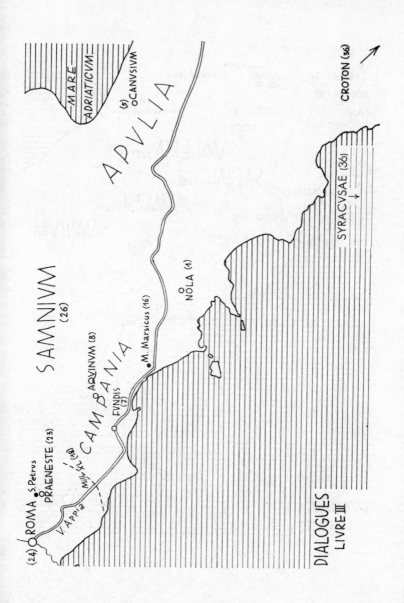

DIALOGUES LIVRE III

ROMA (24)
S.Petrus
PRAENESTE (23)
V. Appia
Mjl·52·
CAMPANIA
FUNDIS (7)
ARPINVM (8)
M. Marsicus (16)
NOLA (1)

SAMNIVM (26)

APVLIA

OCANVSIVM (5)

MARE ADRIATICVM

SYRACVSAE (36)

CROTON (36)

13*

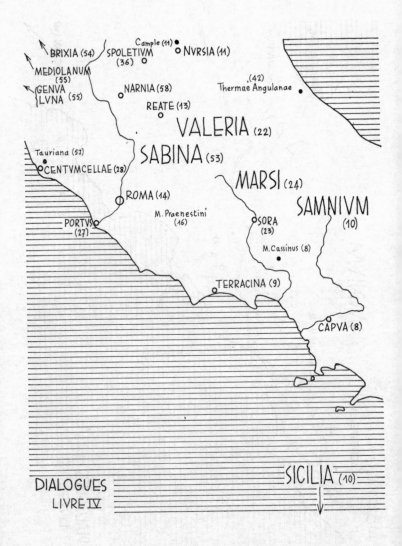

Cample (11)
BRIXIA (54) SPOLETIVM (36) NVRSIA (11)
MEDIOLANUM (55)
GENVA (55) NARNIA (58)
LVNA Thermae Angulanae (42)
REATE (13)
VALERIA (22)
Tauriana (57) SABINA (53)
CENTVMCELLAE (28) MARSI (24)
ROMA (14) SAMNIVM (10)
M.Praenestini (16)
PORTVS (27) SORA (23)
M.Cassinus (8)
TERRACINA (9)
CAPVA (8)

DIALOGUES
LIVRE IV

SICILIA (10)

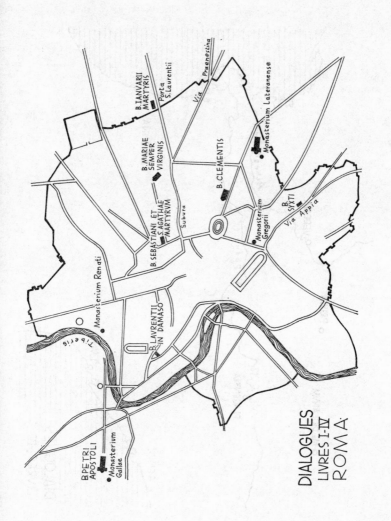

DIALOGUES
LIVRES I-IV
ROMA

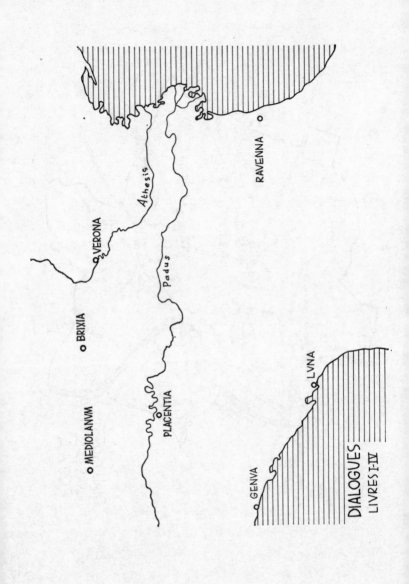

MEDIOLANVM

BRIXIA

VERONA

Athesis

Padus

RAVENNA

GENVA

LVNA

PLACENTIA

DIALOGUES
LIVRES I-IV

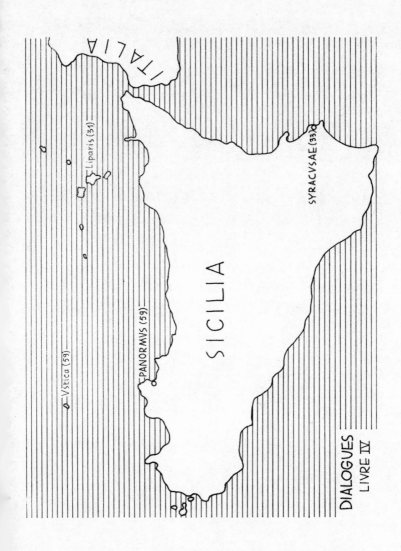

ITALIA

Liparis (31)

Vstica (59)

PANORMVS (59)

SICILIA

SYRACVSAE (330)

DIALOGVES
LIVRE IV

TABLE ANALYTIQUE

INTRODUCTION

ACHEVÉ D'IMPRIMER
LE 17 NOVEMBRE 1978
SUR LES PRESSES
DE PROTAT FRÈRES
· A MACON

Nº IMPRIMEUR : 6373. Nº ÉDITEUR : 6953. DÉPÔT LÉGAL . 4ᵉ TRIMESTRE 1978.

SOURCES CHRÉTIENNES

LISTE COMPLÈTE DE TOUS LES VOLUMES PARUS

N. B. — L'ordre suivant est celui de la date de parution (n° 1 en 1942) et il n'est pas tenu compte ici du classement en séries : grecque, latine, byzantine, orientale, textes monastiques d'Occident ; et série annexe : textes para-chrétiens.

Sauf indication contraire, chaque volume comporte le texte original, grec ou latin, souvent avec un apparat critique inédit.

La mention *bis* indique une seconde édition. Quand cette seconde édition ne diffère de la première que par de menues corrections et des *Addenda et Corrigenda* ajoutés en appendice, la date est accompagnée de la mention « réimpression avec supplément ».

1. Grégoire de Nysse : **Vie de Moïse.** J. Daniélou (3e édition) (1968).
2 bis. Clément d'Alexandrie : **Protreptique.** C. Mondésert, A. Plassart (réimpression de la 2e éd., 1976).
3 bis. Athénagore : **Supplique au sujet des chrétiens.** *En préparation.*
4 bis. Nicolas Cabasilas : **Explication de la divine Liturgie.** S. Salaville, R. Bornert, J. Gouillard, P. Périchon (1967).
5. Diadoque de Photicé : **Œuvres spirituelles.** É. des Places (réimpr. de la 2e éd., avec suppl., 1966).
6 bis. Grégoire de Nysse : **La création de l'homme.** *En préparation.*
7 bis. Origène : **Homélies sur la Genèse.** H. de Lubac, L. Doutreleau (1976).
8. Nicétas Stéthatos : **Le paradis spirituel.** M. Chalendard. *Remplacé par le n° 81.*
9 bis. Maxime le Confesseur : **Centuries sur la charité.** *En préparation.*
10. Ignace d'Antioche : **Lettres. — Lettres et Martyre** de Polycarpe de Smyrne. P.-Th. Camelot (4e édition) (1969).
11 bis. Hippolyte de Rome : **La Tradition apostolique.** B. Botte (1968).
12 bis. Jean Moschus : **Le Pré spirituel.** *En préparation.*
13. Jean Chrysostome : **Lettres à Olympias.** A.-M. Malingrey. Trad. seule (1947).
13 bis. 2e édition avec le texte grec et la **Vie anonyme d'Olympias** (1968).
14. Hippolyte de Rome : **Commentaire sur Daniel.** G. Bardy, M. Lefèvre. Trad. seule (1947).
2e édition avec le texte grec. *En préparation.*
15 bis. Athanase d'Alexandrie : **Lettres à Sérapion.** J. Lebon. *En préparation.*
16 bis. Origène : **Homélies sur l'Exode.** H. de Lubac, J. Fortier. *En préparation.*
17. Basile de Césarée : **Sur le Saint-Esprit.** B. Pruche. Trad. seule (1947).
17 bis. 2e édition avec le texte grec (1968).
18 bis. Athanase d'Alexandrie : **Discours contre les païens.** P. Th. Camelot (1977).
19 bis. Hilaire de Poitiers : **Traité des Mystères.** P. Brisson (réimpression, avec supplément, 1967).

20. Théophile d'Antioche : **Trois livres à Autolycus.** G. Bardy, J. Sender. Trad. seule (1948).
2ᵉ édition avec le texte grec. *En préparation.*

21. Éthérie : **Journal de voyage.** H. Pétré (réimpression, 1975).

22 bis. Léon le Grand : **Sermons,** t. I. J. Leclercq, R. Dolle (1964).

23. Clément d'Alexandrie : **Extraits de Théodote** (réimpression, 1970).

24 bis. Ptolémée : **Lettre à Flora.** G. Quispel (1966).

25 bis. Ambroise de Milan : **Des sacrements. Des Mystères. Explication du Symbole.** B. Botte (1961).

26 bis. Basile de Césarée : **Homélies sur l'Hexaéméron.** S. Giet (réimpr. avec suppl., 1968).

27 bis. **Homélies Pascales,** t. I. P. Nautin. *En préparation.*

28 bis. Jean Chrysostome : **Sur l'incompréhensibilité de Dieu.** J. Daniélou, A.-M. Malingrey, R. Flacelière (1970).

29 bis. Origène : **Homélies sur les Nombres.** A. Méhat. *En préparation.*

30 bis. Clément d'Alexandrie : **Stromate I.** *En préparation.*

31. Eusèbe de Césarée : **Histoire ecclésiastique,** t. I. G. Bardy (réimpression, 1978).

32 bis. Grégoire le Grand : **Morales sur Job,** t. I. Livres I-II. R. Gillet, A. de Gaudemaris (1975).

33 bis. **A Diognète.** H. I. Marrou (réimpr. avec suppl., 1965).

34. Irénée de Lyon : **Contre les hérésies,** livre III. F. Sagnard. *Remplacé par les nᵒˢ 210 et 211.*

35 bis. Tertullien : **Traité du baptême.** F. Refoulé. *En préparation.*

36 bis. **Homélies Pascales,** t. II. P. Nautin. *En préparation.*

37 bis. Origène : **Homélies sur le Cantique.** O. Rousseau (1966).

38 bis. Clément d'Alexandrie : **Stromate II.** *En préparation.*

39 bis. Lactance : **De la mort des persécuteurs.** 2 vol. *En préparation.*

40. Théodoret de Cyr : **Correspondance,** t. I. Y. Azéma (1955).

41. Eusèbe de Césarée : **Histoire ecclésiastique,** t. II. G. Bardy (réimpression, 1965).

42. Jean Cassien : **Conférences,** t. I. E. Pichery (réimpression, 1966).

43. Jérôme : **Sur Jonas.** P. Antin (1956).

44. Philoxène de Mabboug : **Homélies.** E. Lemoine. Trad. seule (1956).

45. Ambroise de Milan : **Sur S. Luc,** t. I. G. Tissot (réimpr. avec suppl., 1971).

46 bis. Tertullien : **De la prescription contre les hérétiques.** *En préparation.*

47. Philon d'Alexandrie : **La migration d'Abraham.** R. Cadiou (1957).

48. **Homélies Pascales,** t. III. F. Floëri et P. Nautin (1957).

49 bis. Léon le Grand : **Sermons,** t. II. R. Dolle (1969).

50 bis. Jean Chrysostome : **Huit Catéchèses baptismales inédites.** A. Wenger (réimpr. avec suppl., 1970).

51 bis. Syméon le Nouveau Théologien : **Chapitres théologiques, gnostiques et pratiques.** J. Darrouzès. *En préparation.*

52. Ambroise de Milan : **Sur S. Luc,** t. II. G. Tissot (1958).

53 bis. Hermas : **Le Pasteur.** R. Joly (réimpr. avec suppl., 1968).

54. Jean Cassien : **Conférences,** t. II. E. Pichery (réimpression, 1966).

55. Eusèbe de Césarée : **Histoire ecclésiastique,** t. III. G. Bardy (réimpression, 1967).

154. CHROMACE D'AQUILÉE : **Sermons.** Tome I. Sermons 1-17 A. J. Lemarié (1969).

155. HUGUES DE SAINT-VICTOR : **Six opuscules spirituels.** R. Baron (1969).

156. SYMÉON LE NOUVEAU THÉOLOGIEN : **Hymnes.** J. Koder, J. Paramelle. Tome I. Hymnes I-XV (1969).

157. ORIGÈNE : **Commentaire sur S. Jean.** C. Blanc. Tome II. Livres VI et X (1970).

158. CLÉMENT D'ALEXANDRIE : **Le Pédagogue.** Livre III. Cl. Mondésert, H. I. Marrou et Ch. Matray (1970).

159. COSMAS INDICOPLEUSTÈS : **Topographie chrétienne.** Tome II. Livre V. W. Wolska-Conus (1970).

160. BASILE DE CÉSARÉE : **Sur l'origine de l'homme.** A. Smets et M. Van Esbroeck (1970).

161. **Quatorze homélies du IXᵉ siècle d'un auteur inconnu de l'Italie du Nord.** P. Mercier (1970).

162. ORIGÈNE : **Commentaire sur l'Évangile selon Matthieu.** Tome I. Livres X et XI. R. Girod (1970).

163. GUIGUES II LE CHARTREUX : **Lettre sur la vie contemplative (ou Échelle des Moines). Douze méditations.** E. Colledge, J. Walsh (1970).

164. CHROMACE D'AQUILÉE : **Sermons.** Tome II. Sermons 18-41. J. Lemarié (1971).

165. RUPERT DE DEUTZ : **Les œuvres du Saint-Esprit.** Tome II. Livres III et IV. J. Gribomont, É. de Solms (1970).

166. GUERRIC D'IGNY : **Sermons,** Tome I. J. Morson, H. Costello, P. Deseille (1970).

167. CLÉMENT DE ROME : **Épître aux Corinthiens.** A. Jaubert (1971).

168. RICHARD ROLLE : **Le chant d'amour (Melos amoris).** F. Vandenbroucke et les Moniales de Wisques. Tome I (1971).

169. **Id.** — Tome II (1971).

170. ÉVAGRE LE PONTIQUE : **Traité pratique.** A. et C. Guillaumont. Tome I. Introduction (1971).

171. **Id.** — Tome II. Texte, traduction, commentaire et tables (1971).

172. **Épître de Barnabé.** R. A. Kraft, P. Prigent (1971).

173. TERTULLIEN : **La toilette des femmes.** M. Turcan (1971).

174. SYMÉON LE NOUVEAU THÉOLOGIEN : **Hymnes.** J. Koder, L. Neyrand. Tome II. Hymnes XVI-XL (1971).

175. CÉSAIRE D'ARLES : **Sermons au peuple.** Tome I. Sermons 1-20. M.-J. Delage (1971).

176. SALVIEN DE MARSEILLE : **Œuvres.** Tome I. G. Lagarrigue (1971).

177. CALLINICOS : **Vie d'Hypatios.** G. J. M. Bartelink (1971).

178. GRÉGOIRE DE NYSSE : **Vie de sainte Macrine.** P. Maraval (1971).

179. AMBROISE DE MILAN : **La Pénitence.** R. Gryson (1971).

180. JEAN SCOT : **Commentaire sur l'évangile de Jean.** É. Jeauneau (1972).

181. **La Règle de S. Benoît.** Tome I. Introduction et chapitres I-VII. A. de Vogüé et J. Neufville (1972).

182. **Id.** — Tome II. Chapitres VIII-LXXIII, Tables et concordance. A. de Vogüé et J. Neufville (1972).

183. **Id.** — Tome III. Étude de la tradition manuscrite. J. Neufville (1972).

184. **Id.** — Tome IV. Commentaire (Parties I-III). A. de Vogüé (1971).

185. **Id.** — Tome V. Commentaire (Parties IV-VI). A. de Vogüé (1971).

186. **Id.** — Tome VI. Commentaire (Parties VII-IX), Index. A. de Vogüé (1971).

187. Hésychius de Jérusalem, Basile de Séleucie, Jean de Béryte, Pseudo-Chrysostome, Léonce de Constantinople : **Homélies pascales.** M. Aubineau (1972).

188. Jean Chrysostome : **Sur la vaine gloire et l'éducation des enfants.** A.-M. Malingrey (1972).

189. **La chaîne palestinienne sur le psaume 118.** Tome I. Introduction, texte critique et traduction. M. Harl (1972).

190. **Id.** — Tome II. Catalogue des fragments, notes et index. M. Harl (1972).

191. Pierre Damien : **Lettre sur la toute-puissance divine.** A. Cantin (1972).

192. Julien de Vézelay : **Sermons.** Tome I. Introduction et Sermons 1-16. D. Vorreux (1972).

194. **Actes de la Conférence de Carthage en 411.** Tome I. Introduction. S. Lancel (1972).

195. **Id.** — Tome II. Texte et traduction de la Capitulation et des Actes de la première séance. S. Lancel (1972).

196. Syméon le Nouveau Théologien : **Hymnes.** J. Koder, J. Paramelle, L. Neyrand. Tome III. Hymnes XLI-LVIII, Index (1973).

197. Cosmas Indicopleustès : **Topographie chrétienne,** t. III. Livres VI-XII, Index. W. Wolska-Conus (1973).

198. **Livre** (cathare) **des deux principes.** Ch. Thouzellier (1973).

199. Athanase d'Alexandrie : **Sur l'incarnation du Verbe.** C. Kannengiesser (1973).

200. Léon le Grand : **Sermons,** tome IV. Sermons 65-98, Éloge de S. Léon, Index. R. Dolle (1973).

201. **Évangile de Pierre.** M.-G. Mara (1973).

202. Guerric d'Igny : **Sermons.** Tome II. J. Morson, H. Costello, P. Deseille (1973).

203. Nersès Snorhali : **Jésus, Fils unique du Père.** I. Kéchichian. Trad. seule (1973).

204. Lactance : **Institutions divines,** livre V. Tome I. Introd., texte et trad. P. Monat (1973).

205. **Id.** — Tome II. Commentaire et index. P. Monat (1973).

206. Eusèbe de Césarée : **Préparation évangélique,** livre I. J. Sirinelli, É. des Places (1974).

207. Isaac de l'Étoile : **Sermons.** A. Hoste, G. Salet, G. Raciti. Tome II. Sermons 18-39 (1974).

208. Grégoire de Nazianze : **Lettres théologiques.** P. Gallay (1974).

209. Paulin de Pella : **Poème d'action de grâces** et **Prière.** C. Moussy (1974)

210. Irénée de Lyon : **Contre les hérésies,** livre III. A. Rousseau, L. Doutreleau. Tome I. Introduction, notes justificatives et tables (1974).

211. **Id.** — Tome II. Texte et traduction (1974).

212. Grégoire le Grand : **Morales sur Job.** Livres XI-XIV. A. Bocognano (1974).

213. Lactance : **L'ouvrage du Dieu créateur.** Tome I. Introduction, texte critique et traduction. M. Perrin (1974).

214. **Id.** — Tome II. Commentaire et index. M. Perrin (1974).

215. Eusèbe de Césarée : **Préparation évangélique,** livre VII. G. Schroeder, É. des Places (1975).

216. Tertullien : **La chair du Christ.** Tome I. Introduction, texte critique et traduction. J. P. Mahé (1975).

217. **Id.** — Tome II. Commentaire et Index. J. P. Mahé (1975).

218. Hydace : **Chronique.** Tome I. Introduction, texte critique et traduction. A. Tranoy (1975).

219. **Id.** — Tome II. Commentaire et index. A. Tranoy (1975).

220. Salvien de Marseille : **Œuvres,** t. II. G. Lagarrigue (1975).

221. Grégoire le Grand : **Morales sur Job.** Livres XV-XVI. A. Bocognano (1975).

222. Origène : **Commentaire sur S. Jean.** Tome III. Livre XIII. C. Blanc (1975).

223. Guillaume de Saint-Thierry : **Lettre aux Frères du Mont-Dieu (Lettre d'or).** J. Déchanet (1975).

224. **Actes de la Conférence de Carthage en 411.** Tome III. Texte et traduction des Actes de la 2e et de la 3e séance. S. Lancel (1975).

225. Dhuoda : **Manuel pour mon fils.** P. Riché, B. de Vregille et C. Mondésert (1975).

226. Origène : **Philocalie 21-27 (Sur le libre arbitre).** É. Junod (1976).

227. Origène : **Contre Celse.** M. Borret. Tome V. Introduction et index (1976).

228. Eusèbe de Césarée : **Préparation évangélique.** Livres II-III. É. des Places (1976).

229. Pseudo-Philon : **Les Antiquités Bibliques.** D. J. Harrington, C. Perrot, P. Bogaert, J. Cazeaux. Tome I. Introduction critique, texte et traduction (1976).

230. **Id.** — Tome II. Introduction littéraire, commentaire et index (1976).

231. Cyrille d'Alexandrie : **Dialogues sur la Trinité.** Tome I. Dial. I et II. G. M. de Durand (1976).

232. Origène : **Homélies sur Jérémie.** P. Nautin et P. Husson. Tome I. Introduction et homélies I-XI.

233. Didyme l'Aveugle : **Sur la Genèse,** t. I (sur Genèse I-IV). P. Nautin et L. Doutreleau.

234. Théodoret de Cyr : **Histoire des moines de Syrie.** Tome I. Introduction et **Histoire philothée** I-XIII. P. Canivet et A. Leroy-Molinghen (1977).

235. Hilaire d'Arles : **Vie de S. Honorat.** M.-D. Valentin (1977).

236. **Rituel cathare.** Ch. Thouzellier (1977).

237. Cyrille d'Alexandrie : **Dialogues sur la Trinité.** Tome II. Dial. III-V. G. M. de Durand. (1977).

238. Origène : **Homélies sur Jérémie.** Tome II. Homélies XII-XX et homélies latines, index. P. Nautin et P. Husson (1977).

239. Ambroise de Milan : **Apologie de David.** P. Hadot et M. Cordier (1977).

240. Pierre de Celle : **L'école du cloître.** G. de Martel (1977).

241. **Conciles gaulois du IVe siècle.** J. Gaudemet (1977).

242. S. Jérôme : **Commentaire sur S. Matthieu.** Tome I. Livres I et II. É. Bonnard (1978).

243. Césaire d'Arles : **Sermons au peuple.** Tome II. Sermons 21-55. M.-J. Delage (1978).

244. Didyme l'Aveugle : **Sur la Genèse.** Tome II (sur Genèse V-XVII). Index. P. Nautin et L. Doutreleau (1978).

Hors série :

SOUS PRESSE

PROCHAINES PUBLICATIONS

SOURCES CHRÉTIENNES
(1-249)

Également aux Éditions du Cerf :

LES ŒUVRES DE PHILON D'ALEXANDRIE

publiées sous la direction de
R. ARNALDEZ, C. MONDÉSERT, J. POUILLOUX
Texte grec et traduction française